U0066375

旅日進步經濟學者・中國統一運動先驅
劉進慶教授逝世十周年紀念

劉進慶文選

我的抵抗與學問

下　卷

人間出版社

中華秋海棠文化經貿協會致敬紀念出版

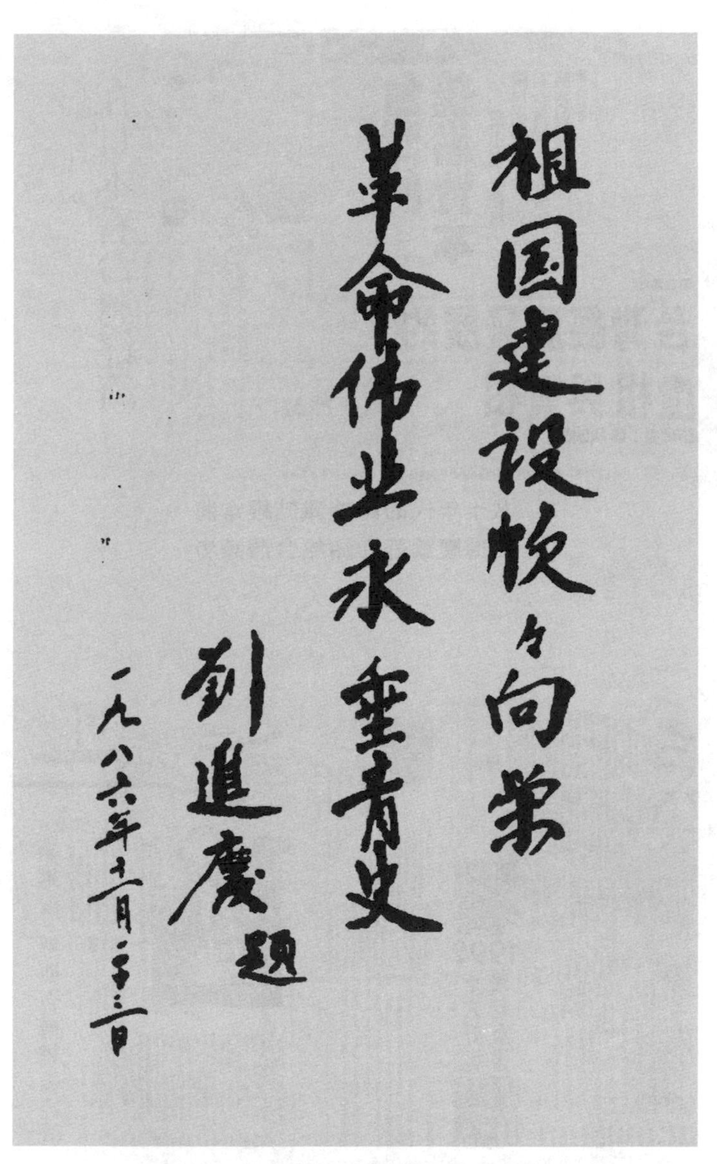

劉進慶在大陸訪學期間留下的題詞

台灣的統治資本
——從中樞、衛星關係的觀點看台灣政治經濟的演變與展望
■劉進慶

⊙專訪⊙
台灣經濟發展的虛相與實相 —— 訪劉進慶教授
訪問者：■陳映眞

八月初，日本東京經濟大學的劉進慶教授返台。劉教授是台灣雲林人，1972 年獲東京大學

焦點話題／經濟篇
在日本看台灣經濟
主講／劉進慶 記錄／簡玉秀

劉進慶，一九三一年生，雲林斗六人，台灣大學經濟系畢業，東京大學經濟學博士，現任東京經濟大學教授。專攻國際經濟、發展中國家經濟。著作有「戰後台灣經濟分析」等。

劉進慶：「台灣正面臨經濟轉型。」

·18·

八十年代的黨外雜誌經常將
劉進慶論著介紹給台灣讀者

中國時報 42
開卷 人&書
中華民國八十三年四月七日 星期四 (1994)

劉進慶 解明台灣戰後經濟
■文／簡正聰

開卷1992 十大好書 最佳童書 揭曉

一九九二開卷十大好書

劉進慶
《台灣戰後經濟分析》■朱恩伶／文

台灣戰後經濟分析

劉進慶《戰後台灣經濟分析》漢譯本
被媒體評為一九九二年開卷十大好書

1996年7月18日 星期四 第5版　　人民日报（海外版）

直接三通是唯一的出路 海峡两岸经济互助合作

东京经济大学教授刘进庆表示

本报讯 记者姚小敏报道：日本东京经济大学教授刘进庆在日前开幕的"海峡两岸关系学术研讨会"上指出，世纪之交，两岸经济互助合作的唯一道路是及早实现直接三通和双向交流。

刘进庆说，两岸经济好比是一个磁场，相互吸引，奮力结合。近几年来，尽管人为的障碍依然存在，也阻挡不了两岸经济互补互惠的磁场力量。两岸经贸交流年年扩大，岁岁加深。两岸经济的互动以及互助合作的趋势，已经成为一股巨大的潮流和力量。

刘进庆认为，两岸直接三通有百利而无一害。无条件直通为最佳选择，"境外营运中心"之类都不必多此一举。退一步说，附带条件越少越好，越合乎经济合理原则。

他指出，应改变目前经贸基本是单向交流（台湾往大陆）的状况，大陆商品与资本也应能自由输入台湾。这样才是正常的状态，也才能进一步推动两岸经济互补互利关系提升到互助合作层次。

刘进庆认为，两岸双向交流，台湾的受益更大：第一，两岸如果经济互动，台湾分享大陆持续高速成长的势头，获得维持高成长的有力条件；第二，台湾经济与产业结构得以顺利转型提升，厚植经济力量；第三，以大陆市场为腹地，打开台湾经济新出路。他强调，目前台湾经济的处境与发展前景，已经没有其他一条路可替代两岸合作这一非常合理而有利的道路选择。

刘进庆还特别指出，台湾经济的出路在大陆，台湾的希望在

两岸学者呼吁——推动结束敌对状态谈判

新华社北京7月17日电（记者陈建山、薛斌华）两岸学者今天纷纷呼吁，两岸应在现有共识的基础上，消除分歧，积极推动结束敌对状态的谈判，以推动两岸关系健康发展，为逐步实现祖国和平统一奠定坚实的基础。

去年1月30日，国家主席江泽民发表关于"促进祖国和平统一"的八项主张，其中提出：作为海峡两岸和平统一的第一步，双方可先就在一个中国的原则下，正式结束敌对状态问题进行谈判。他的这一重要主张得到正在此间参加1996年度海峡两岸关系学术研讨会的两岸学者的积极响应，学者们就此问题展开深入探讨。

与会学者认为，两岸在结束敌对状态问题上起码已有两点共识：一是双方都承认台湾海峡地区目前尚存在敌对状态；二是双方都认为目前结束敌对状态已成为当务之急，要实现祖国和平统一必须先结束两岸敌对状态。

中国国际战略学会研究员王在希指出，要实现两岸直接"三通"，进行两岸政治性商谈，实现两岸高层互访，要使两岸经贸关系有突破性发展，都要先结束两岸敌对状态。

他认为，结束两岸敌对状态具有十分重要和深远的意义，从近期看有利于打破两岸政治上的僵局，有利于两岸关系步入健康、良性发展轨道；从长远看则可避免因偶发事件而导致海峡局势紧张，从而为逐步实现祖国和平统一奠定坚实的基础。

台湾东吴大学政治系教授杨开煌说，两岸之间"结束敌对状态，签订和平协议"是两岸人民的共同希望。在开展谈判前，应注重消除两岸人民之间因国共内战、长期隔绝以及"台独"分子蓄意建构而形成的敌意。

中国社科院台研所副所长余克礼、王在希、朱显龙等祖国大陆学者一致认为，两岸结束敌对状态的障碍在台湾当局。他们指出，结束敌对状态为打破两岸近年形成的政治僵局提供了契机，台湾当局如果真有诚意发展两岸关系，就应尽快与祖国大陆进行关于结束敌对状态的接

东方之珠扫描

goldlion 金利来协办

海沧投资区进入发展阶段

新华社厦门7月16日电（记者……）被国务院列为台商投资开发区的厦门海沧投资区今年进入发展阶段。上半年区管委会批准外商投资项目14个，外商出资1亿多美元，均比

《人民日報》海外版介紹劉進慶
關於兩岸經濟之互助合作的建議

劉進慶在台灣反帝學生組織發表演說
會議由勞動人權協會林書揚會長主持

劉進慶於二〇〇五年十月廿三日逝世後
日本當地僑界和師友陸續舉行了追思會

編輯凡例

一、為反映劉進慶教授一生「抵抗」與「學問」的軌跡，我們編選了這部文選。劉進慶的基本理論思考及其特殊歷史轉折中的重大經歷（特別是劉進慶參與或組織的重要會議、活動，或者團體），是本書希望著重凸顯的對象。

二、除收錄劉進慶單獨署名撰寫的文章之外，本書也收錄了劉進慶參與起草或連署的重要文獻。不是劉進慶所撰寫，但又關聯到劉進慶社會實踐的文獻，作為參考資料編入本書。參考資料採用不同字體。

三、劉進慶著作多以漢語和日語寫成（極少部分採用英語），有些已經發表，有些則無。本書所收劉進慶著作可分三類：(1) 劉進慶親自以漢語書寫或漢譯並已發表的論文，(2) 此前尚未公開發表的劉進慶內部文稿，以及 (3) 此前從未漢譯的論文。由他人所漢譯並已發表的劉進慶日語著作，或已收錄在《人間台灣政治經濟叢刊》等專書中的漢語論文，本書基本上不收錄。

四、為便利讀者了解劉進慶的生平與學術業績，本書兼以時間順序和文章主旨為標準，安排文章之間的次序。主旨類同的文章置於同一單元，單元內部的選文依照時間排序。單元與單元之間也盡量按照時間先後排序。

五、本書以六角括號〔〕校定每則選文的錯字與漏字；六角括號〔〕內的文字俱由編者所加。以〇字代替文字之處，亦為編者所加。此外，本書按照現代漢語的一般規範，統一調整每篇文章的漢字與標點符號。

六、劉進慶某些用語不同於漢語慣用詞或常見譯詞，但因這些用語正是劉進慶的行文特色，而非筆誤，故本書不予改動。例如:「難予」（難以)、「加予」(加以)、「阿片」(鴉片)、「連誼」(聯誼)、「膨大」（龐大)、「上開」(前述)、「野黨」(在野黨)、「平和」(和平)、「總合」(綜合)、「具多」(居多、大多)、「欠點」(缺點)、「事體」、「含意」、「涵意」、「意含」、「容認」、「總合」、「節節」，等等。

七、本書所收著作原無一致的注釋格式，因此本書將以劉進慶較常使用的注釋格式為標準，儘量使全書注釋獲得統一。基本格式如下:

> 責任者與責任方式，《文獻題名》，版本，出版地：出版者，出版年份，頁碼，圖表及其編號。

劉進慶漏寫出版地、出版者、出版年份之類的個別場合，本書儘可能重新查閱劉進慶所徵引的書目，加以補完。但劉進慶某些注釋相對簡化的地方（比方責任者與出版者相同，故省去出版者乃至出版地)，本文集則視前後文脈能否順暢，保留或修訂劉進慶原來的注釋寫法。

八、為便於讀者掌握選文，本書針對極少部分論文調整了篇名，但仍將註明原來的標題。

九、本書每篇選文的原始出處、標題，以及相關資訊，可參見選文標題正下方的說明。選文需要個別說明之處，以「編者按」隨頁注於正文下方。

十、參與本書編輯工作的有：林啟洋與林邵雪瑛（本書策劃，中華秋海棠文化經貿交流協會）、邱士杰（本書主編。負責文稿的選、校、譯，以及注釋、按語、著作年譜之撰寫。台灣大學）、曾健民（翻譯，台灣社會科學研究會）、劉孝春（校譯，世新大學）、張鈞凱（打字、校稿、印務，台灣大學）、楊可倫（製圖，台灣大學）、陳乃慈（美編、印務，東海大學）、樊俊朗（打字，台灣大學）、林哲元（校稿，南京大學）、陳良哲（校稿，交通大學）、黃雅慧（校稿，交通大學）、許孟祥（校稿，世新大學）、曾育勤（校稿，艾賽克斯大學）、蔡文傑（校稿，中正大學）、林克睿（校稿，台灣大學）、劉羿宏（校稿，夏威夷大學）、吳冠倫（校稿，中正大學）、張立本（校稿，台灣大學）、羅汝琪（校稿，北京大學）、宋文揚（校稿，台灣大學）、李中（校稿，世新大學）、倪文婷（校稿，北京大學）、龍紹瑞（校稿，淡江大學）。以上按照參與工作的先後排序。

本書還採用了林書揚先生生前完成的譯稿。

目　錄

上　卷

七十年代留日台灣學生的政治集結與統獨分化

劉進慶與七十年代在日中國統一運動

台灣經濟的基本性質

兩岸經貿交流與台灣前途

下　卷

美日帝國主義與兩岸關係

反獨促統運動

兩岸關係研究中心與台灣研究

台灣民意與選情的調查研究

台灣史與台灣人

劉進慶文選：我的抵抗與學問

下　卷

美日帝國主義與兩岸關係

兩岸關係最基本的關鍵
在中美關係

本文是 1997 年 8 月 25 日劉進慶在夏潮基金會主辦的「開創與前瞻——後九七兩岸關係論壇」總結討論時的發言。座談會由吳瓊恩擔任主持人，劉進慶以及楊開煌、王曉波、張五岳、許世銓，分別擔任引言人。座談全文經整理後，以〈開創與前瞻——後九七兩岸關係論壇（總結討論）〉為題，發表在 1997 年 10 月發行的《海峽評論》第 82 期。本文選僅摘錄劉進慶發言的部份。標題為本文選編者所擬。

大陸垮了，台灣也不平安

我認為兩岸關係最基本的關鍵在中美關係，大家知道許（世銓）所長是中美關係的專家，現在擔任台灣研究所的所長，就該知道這個問題的重要性。我要說的是台北在外交上蹦蹦跳跳是屬於小動作，在大的方面中美關係才是決定台灣前途最主要的關鍵所在。

我是 1962 年到日本，至今已三十五年，我對祖國大陸一直在觀察其動態，我們常說 60 年代的文革是個災難和迫害，但是為何在文革末期尼克森要到北京去訪問呢？那時大陸方面的戰略是深挖洞、廣積糧，就是為了對付美國、蘇聯帝國主義的侵攻。大陸你看他窮，但是世界兩大超強也不敢對大陸插手，這種政治力量從何處來？我們在海外就覺得這是中國人非常了不起的政治智慧，所以我們常批評文革、人民公社體制，但為保護祖國大陸的戰略在歷史上是值得流傳的，這是最便宜而效果最大，讓美蘇擴軍競爭來消耗，消耗到最後他自己垮了，美國用最尖端的科技在越戰也打不贏，後來不得不到北京找中國來幫他撤退，這種中國人的智慧力量是不可輕視的；同時我們對現代化的知識不太夠，所以在文革犯了一些錯誤這也是事實。

80 年代初期我開始訪問大陸，那時很少人去，我一去時台灣的特務就來接觸我。他們當時要收取資料，我就告訴他們大陸變了，會變的，你們要改觀，後來那個情治單位也感謝我說的對。我說：現在我們要幫忙開發，我們才安全，有很多日本朋友，以及一些台獨人士，他們都認為中國一定會垮，但當時我就不這麼認識。1991 至 93 年到美國去，有同很多台獨的朋友相處機會，他們都說大陸快垮了，我們有機會了。但我卻告訴他們：這是不對的，大陸會繁榮發展的。有兩個假定你們都站不住腳，萬一大陸發生混亂時，你也沒有安全；大陸繁榮當然是台獨獨立無望，大陸如果是非常紊亂發生危機的話，日本、台灣都不平安。兩個假定都不成立，還是讓大陸好好發展，大家才有一個和平安定的日子。日本也是一樣，我的基本看法是這樣。所以我們今天見到香港回歸是一件非常高興的事，往後的影響非常大。

各方都在看香港的一國兩制

接下來我要說說這次學術研討會的一些感想；我們在海外的學人，不應該說兩岸該如何，而該從較客觀的角度來表達看法。

我要從三方面來看。首先政治方面，這次的討論會主要是圍繞著九七後的香港回歸以及一國兩制的問題。一國兩制當然最後是要解決台灣問題的基本方式，而先對香港作實驗。

這問題在每一個場合都有兩面的看法，大陸方面一定說香港一定會平穩過渡，一國兩制一定會成功，如果一國兩制在香港順利的話，將來作一個示範作用，對解決台灣問題也有好處；但是在台灣方面，當局一開口就強調台灣不是香港，絕對不能接受，也不能成功（問題在於他們永遠不會承認成功的，他們一定會提出達到很多基準才算成功），所以在某個時候，兩岸方面必須讓學者討論何種基準才算成功，事先準備一個準則，若將來能夠達到，就算是順利成功；不要讓雙方的準則不同，而沒有成功之時日。在海外來看，無論日本或美國對一國兩制都覺得很新奇、很關心，因為這是前所未有的，應該讓他好好地試試看，因為中國有很大的國土很多的人口，區域差又很大，對一國兩制日本人有一個較好的理解。

第二方面就是兩岸的外交，我看外交休兵是好的，但仍覺得是一個消極的提法，我總覺得到底台灣的安全是什麼，應該具體的說出來，若是能夠維持現在的自由、民主、繁榮，那是不是就是安全？或者有其他的解釋？另外台灣常常使用三通和動武來交易（你若不動武我就可以三通的說法），三通與主權問題是無法交易的。我們在海外對國家主權問題，解決台灣的問題，北京方面說萬不得已保留動武的手段，在海外無人批評，因為這是國際政治的常識，維護國家主權最後不得已是動武，所以台灣光反對動武，在國際上、社會上沒有「推銷市場」，所以北京方面說：你若要獨立我就動武，這並不過分。

另外在海外常聽到中國威脅論。不只是美國，日本也對中國近來的順利繁榮感到害怕，提心吊膽，因為他們對戰爭的責任還沒有交代清楚，心理有鬼，所以中國富強起來日本就會覺得不安。日本對台灣問題，未必有野心一定要占領台灣，把台灣的領土收回，這他不敢想，主要是想以台灣問題來牽制中國富強統一，他就夠了。在這樣的立場上，他就作些小動作幫助台獨。

美國就怕中國強大

但是我覺得美國的中國威脅論確實是沒有道理的，它 1978 年以前以反共來反華，現在中國採取市場經濟、改革體制，美國也照樣反華，這是什麼意思，原來它對中國 19 世紀清末的衰退感到很高興，認為是一頭睡獅，20 世紀以來擔心中國會強大，而反共、人權都是藉口，它是否真的有人權？我在美國兩年，認為美國社會沒有真的人權，至少人的生命安全感太少了，所以美國這個國家的統治者，若天天不喊人權的話，美國人本身不放心。而東方社會我覺得最主要的是人命，但在美國沒有人命的安全感，而台灣現在利用美國和日本的中國威脅論來跟他們勾結，倡導反華，做為中國人這是要不得的。

第三方面經濟問題，談兩岸經濟關係非常的輕鬆，因為雙方互補性太強了，這絕對是有利的，有百利而無一害；問題是香港回歸以後，港台的經濟是互補性強或排斥性強，台灣和香港從一些服務業、金融市場來看，我覺得排斥性較強，台灣機會減少了；但是我覺得台灣還有機會，找上海浦東開發，尋找互補還有很多機會，所以對香港我覺得台灣已經失去了機會。

關於香港回歸後，三通問題照我來看法律上是通了，但實際上仍是間接，這只是解釋的問題，但早晚這是要正常化。而往後的展望從整個亞太地區整體的經濟發展趨勢看來，我覺得對兩岸經濟能夠整合一體化是一個有利的形勢。所以在這種情形下，兩岸一直維持間接單向是不太可能的，在不久的將來會從間接到直接、單向到雙向，同時雙向交流應該讓大陸的資本到台灣來投資（例如公共投資的工程），昨天金（德溥）先生提到，大陸的工程隊效率高，費用低，這種互補性有很多可以作，全面的交流是應該要發展的方向，一體化的方向是肯定的，這是亞太地區發展的大趨勢，並非僅是兩岸的關係；若台灣自己要退出的話，是自己吃虧，若有一天台灣的經濟搞不好，在政治方面也沒人會尊重你，你開給小國家的支票數目少別人就不承認你，這是已經談論過的。所以兩岸在談論經濟時中國人很聰明，但談論外交時中國人卻很笨，支票外交，我們賺了錢就到小國家去買外交關係，而他們確是在調行情，中國人應該在這方面改善。這是一個在海外的中國人認為雙方都不要再浪費了，趕快好好談判協議。

台灣的方向在哪裡?

從政治、經濟方面來看，我覺得兩岸的經濟方面越來越接近，但是政治方面卻越來越緊張，若把政治和經濟比喻成車子的兩個輪，則一個往前走，一個往後走，我覺得台灣沒有方向感，而在團團轉，生活過得很富裕卻讓大家沒有安全感，因為政經不一致、不配合，人心仍停留在冷戰時期的不安狀態，這太遺憾了。希望兩岸早日坐下來談，結束敵對狀態，讓台灣的走向明確，讓大家有安全感。

台灣民眾對「周邊」規定的迷惑

本文原發表於1999年3月2日大阪《朝日新聞》，原文是日文，標題為〈台湾民衆には迷惑な「周辺」規定〉。

中譯文由林書揚翻譯，發表於1999年4月發行的《海峽評論》第100期。

有關日美防衛協力的「指針」，最大的問題是，所謂的「周邊有事」一詞中的「周邊」竟然把台灣也包括進去，似乎有意表現出不惜與中國對抗的姿態。台灣當局素與大陸站在對立的立場，自然舉著雙手表示歡迎指針中的「周邊」規定，頓使事態更加地複雜化了。這樣的局面使台灣陷進跨世紀的日美，與逐漸強大化的中國之間的權力遊戲中而不得脫身，將一直處在敵對與不安的狀態之中。這種情況絕非台灣民眾所期望者。

問題可大別為兩點。一點是，日美雖然有意把台灣當成牽制「中國威脅」的一張牌，但絕無可能為了保護台灣而和中國交戰。另外一點是，台灣當局企圖利用指針，有悖於台灣民眾的意願。

首先，依據指針規定組合起來的日、美同盟，雖然擁有強大的核武力量，但如涉及到中國的領土、主權問題，即便是超強美國，還是無能為力。事實上，中國已經表示過，一旦牽涉到有關台灣的領土、主權問題，將以國運為賭注不惜一戰。1996年春，射向台灣海域的導彈演習，正是這種意思的表態。當時面向著美國航空母艦群，中國也以強硬姿勢相對峙，幾乎釀成了一觸即發的中美對決事件。

針對中國所表達的訊息，美國總統柯林頓在訪中期間以「三不」（美國不支持台灣獨立、兩個中國、台灣參加聯合國）來作回應。亦即，表明美國無意以台灣的領土、主權問題和中國相爭。且也暗示將把這種立場明確地傳達給台灣當局，以免再度發生此類危機。同時，也暗示中美之間已成立了台灣不獨立，大陸不行使武力的諒解。不過美國還是保留著《台灣關係法》，繼續出售武器給台灣，仍然把台灣作為牽制中國的一張牌。

其次，台灣當局雖然知道，台灣的戰略價值不過是中、美間權力遊戲中的一顆棋子，但還是有不得不迎合的理由。因為除非接受美國的庇護，台灣一天也不可能和大陸對抗。而中美之間不乏紛爭的材料，台灣還可以期待中美間「新冷戰」體制的再度出現。「新指針」對台灣來說，正是實現這種期待的、旱天的慈雨吧。

不過台灣當局的這樣的姿態，顯然不符民眾的意願。每逢選舉，民眾都會透露出一種意向，一方面無意經過一場兩岸對抗而取得獨立，另一方面也因為互不信任而對統一猶豫不決。結果是，多數人傾向於無風無浪的現狀維持。在和平狀態下如何持續著安定與繁榮，才是民眾最關心的事。

但所謂的指針，對兩岸間的和平解決只是一種妨礙，對緩和海峽的緊張是有害無益的。兩岸爭執的持續，不久將阻礙經濟交流，使台灣的繁榮蒙上陰影。實際上這樣的事態已經開始出現了。

實情如此，為何台灣當局還意圖接受違背民意的「指針」呢，那是因為有部分支配階層只知迎合美日和自我保護。特別要指出來的是，這一部分的台灣支配階層，一旦情況惡化，隨時都會出走台灣移民美國等外國。支配階層的這樣的意識形態和行為模式，涵蓋著戰後來台的國民黨政權的構成分子。而即使民主化後，因為與大陸之間仍然保有敵對關係，這種心態很遺憾地不曾改變過。

但，期望著真正的和平與安定的一般群眾，處境顯然不同。這中間存在著當權者和一般民眾之間，對指針問題的利害判斷的重大分歧。

總之，指針中的「周邊」規定，台灣群眾是不予歡迎的。為了後冷戰時期東亞的真正和平與安定、超越美日安保的，包括中國、俄羅斯在內的日、美、中、俄安保的構築才是正道。當前的指針如果這樣延續下去，我們不得不說，對日本的未來遲早也是一種禍根！

日美安保新指針的霸權本性

本文是 1999 年 7 月 26 日劉進慶在「跨世紀亞洲人民反對美日帝國主義運動國際研討會」(1999 年 7 月 26 日至 28 日) 宣讀的論文。

一、要害所在

自從冷戰結束，世界人民以為和平盛世即將來到，其實不然。沒有想到人們眼前的現實卻是一片「冷和」與「熱戰」邊緣的國際形勢。世界到處有糾紛和衝突，東西不斷有戰爭和流血、天下很不太平。蘇聯崩潰以後，世界形成一超（美）四強（中、俄、歐、日）局面。其間，單極超強的美國肆無忌憚地升高強權政治，擴大霸權主義，有加無減。縱觀世界任何地方的一個事端，都有美國插手，都可聞到美帝的霸氣作祟。這一次美國為首的北約（北大西洋公約組織）踐踏聯合國憲章，無理轟炸南聯（南斯拉夫聯盟）的事實就是一例。日本的新日美防衛合作指針相關法案（以下簡稱新指針）又是另一個霸性十足的典型事例。亦即美帝為要稱霸全球，西有北約，東勾日本，再編新安保、新指針、建構大西洋和太平洋兩洋戰略「新概念」，依靠其強大軍事力量，趾高氣揚，不可一世，非獨霸世界不休止。可見新指針就是日本在亞太地區支援美帝全球新霸權體制的一個重要環節。

所謂的新指針，是日本基於日美安全保障條約（以下簡稱安保）的「再定義」，為要進一步強化軍事合作，建構日美新軍事同盟，而所制定的舉國協助美國軍事行動之一系列相關法案。這一次主要內容有「周邊事態」，發動自衛隊時的國會同意程序以及各級政府和民間協助指針三方面。儘管其表面文章避重就輕，而裡面內涵則暗藏要害。考其根本性格，對國內來說，是一個違憲備戰立法，對國外來說，是聯美武力嚇阻亞太的稱霸法案。而最大要害，則在於對抗和遏阻中國強大，準備插手台灣問題的反華侵台霸性野心。

由是可知新指針是日本戰後國防外交上的歷史性一大轉折。這不僅是迎合美帝全球新霸權主義兩洋戰略在亞太的一個環節，也是「日帝」死灰重燃，再次踏出稱霸亞太的具體表現，日後必將為日本種下一大禍根。世紀之交、百年一瞬，日本仍不汲取本世紀中日關係的慘痛教訓，重蹈覆轍的霸道老路，歷史大有可能重演，台灣即將首當其衝。近代中華民族飽受帝國主義列強的蹂躪宰割，其間，台灣人民備受日本殖民地統治之欺辱，對新指針具有切膚之痛的認識。

本文觀點，主要從日本報刊輿論來觀察這個問題。以下首先來探討新指針「周邊事態」的霸性涵義以及闡明其要點，其次來指出其違憲備戰和聯美反華的霸性本質，進而來介紹日本人民反對新指針護憲反霸動向，最後對包括台灣在內的中國人民反霸反帝運動作若干的展望。

二、新指針「周邊事態」的霸性涵義

（一）新指針的背景

原有日美安保制定於1951年、1960年以及1978年修改兩次（以下簡稱舊安保），都是專對日本本土受到威脅時，即「日本有事」

的「專守防衛」為宗旨。其假想敵為蘇聯，為防備北方蘇聯之主攻的冷戰體制產物。當冷戰結束後，日美安保的歷史任務也同時結束，理應解除，未料延續迄今而更進一步加強。考其背景，在這期間，發生伊拉克海灣戰爭、北朝鮮核武器疑案，台海軍事緊張以至中國的崛起和「中國威脅」論之抬頭等等。其實這些事體都由美國插手而引起者，卻令日美藉口加強和升級安保關係，制定這一次的新指針。

（二）日本憲法「放棄戰爭」和霸權的條件

要說新指針違憲以前，應先闡明日本憲法第九條「放棄戰爭」的涵義。該條款明確規定，「日本國民誠實希求以正義和秩序為基礎的國際和平，永遠放棄作為國家主權發動的戰爭，武力威脅或使用武力作為解決國際爭端的手段。為要達到前項目的，不擁有陸海空軍以及其他戰鬥力。不同意國家的參戰權。」

日本憲法如此非常明確地放棄並否定戰爭與武力，是具有崇高理想的、世界上唯一獨有的和平憲法。它是戰後美軍占領日本期間由美軍當權者起草，但是得到當時日本領導人與有識之士衷心的贊同而制定的，是值得日本國民十分驕傲的國家根本大法。實際上它的確也給日本戰後的和平與繁榮作出很大貢獻。

再說，所謂霸權者，依據辭典解釋，即「以武力、權謀征服或統治天下的權力」，亦即威武支配他人或他國之霸道作為。由是按上開日本憲法規定，日本根本不存在也不可能存在霸權，事實卻不然，問題在於自衛隊的存在與定位。

自衛隊是不是軍隊，如果是軍隊就是違憲，這一點在日本爭論四十餘年。今天日本國防費大約四百億美元，僅次於美國的規模，自衛隊在世界上已經是一支強大的武裝組織。事實擺在前面，現在沒有人說自衛隊不是軍隊。既是軍隊就違憲，不過它是長期存在的既成事實。結果自衛隊法是合法，但是，惡法也是法。所以日本具有走向霸道的充分條件和可能性。

（三）「周邊事態」的涵義與霸性

新指針法開門見山就表明，「當面臨周邊事態之際，為要確保關於我國的和平與安全之措施的法律」，[1]亦即「周邊事態」將成為日美安保（防衛合作）的對象。所以何為「周邊事態」就成為新指針的關鍵問題。

該法整體由四個部門構成。第一而最關鍵的就是「周邊事態」涵義；第二是後方地區支援；第三是發動自衛隊的國會同意程序；第四是地方政府和民間的支援。這裡首先來探討「周邊事態」的涵義問題如下。

所謂「周邊事態」，依新指針法第一條規定，即「如果坐視不管恐怕會引起對我國直接攻擊的事態等，在我國周邊地區對我國的和平與安全具有重大影響的事態」。[2]這個問題又可分三個方面來看。第一點是日美安保的對象擴大到「周邊」的問題，第二點是「周邊」的地理概念和表達方法，第三點是「事態」的內涵。

第一點，原來的日美安保，是針對「日本有事」的「專守防衛」協定。新指針的範圍卻跨出「日本有事」延伸到海外國家地區的「周邊有事」。這明顯表示安保根本變質，形成新的對外膨脹之日美軍事同盟，具有強烈的霸性。換言說，日美安保的性格從「專守防衛」轉變到「出擊海外」的霸權同盟。從憲法上的「放棄戰爭」跨出到「準備戰爭」而「參與戰爭」之地步，嚴重違憲。

---

[1] 《朝日新聞》，1999 年 5 月 25 日，第 5 版。
[2] 同上。

第二點的「周邊」地理概念,「周邊」用詞明明是個地理概念,應有具體的「周邊」規定。然而新指針卻偏偏不作明文規定，故意含糊其辭，以期收威武嚇阻周邊國家之效。可謂霸道邏輯、強詞奪理。一方面，在政府閣員談話中，肆無忌憚地表明「周邊」包括中國的台灣。這一點把中國內政問題當作「周邊事態」的對象，顯然違反中日共同宣言（1972 年）和中日和平友好協定（1978 年）中日兩國所作的約言。

第三點是「事態」內涵，這一點特別重要。如上開所述，新指針法有關「周邊事態」規定的文章裡面，所謂「恐怕會引起」這一句話涵義很曖昧。再說「具有重大影響」的內涵如何認定，有很大解釋幅度和彈性，很不明確。另外「對我國直接攻擊的事態」一句，是屬於「日本有事」。可知「周邊事態」概念可解釋為「周邊事態」可能會引起「日本有事」之情況。對此一問題有相當爭論，日本當局不得不加以具體說明。首先防衛長官野呂田芳成在眾議院新指針特別委員會上舉出兩個典型事例來表達「周邊事態」內涵。即（1）在日本周邊地區發生的武力糾紛，雖然已經停止，但是還沒達成回復秩序與維持秩序；（2）在某國發生內亂或者內戰，它不止於純然的國內問題，而擴大到國際性的——場合。[3]政府在國會答辯上也具體舉出以下四個事例來表明「周邊事態」定義。即（1）在日本周邊發生武力糾紛；（2）這種武力糾紛逼在眼前；（3）某國行為被聯合國安全理事會認定為對和平構成威脅，破壞和侵略的行為，該國成為安理會決議的經濟制裁對象國家；（4）某國因為政治制度的混亂，產生大量的難民，很有可能流入日本的情況。[4]

然而，以上六項事例，沒有一個算得上前面「周邊事態」規定

---

[3] 《朝日新聞》，1999 年 4 月 21 日，第 14 版。

[4] 同上。

的「恐怕會引起對我國直接攻擊的事態」，沒有一個會直接引起「日本有事」。法案與國會答辯之間，羊頭狗肉，實質內涵是假藉「周邊事態」曖昧模糊用詞，威武嚇阻亞太周鄰的霸權法案。

三、新指針支援美軍的其他要點

（一）後方地區支援與後方支援問題

新指針法第二條規定，「當面臨周邊事態之際，政府應切實而迅速地採取後方地區支援，後方地區搜索救援活動以及其他應付周邊事態的必要措施……」。問題有兩點，一個是後方地區，另一個是支援內容。支援具體內容備有「別表」給予詳細規定，除去不提供武器、彈藥之外，包括糧食、飲水、油料的軍需供給、修理保養、運輸、醫療、通信、機場港灣業務、軍事基地業務、住宿等等，無所不包。

這裡重要的是「後方地區支援」(rear area support)與「後方支援」(logistic support)之涵義和區別。該法條文在第三條第三項另有「後方支援」一辭。據專家指出，「後方地區支援」為「周邊有事」的支援，「後方支援」為「日本有事」的支援，支援內容幾乎一樣，唯一不同在於「後方支援」為軍事用詞上的兵站支援，是戰鬥行為的一環。在條文表達上，為要避免「有危險性行為」的印象，有意模糊其兵站支援的真實涵義。[5]

不管「後方地區支援」或者「後方支援」，要害在於使用高科技武器的現代戰爭，戰區的前方後方難分。軍事一旦發生，前後方

---

[5] 石井暁，《「後方地域支援」與武器彈藥輸送》，《世界》，1999 年 4 月号，第 79 頁。

都是一樣有戰鬥的危險。因此，後方支援等於前方支援，亦即等於參與戰鬥，實際上後方地區支援大有受到攻擊的理由和危險性。新指針法欲避開牴觸憲法，玩弄表達技巧。其實置人民生命財產安全於不顧，欺騙人民視聽，必將留下禍根於後日。

（二）發動自衛隊的國會同意程序問題

新指針法對發動自衛隊支援美國軍事行動的有關規定特別周到。因為自衛隊是支援美軍最可靠的骨幹。要點有三：第一點是規定自衛隊要對美國軍事行動作後方支援，這一點是自明之理，不必多贅言。

第二點是自衛隊必要時可以使用武器。該法第十一條規定，「……自衛官在執行其職務之際，為保護自己或者共同執行職務者之生命或者身體而有必要時，……得以使用武器。」在臨戰狀態下，隨時有這樣的情況發生。結果自衛隊使用武器支援美軍的機會時刻存在，無異於為自衛隊開參與美軍戰鬥行為之路。

第三點是自衛隊支援美軍的基本計畫，原則上必經國會同意，但是在緊急必要時可先發動而事後取得同意（法案第五條第一-二項）。亦即自衛隊的支援可「先斬後奏」以達及時有效支援美軍戰鬥行為之目的。

總而言之，新指針讓日本自衛隊，當面臨「周邊事態」，則可不經國會同意，隨時隨地甚至使用武器及有效地支援美軍。實質上是形成美軍戰鬥體制的一個重要環節。

（三）地方政府和民間的後方地區支援問題

新指針法第九條第一項規定，「（中央）相關行政機關首長，得以依據法令以及基本計畫，對地方政府首長要求在其權限之內，作必要的協助。」同條第二項接著規定對民間也可以同樣要求協助。

要點有三，第一點是該法把後方地區與戰鬥地區分別，地方政府和民間無妨對美軍作後方地區支援活動，並不意味參與戰事，不牴觸憲法。這一點已如上述，現代戰爭難分前方與後方，新指針有把地方和民間捲入戰爭的危險性。第三點是在一般情況下，地方首長很難拒絕中央要求。因為地方首長不聽中央要求時，依法可能會受到行政處分。第三點是民間聽不聽中央要求，比較有彈性。當然民間對由協助活動而受到的損害，政府應給予補償。

最後要留意者，即在這一次作為安保新指針裡面，找不到在舊安保裡面規定的「事前協議」一句話。「事前協議」是美軍在日本使用軍事基地或者需要日本提供服務時，有關重要事項，特別是核武器的出入移動，須要與日本協議。然而，新指針卻乾脆放棄「事前協議」。這一點非常重要，即表示日本一向所堅持的「非核三原則」（不製造、不持有、不使用核武器）從此告吹。往後在日本的美軍基地完全可以歸美軍自由使用，包括核武器的搬入搬出以及使用在內，不必要與日本商量，毫不受日本的檢點和制約。[6]其意義極不尋常。

如此這樣，新指針內涵是日本建立舉國上下、官民一致體制，全面承包支援美國軍事行動。臨戰而必要時，日本全國隨時可以變成美軍「基地」。日本當權者忠於美國軍事外交利益，獻媚美國抱住美國不放，毫不自主的扶強欺弱之霸權心態到這個地步。可怕又可憐。

---

[6] 我部政明，〈「事前協議」消失的指針關連法案——「美國的悲願」由日本達成〉，《朝日新聞》，1999年6月9日，夕刊，第5版。

四、新指針霸權本性

綜上所述，大致可歸納新指針的霸權本性有如下三個方面。

（一）明知故犯、踐踏和平憲法

新指針法有關「周邊事態」對策的基本原則，在第二條有意插入憲法第九條規定的一段條文，即同條第二項規定「應付周邊事態的對策之執行，不得有武力威脅或使用武力事宜」在此明記禁止使用武力威脅手段，其用意在於表示新指針內容不牴觸憲法。其實如上所探討，新指針實質內涵節節都在支援美軍幫助美軍戰鬥行動，是一部有意踐踏和平憲法，逆憲違憲的「違章建築」法案，地地道道的要為稱霸海外之備戰法案。不必再多言。

（二）承擔亞太戰略「新概念」聯美稱霸世界

日美安保新指針「周邊事態」定義，依據日本當局上開六項事例內容，針對外國地區發生的「國內問題與國際性……場合」，不僅是內亂、糾紛，連未必嚴重而通常在任何國家地區都可能發生的事體，在該當國家尚有能力可以自我處理的委細情況統統都包括在內。當今，世界各地的種族、宗教、領土等糾紛不斷發生，日美可任憑自己一方的判斷，便可隨時隨地插手他國地區國內事務。這種作法嚴重違反現代國家主權，領土完整不可侵犯之基本原則。霸道邏輯莫過於此。

透過新指針可體會到日美唯我獨尊，恣意以「人權、民主高於國家主權」之立場來認定「周邊事態」，隨時干預世界任何國家地區的任何「事態」。這一點，明明確確與最近以美國為首的北約所提「新戰略概念」內涵一脈相承。這裡所謂「新戰略概念」是指一個集體安保組織，不顧聯合國憲章，把安保範圍擴大到該當組織領域之外的地區。可見日美意圖透過新指針建立「戰略新概念」體制，威嚇亞太，稱霸世界，其侵略霸道本性在此表露無遺。

（三）反華侵台野心的露骨表態

新安保是地地道道的日美軍事同盟。既是軍事同盟，應有假想敵。但是新指針名目上沒有假想敵。沒有假想敵何來軍事同盟？道理含糊不清。日本當局表面上不得不強調說是北韓的威脅。其實北韓外強中乾，貧困不堪，毫無力量威脅日美安全。大家心知肚明，日美安保的新指針之潛在假想敵就是中國，是意識中國的崛起強大，針對「中國威脅」，備以日美軍事同盟來對抗中國，遏阻中國發展。其中一項重要戰略就是準備插手台灣問題。這又合乎日本侵台百年野心，是有目共睹的。

特別要留意者，上開日本當局所舉典型事例，明明白白在針對中國的台灣問題之情況而設定。意圖以武力嚇阻中國為統一事業對台動武，公然干涉中國內政事務，進而對抗 21 世紀的「中國威脅」之露骨表態。新指針的本質要害，簡單一句話，就是反華侵台野心的霸性。這一點非常重要而嚴重。

五、日本人民反新指針和護憲的動向

超強美帝要在亞太稱霸，其實沒有日本合作則稱不起霸。一方面，日本侵華卻不認這一筆歷史帳，今看中國崛起日益茁壯強大，當權者深感威脅，又怕被美「遺棄」，急要美帝核傘繼續保護壯膽。日美狼狽為奸、一拍即合。但是日本人民則深怕被捲入戰爭，心有疑慮，未必贊同而有廣泛的反對聲音，內部矛盾匪淺。以下是日本人民對新指針的反對聲音。

（一）日本人民的反對聲音

對日本政府的新指針法案，贊成 37%，反對 43%，無作答 20%。這是《朝日新聞》3 月 14 日至 15 日所作的輿論調查之結果。表示民意猶豫不決，但是反對居多。其次，關於支援美軍基本計畫的國會同意權之程序，主張事前同意 62%，事後同意 14%，其他 24%。人民切望國家要有自立自主判斷的立場。[7]所以在同一個調查，對面臨「周邊事態」美軍的支援要求，有 67%的人認為應該有拒絕的場合。[8]

再說，地方政府對新指針法案的看法，據報導，4 月 13 日，全國有 32 個都道府縣以下的 177 市鎮（町）地方議會對新指針法案表示反對或者憂慮。這一個數目比 2 月中旬調查的 92 市鎮將近一倍。可見地方民間對新指針法案的不信和疑惑與日俱增。尤其是沖繩縣反對最激烈，縣下 53 市鎮中，有 12 個市鎮表示反對。在日美軍基地有 75%在沖繩縣，縣民認為以增加沖繩縣民的負擔和犧牲來制定新指針，加強日美安保。

除此之外，各地機場、港灣業務以及航空公司員工與工會認為後方地區支援有被捲入戰爭，冒身體生命之危險，紛紛起而反對新指針法案。另一方面，擁護憲法反對新指針的集會和民眾運動也此起彼落，不斷傳來。由此可看出人民反對新指針的廣大底流。

---

[7] 《朝日新聞》，1999 年 3 月 19 日，第 1 版。

[8] 同上，第 3 版。

（二）護憲民主勢力的底流

近年，日本經濟長期蕭條、社會黑暗、民心不安、前途茫茫。這一個情況確實提供政治右傾化的社會經濟條件。例如，閣員的靖國神社參拜、教科書問題以及石原慎太郎出任東京都市長，這一次新指針法案，最近的國旗國歌立法問題，節節都在象徵著日本的右化，令人無不憂慮。日本戰後民主主義正受嚴重考驗。

然而，護憲勢力在日本仍不能輕視。長期以來護憲和修憲爭論連續不斷，最近利用不景氣和新指針的制定，修憲論果然趁機抬頭。雖然日本的和平憲法已經有名無實，空洞化，修憲派的主張確實有其道理，但是還是不成氣候。因為日本沒有資源，經濟依靠出口，就是說沒有右傾化、軍國化的本錢和客觀條件。一方面，護憲派的道理和理念理直氣壯，和平憲法對日本戰後的和平與經濟繁榮貢獻很大，在人民之間民主主義有一定程度的札根和成熟，護憲勢力在日本社會中仍占優勢。同時，美國也對日本的右傾化有所提防和警惕。

以上所述，地方和民間對新指針的疑慮和反對以及廣大人民護憲勢力，就是安保新指針的一大漏洞與盲點，即將成為新指針的一大包袱。

六、新指針是「紙老虎」

新指針是日美利害一致的軍事同盟。不過，日美之間有很多對立矛盾面。第一，和平憲法是美國戰後占領日本的產物，不久又鼓勵日本創建自衛隊和派兵海外，作出自相矛盾的事。第二，日美安保有另一個潛在的反面作用，亦即美國可藉以監視和封殺日本核武裝，所謂的「蓋瓶」任務。因此，中國也不是完全反對安保。第三，日本右翼反華，但又反美。認為日本盲目追隨美國，尚未獨立於美國。所以新指針唯一在對抗中國一點有共性。但是在國內地方民間未見有共識，屆時是否能順利運作，尚有很大不可靠的地方。

台灣戰後在國際舞台上，一向被日美利用充當「台灣牌」來對抗祖國大陸，台灣當局也挾借日美反動霸力抗拒大陸。而這一次又老樣子舉手歡迎新指針，殊屬孩童玩火，短視淺見無比。

現在的中國已經不是一百年前的中國，也不是五十年前的中國，又不是二十年前的中國。中華民族已經從一百多年來分裂衰退，面臨民族存亡危機的底谷爬上來，站起來了。中國不再是無能軟弱、貧窮落後，而是壓不倒、摧不垮的大國。中國社會經濟正是朝氣蓬勃、欣欣向榮，正在邁向民富國強的道路上快速發展。21世紀富強的中國，對帝國主義霸權有切膚之痛的中國人民，將是亞洲和世界和平的最大保障，將令新指針法變成一個「紙老虎」。

日美霸權主義的防盾

TMD之虛實

本文是1999年7月26日劉進慶在「跨世紀亞洲人民反對美日帝國主義運動國際研討會」(1999年7月26日至28日）宣讀的論文。

一、問題所在——TMD與新指針為日美霸權的盾和矛

日美TMD（Theater Missile Defense，戰區飛彈防禦）計畫是日美霸權主義的一個具體形態，與新日美防衛合作指針（以下稱呼新指針）是同根，是威武一刀兩面，是盾與矛的關係。[1]換言之，新指針是日美霸權為周邊有事「出擊」海外的「矛」，TMD是為日本有事「防守」本土的「盾」。

TMD所演的角色是為新指針壯膽，是新指針的定心丸。如果沒有TMD，光是新指針日本很不放心，因為隨時會遭到對方的報復攻擊。要是有TMD，假定這個TMD有效，完全能夠防禦對方攻擊，便可讓敵方飛彈體系失效，由是新指針可大膽發動而無憂，嚇阻效果加倍。

問題就在於這個TMD防禦能力問題重重，很不可靠。所謂的

[1] 高昭男，〈日本與中俄間的互信正發生裂痕？〉，《經濟學人》，1999年2月9日，第81頁。

TMD 構想虛虛實實，其本身「矛盾」很大，實質上是一個偽裝的假想「防盾」。本文課題主要來揭穿其虛像與實體。

二、何謂 TMD

扼要地說，TMD 是 BMD（Ballistic Missile Defense，彈道飛彈防禦）體系的一種。相對於 BMD 的飛彈就是 CMD（Cruise Missile Defense，弋航飛彈防禦）。[2]BMD 體系又有兩種，一種是 TMD，另外一種是 NMD（National Missile Defense, 國家防禦飛彈）。NMD 是為防制美國本土的彈道飛彈防禦體系。相形之下，TMD 是為防衛海外美軍以及同盟國受到敵方飛彈攻擊時的彈道飛彈防禦體系。在美國的軍事用語中，所謂戰區（Theater）一詞一般是指美國本土以外的軍事行動地區。[3]

TMD 又可分陸上與海上兩種防禦體系。先說陸上防禦體系，它再可分低層（空）與高層（空）兩種。低層防禦體系具體有 PAC（Patriot）系統，在海灣戰爭時使用過。高層防禦體系為 THAAD（Theater High Altitude Area Defense，戰區高層防禦），這一體系已經實驗 5 次，都失敗，面臨需要重新檢討的局面。[4]

其次，海上防禦體系也有低層與高層兩種。低層防禦體系為

---

[2] 飛彈（Missile）又稱導彈。它在軍事技術上大體可分弋航飛彈（Cruse Missile）和彈道飛彈（Ballistic Missile）兩大體系。兩者之間的共通點在於利用火箭（Rocket）發射打出。不同點在於弋航飛彈全程火噴射，彈道飛彈則發射時用火箭，達到大氣圈外宇宙之後，利用地球轉動和引力的拋物原理軌道飛行，向目標地點降落。

[3] 吉原恆雄等共同譯編，《英和·和英最新軍事用語辭典》，東京：三修社，1983 年，第 332 頁。

[4] 〈戰區飛彈防衛（TMD）構想機制〉，《This is 讀賣》，1998 年 11 月號，第 131 頁。

NAD（Navy Area Defense），這一方面的研究開發剛剛開始。高層防禦體系為 NTWD（Navy Theater Wide Defense），這一次日美 TMD 合作計畫，就是針對這一領域的研究開發和實際裝備。[5]

從沿革來看，TMD 是為美國對抗蘇聯時期的 60 年代和 70 年代之 ABM（Anti-Ballistic Defense，反彈道飛彈防禦），和 80 年代之 SDI（Strategy Dfefense Initiative，戰略防禦構想），所謂的「星際戰爭」防制戰略之翻版。這些 ABM 和 SDI 戰略防制體制都是雷大雨小，沒有十分有效，甚至有過欺騙性不實的績效報告，實際上沒有成功，只有些嚇阻作用，是過去飛彈防禦戰略的一件沈痛的失敗教訓。[6]蘇聯崩潰，冷戰結束，1993 年，美國隨即宣布結束〔前述防禦體系〕。然而，現在死灰重燃，詭計重現，其背景必另有意圖，即抵制強大的中國。

三、日美 TMD 計畫的要點

具體地說，〔日美計畫的要點〕即利用日本已經備有的伊擊斯（Aegis）艦艇來裝備 TMD。伊擊斯艦艇是一種完整的高科技系統裝備之海上防禦艦艇，它具有自我偵察，追捕從空中，海上或者陸上發射的武器加予破壞之能力。日本有 4 條伊擊斯艦艇，分別配備在橫須賀、佐世保、舞鶴等軍港，防守日本。[7]

---

[5] 福好昌治，〈TMD 值得投入巨額預算嗎？——TMD（戰區飛彈防衛）解說和批判〉，《進步和改革》，1999 年 1 月號，第 27 頁。

[6] 岡田俊次，〈錯誤百出的 TMD 說辭〉，《軍縮問題資料》，1999 年 1 月號，第 52-53 頁。文章中說，美國 SDI 承擔部門有過把連續失敗的實驗說為「成功率 90%」，提出不實報告。其間，也暴露出詐騙事件，即給作為實驗標的之 ICBM (Intercontinental Ballistic Missile)裝上電波發信機，提高命中率等不正行為。

[7] 福好昌治，〈TMD 值得投入巨額預算嗎？——TMD（戰區飛彈防衛）解說和批判〉，《進步和改革》，1999 年 1 月號，第 29 頁

據說，日美此次計畫的TMD，是射程500公里對空彈道飛彈，在120公里的高度處，攔截降落中的飛彈。日本承擔研究開發的領域有飛彈蓋帽、飛彈頭、紅外線探知機和噴射馬達等四個部門。研究開發到實際裝備時約十年。費用估計大約研究開發前五年要一兆圓日幣，開發完了後的裝備費也要一兆圓，兩者合計折算美元大約為1700億美元。[8]

四、TMD的有效性處處可疑

據專家分析，TMD的技術性難度非常高。就是說，TMD是等於以砲彈打砲彈或者說以子彈打子彈，其難度之高、有效性之低，由此可知。問題大致有費用大、時間長、效力低以及違反日本國會決議四個方面。

第一，費用問題。雖然日本有錢，但是軍事費受到憲法第9條一定的限制。據分析，開始評估的研究開發費往往低估，各項費用加進去，每年大約需要日本軍事總支出的4成。這樣下去，會扭曲日本軍事預算分配結構，最後結果可能導致輕重轉倒而得不償失。[9]

第二，時間問題。十年後的2010年東亞形勢比起今天必有巨大變化。光是北朝鮮形勢不可能十年不變，而朝向改革開放，與日美回復邦交的可能性極大。在這樣情況下，TMD安有存在意義？TMD研究開發既浪費，又緩不濟急。

---

[8] 福好昌治，〈TMD值得投入巨額預算嗎？——TMD（戰區飛彈防衛）解說和批判〉，《進步和改革》，1999年1月號，第32頁。

[9] 岡田俊次，〈錯誤百出的TMD說辭〉，《軍縮問題資料》，1999年1月號，第53頁。

第三，有效性問題。這個問題最大。射程 1000 公里的彈道飛彈大約 10 分鐘就到達目標，從最高高度 300 公里降落的速度比砲彈快 10 倍，如何用防禦飛彈打中直徑 1 米小的彈體，即使當代高科技何等發達，其難度之高，不可想像。同時，一方有政策，對方就有對策。假定對方使用散彈或者偽裝假彈，則幾乎無法防禦。再說，如果彈頭是核武器，則即使打中率有 90%，也無多大意義，因為剩餘 10%的破壞力仍然非常大。[10]

第四，違反國會決議問題。這一點很少有人注意到。日本眾議院在 1969 年 5 月 9 日，對有關宇宙的和平利用問題作出一項國會決議，即「向大氣圈以外的宇宙發射之物體或者火箭之開發以及利用限於和平目的……」。[11]據此，TMD 計畫明顯違反「限於和平目的」之國會決議。所以 TMD 的研究開發違反日本最高民意機關。

以上第三點的 TMD 有效性問題，基本上是一種永遠無法解決的難題。換言之，它並不是以盾禦矛，而是以矛攻矛。基本概念道理不通，實際上也行不通，是 TMD 計畫的致命傷。

五、日美 TMD 合作的意圖

日美 TMD 與新指針同步進行。新指針於 5 月 24 日通過日本國會。接踵日美 TMD 合作計畫將於 7 月中交換備忘錄，正式開始進行。[12]日美狼狽為奸，以新指針為矛，TMD 為盾建構亞太霸權

---

[10] 岡田俊次，〈錯誤百出的 TMD 說辭〉，《軍縮問題資料》，1999 年 1 月號，第 53 頁，以及福好昌治，〈TMD 值得投入巨額預算嗎？——TMD（戰區飛彈防衛）解說和批判〉，《進步和改革》，1999 年 1 月號，第 28 頁。

[11] 岡田俊次，〈錯誤百出的 TMD 說辭〉，《軍縮問題資料》，1999 年 1 月號，第 55 頁。

[12] 《東京讀賣新聞》夕刊，1999 年 6 月 17 日，第 1 版。

的兩輪體制。兩國之間，美國的打算是：第一，要日本的錢和技術來完成 TMD 體系中 NTWD 系統的開發與裝備。[13]第二，要拉攏日本，利用日本的軍事基地來對抗中國，包圍中國、遏阻中國發展強大。第三，最後要稱霸亞太以及獨霸全球。

日本的意圖是：第一，要依靠美國的軍事保護傘來確保自己的安全，對抗「中國威脅」。第二，要用 TMD 來為新指針壯膽，與美國同步稱霸亞太，確保此一地區的既得權益。第三，進一步試探對台野心。

日本在這一段時間積極主張參加 TMD 者，為一小撮死不悔改的右翼分子，其論調基本上是避開探討 TMD 內涵與實體，著力於操作輿論，哄騙國民，表面強調北朝鮮的「威脅」，內地裡敵視中國的強大，「聲東擊西」。同時，跪拜美國超強武力的優勢，宣導日美合作才能確保安保，從而來轉移國民視聽，推動 TMD 合作計畫。其暗中的內心標的在於對抗強大的中國，本質是反華。[14]這一點不用再多贅言。

六、台灣熱衷 TMD 凶多吉少

台灣與大陸互信不足而熱衷於參加 TMD。不過，當局不表明態度，以保留對大陸討價還價的籌碼。一般國民對 TMD 的認識不

---

13 〈因此得知 TMD〉，《Opinion》朝刊，1998 年 11 月 28 日，第 4 版。

14 這裡舉出其中三篇文章。志方俊之，〈暴露日本防衛態勢的北朝鮮導彈糾紛——具有偵察機能的多目標衛星開發的最低必要性〉，《世界週報》，1998 年 10 月 13 日，第 12-15 頁。寶珠山昇，〈防止核擴散及 TMD 導入——現在非核擁有國的日本就要參與 TMD 開發〉，《Voice》1998 年 10 月號，第 134-142 頁。中川和彥，〈如何對應北朝鮮的導彈〉，《週刊東洋經濟》，1995 年 9 月 26 日，第 68-69 頁。

多，迷迷糊糊，大多數人似乎贊同參加。在野黨趁機混水摸魚，表明積極參加意向。

一方面，美國國會通過「加強台灣安保法案」，支持台灣加入 TMD，不過，美政府不表明態度。日本政府則表示「不想把 TMD 計畫擴大到第三國（地區）」，以示不願把問題擴大。[15]

大陸方面對 TMD 計畫極度警惕並表示強烈反應。大陸最大的擔心在於台灣參加 TMD，等於加入日美安保防制體制，以致助長台獨走向。

台灣參加 TMD 的問題重重。除費用負擔、所需時間以及有效性等方面，有類似日本所面對的問題之外，即將冒上以下兩大危險。

第一，TMD 沒用。台海兩岸距離僅 200 公里左右，大陸各種飛彈技術業已接近美國水準。台灣對大陸的飛彈攻擊，不要說是彈道飛彈，其他防不勝防。台灣參加 TMD 的有效性應該說幾乎等於零。

第二，觸犯大陸對台動武條件。TMD 系統的裝備與操作，必需結合美國「預警衛星」（Early Warning Satellite）情報才能成立。台灣參加 TMD 即表示台灣進入日美共同防衛體制圈內。這意味著外國勢力介入台灣問題，正觸犯大陸再三對世界宣布的對台動武條件。

總之，台灣參加 TMD 等於引狼入室，逼使大陸為保衛國家領土主權完整，不得不採取同胞最不願見的非常手段，提早時間表來解決台灣問題，這是一個非常危險而堪憂的事體。

---

[15] 近藤伸二，〈中國強烈的警戒——台灣的 TMD 參加問題〉，《每日新聞》朝刊，1999 年 4 月 6 日，第 4 版。

七、亞洲國家對 TMD 冷漠

亞洲國家對美國在此一地區所扮演的角色之認識，有兩面性。一個是對美國留在亞洲照顧這個地區的和平與繁榮表示肯定，另一個是對這次 TMD 構想表示困惑、不歡迎。因為不希望中美對立，提高這一地區的緊張；更擔心此一地區再次面臨「新冷戰」關係，殃及池魚，全區不安寧。美國的 TMD 構想，不僅要日本合作，也要求韓國以及東南亞國家參加。對此，韓國明確拒絕參加。[16]其他東南亞國家的態度冷漠，對 TMD 保持距離以策安全。

八、TMD 是偽裝的假想「防盾」——代結語

綜上所述，有關 TMD 問題，可歸納三點。第一，在軍事基本概念上，TMD「矛盾」重重。TMD 在技術上以飛彈打飛彈，亦即以矛攻矛，並非以盾禦矛。基本概念陰差陽錯，道理不通，技術難題永遠無法解決。新指針與 TMD「矛盾」不如。[17]第二，TMD 實際上沒有結果。過去 ABM 和 SDI 防禦戰略都沒有成功，最近 THAAD 實驗也連續失敗。可見 TMD 效果很可疑，實際上是一個偽裝的假想「防盾」。以這個假想「防盾」來作嚇阻手段，可笑又

---

[16] 〈社論：使 TMD 緊張的新指針法案審議〉，《Opinion》朝刊，1999 年 5 月 21 日。

[17] 韓非子難勢篇一段，論矛盾說，有人賣矛和盾，就說「我的盾最堅固，什麼東西都刺不穿。」隨即又說「我的矛最鋒利，什麼東西都刺得穿。」有人便問「用你的矛，刺你的盾，結果是怎樣？」。賣矛盾的人無話可答。這就是矛盾一辭的由來（文化圖書公司《新辭典》，第 650 頁）。TMD 既不像盾又不是矛，兩不像，所以說矛盾不如。

可怕。第三，誤導安保，加深緊張。日美霸權主義圖謀主導國民安全意識，讓國民產生安保假想，進而挑撥中國，加深亞太緊張關係，一不小心禍害無窮。[18]

對日美帝國主義的霸權本質之認識，人民眼睛是雪亮的。亞洲人民業已洞察其底細，對危險的 TMD 構想保持距離以策安全。中國人民和台灣同胞，絕不容忍日美在這一地區配備 TMD 嚇阻稱霸。台灣當權千萬勿玩 TMD 之火，以危害兩岸和平安寧的環境；應該及早擺脫依附日美心態，積極謀求建立兩岸互信，這才是台灣真正而永恆的安保「防盾」。

---

[18] 高榎堯，〈TMD 是有害的——三年飛彈防衛不僅在技術上不可能達成目的反而導致新的不安全〉，《世界》，1998 年 11 月號，第 33 頁。

從亞太經濟危機看
經濟全球化與美日帝國主義關係
以及亞洲勞動人民之受害

本文是 1999 年 7 月 27 日劉進慶在「跨世紀亞洲人民反對美日帝國主義運動國際研討會」（1999 年 7 月 26 日至 28 日）所擬定的發言提綱。

一、美帝為首經濟全球化的性格

1. 冷戰後，美帝在軍事、政治獨霸全球下的經濟新局面（物質基礎）。
2. 國民經濟的進一層跨國化，市場經濟的全球化和全球單一準繩。
3. 美國（管理、信用貨幣）為世界中心貨幣之本質（世界帝國貨幣）。
4. 金融主導經濟：產業、貿易經濟為副；美國為首的對沖基金（Hedge Fund）支配體制；量的擴大、質的變化→掠奪世界、第三世界購買力。

二、美日帝在金融風暴中的矛盾與協作關係

1. 美、日、亞三面經貿循環架構。

   亞洲：世界性一大工業區——美日投資、美元聯匯、大量低廉勞力、鬆散的區域經濟合作（APEC）。

2. 亞洲金融自由化與經濟危機泡沫化的動態。

3. 金融風暴中美日資本的對立矛盾關係：

   ○ 美國對沖基金投資撈利拖垮亞洲加工生產機制，美資打擊日資產業資本。

   ○ 美國運用日資打擊日資。

   ○ 美帝金融資本最後破壞亞洲地區資本積累基礎。

三、經濟全球化加強對亞洲勞動人民的榨取

1. 金融泡沫破滅→加工產業受傷，大量解雇，失業。
2. IMF 路線，改造企業，削減僱用、壓低工資、強化勞動。
3. 社會貧富差距擴大。
4. 財政負擔加重，社會福利倒退，人民大眾生活惡化，處境困難。

四、帝國主義之新階段與末期性弱點

利用資訊革命的工具，操作假想金融經濟市場機制，掠奪世界第三世界勞力所生產的購買力，證券資本主義、經紀資本主義、倒退商人資本主義。

反獨促統運動

台灣新政權上台與
兩岸關係的反思

本文寫於 2000 年 8 月 10 日，發表於 2000 年 9 月發行的《海峽評論》第 117 期。

一、兩岸關係走到「兵戎相見」邊緣——代序

台灣問題是戰後國共內戰，國民黨政府敗退台灣所遺留下來的中國內政問題，兩岸敵對狀態迄今尚未正式結束，台灣問題遲遲未決。在這一段期間，包括冷戰期和冷戰結束後，由於美國霸權主義不斷介入台灣問題，台灣島內分裂主義勾結美日反華勢力有恃無恐，一再拖延台灣問題的解決，抗拒海峽兩岸的和平統一。

這二十年來，大陸節節一再向台灣方面呼改善兩岸關係，早日結束敵對狀態，解決台灣問題，共同完成祖國統一大業。台灣方面自從解嚴之後十餘年來，放寬民間人民往來，兩岸經濟交流快速發展，兩岸關係逐步有所改善。近年，香港、澳門相繼回歸祖國。兩岸透過談判達成和平統一照說應該在望。

可是事與願違，兩岸關係的改善一進一退，實際上其難度有增無減。非常遺憾的是李登輝口是心非，在改善兩岸關係的道路上越走越遠，最後竟冒出 7.9「兩國論」，給兩岸關係和亞太地區的和平安定帶來很大危機，給國際社會製造很大麻煩。繼後，這一次台灣

選舉的結果，國民黨政權下台，政權輪替，擁有「台獨條款」，離「一個中國」立場最遠的民進黨陳水扁上台，兩岸關係可以說走到不可再壞下去的「戰爭」邊緣。事關兩岸同胞兵相見問題，非常嚴重。這裡不禁要問，兩岸關係走向為何演變到這個地步，非從嚴加予檢討不可。

為何改善兩岸關係推動不前，這個問題，以下將分大陸對台政策和外國勢力問題而方面來檢討。

二、大陸對台政策的反思

這裡要來徹底反省過去大陸對台政策的短處。問題要訣在於爭取台灣民心工作有所偏差。試問，台灣民眾大多數不支持「台獨」，這是客觀事實，不可否認。可是為何這一次台灣民眾選出離「一個中國」立場最遠的民進黨陳水扁為新的領導人？為何擁有「台獨綱領」的民進黨仍有一定的民意基礎？依本文後面評析，民眾投票給陳主要並不是要搞「台獨」而是要他掃黑，這也是事實。可是我們要再問，為何在台灣贊成兩岸統一的聲音和願望，或者反對「台獨」，反對「兩國論」的聲音都很微弱？

本人這二十年來，為改善兩岸關係，為促進兩岸和平統一，大陸和台灣兩邊跑，不斷在探討這個問題。在這一段過程中，親身體會到即使經濟交流擴大，即使人民往來增加，台灣一般民眾對大陸的認識，沒有改善多少，兩岸的互信沒有加深多少，尤其是經濟交流對政治敵對關係的緩和沒有多大貢獻。其原因當然很多，大陸的因素和台灣的因素都有。其中在此特地要反省的一點，就是大陸對台灣基層民眾爭取民心的工作得不夠，功夫下得不多。

(1) 1980年代對台政策的反思

回顧1980年代一段期間，台灣黨外民主自救運動蓬勃茁壯，它雖多少帶有「台獨」色彩，但主要是代表一股台灣基層民眾「出頭天」（當家作主）強烈願望的反蔣反獨裁進步勢力。大家知道，大陸對台基本政策長期以來建立在兩個「寄希望」之上，一個是寄希望於台灣當局，另一個是寄希望於台灣人民。台灣當局在1980年代當然是指國民黨蔣經國政府。台灣人民的含意則比較抽象，不過其中的一個具體形態應該是上開黨外勢力。然而，大陸對台政策的實際重點則放在台灣當局，重視與國民黨蔣經國談判，著力追求「第三次國共合作」途徑來解決台灣問題。對「寄希望」於台灣人民的這一層面卻沒有下很大功夫。[1]

在這一段時間，本人依據以下兩點理由，表示不贊同這個作法。第一，本人認為國民黨蔣經國絕對不會出來談，絕對不會有所謂的「第三次國共合作」。因為過去兩次國共合作，都是在中華民族面臨危機存亡時機為背景，國民黨拋棄階級利益而歸於民族大義才成立的。現在沒有中華民族面臨危機存亡的這種條件，而國民黨只有階級利益的考量。即使蔣經國有民族大義，也僅止於個人情義。其班底集團在台灣已經形成一個膨大的買辦資產階級勢力，有一天台灣不行，統治階層則攜家遷移到美日他國便了，民族大義遠

[1] 蕭喜東，〈二十年來的對台政策需要檢討〉，《左翼》，第7號。這一篇文章一段話，恰好描出了我的這一個反思久悶的感受。容我整段摘錄如下。「80年代台灣的民主運動，實際上是台灣民眾自己解放的努力，是二·二八台灣人民起義的繼承者，它具有發展出解放戰爭時期國統區人民運動那樣的潛力。缺少了必要的支持和配合，這個潛力就不能發揮出來。然而，當時我國（指大陸）領導人的對台政策，不但不是去支持和配合，而是在往相反的方向用力——」(同上，第32頁)。〔編者按：劉進慶正式發表此文之時，刪除了「而是在往相反的方向用力」一句之後的所有引述文字，並刪除了劉進慶自己對蕭喜東觀點的評論。詳細情形，參閱本書編後記的說明。〕

矣！他們安有與中共合作的必要。換一句話說，國民黨的階級利益導向遠遠超過民族大義，這是客觀的事實，然而大陸方面，乃堅信蔣家「民族大義」不移，重視國共合作途徑來解決台灣問題。政策不準，不成氣候；現在反思，後悔莫及。

第二、著力國共合作之政策造成副作用，傷害台灣人民「二等公民」情結的問題。戰後台灣人民呻吟於國民黨專制獨裁統治之下，一直自卑於「二等公民」處境，與戰前日本殖民地統治下的「二等公民」相比沒有多大改善。若大陸對台政策只重視與統治者國民黨打交道，令被統治受壓迫的台灣人民感到委屈，解脫不了「二等公民」的悲情，甚至淪為「三等公民」的悲哀。這種政策只有擴大台灣人民對大陸的「離心力」，同時，不重視人民的這個姿勢又違背中共一貫堅持的大眾路線理念。歸根結柢，雖然需要較長時間，基本上應該重視寄希望於台灣人民，同時應該重視黨外勢力動態，與黨外打交道。然而，當時台灣完全控制在國民黨之下，黨外勢力太小不起作用，大陸為權宜之計，非與國民黨談判解決不了問題，也是事實。可是沒有想到民進黨建黨十四年就獲得政權。今天包括陳水扁、呂秀蓮在內一些新政權要員很多是當年受刑坐牢的人物。政策之失誤導致改善兩岸關係的難度更加一層，不能不深以為戒。

不過，話得說回來，1980 年代後半一個時期，大陸改革開放有成，經濟快速成長，台人對大陸的看法顯然逐步在改善，兩岸關係露出一絲曙光。不料，1989 年，六四事件發生，電視映像發揮巨大負面效果，大陸形象頓時極端惡劣化，兩岸人民互信的工作，前功盡去，十年難癒。

(2) 1990 年代對台政策的反思

這一段期間大要可舉出以下三點問題。第一、大陸沒有正面面對台灣政治本土化、民主化動態，沒有妥善處理這一股政治勢力與「台獨」關係的問題。台灣解嚴之後的民主化過程中，所謂「本省人」參與政治統治層的機會增加，表示一定的政治本土化。黨外・民進黨勢力化暗為明，有一定程度的擴大，但也露出其侷限。本來政治民主化、本土化意識，根源來自於上開「二等公民」得「出頭天」歷史性情結。戰後台灣人為台灣光復=「出頭天」而歡欣鼓舞，二二八事件是人民反對國民黨「二等公民」待遇而抗爭，爭取「出頭天」的民眾革命運動，黨外民主運動也是抗拒「二等公民」爭取「出頭天」的民眾運動。這些都不等於「台獨」，而與「台獨」有別。其本質涵意是台灣人要在台灣當家作主，這一點與祖國大陸的對台基本政策理念是一致的，本來應予鼓勵支援。然而由於繼續維持上開 1980 年代以來的對台政策，即以國民黨為主要談判對手的架構，致使大陸對此一動態感到「不好辦」，甚至看成與改善兩岸關係有對立關係，反而逼使「出頭天」的民眾運動與「台獨」運動結合在一起，更加「不好辦」。政策失誤的因果，擴大政治離心力的負面傷口。

第二，對李登輝的奸滑政治未作出有效措施，導致「兩國論」的禍害。李登輝其特殊出身家庭和教育背景來看，是最具有濃厚「皇民精神」和媚日反華思想，是最痛恨外省人，痛恨蔣家和國民黨的本省人之老一代人。其政治生涯自始就左右搖擺不定，投機取巧。搖進國民黨，則面從腹背。掌權之後，口是心非、表統裡獨，搬用台獨分子的政治理念與理論，暗中拉攏野黨民進黨，羽豐勢力基礎。然而，他上台時，大陸以為是蔣經國路線的適當繼承人，卻看不出其本質。姑不論蔣經國之用人以及國民黨本身的責任，且說大陸方面初期誤判其政權性格，屆時未劍及履及加予有阻止而造成兩岸關係的大步倒退。

第三，應該指出大陸在市場經濟化中一部分幹部的腐敗，給台人惡劣形象，影響對大陸的向心力。台灣人戰後飽受國民黨官僚欺搾老百姓的辛酸和痛苦。心裡非常痛恨當權者貪污腐敗。大陸社會風氣一切「向錢看」，一部分幹部授受賄賂腐化，使得往返大陸的台灣人看不慣，甚至受氣失望。不無遺憾，這也是兩岸互信不足，兩岸關係改善不前的一大社會原因，千萬輕視不得。

不過，這裡我們也應該指出，兩岸政治互信不足，主要來自台灣政治的可信性問題。台灣政治人物之言，巧言善辯、變化無常、輕如羽毛，實在令人難予置信。如李某人之流，從指向中國統一的國統綱領到「兩國論」之豹變，太離譜了。台灣領導人的言行，到底信得過嗎？叫人如何才能相信？老實說，十餘年來台灣領導人言行大奸巨滑，何談善意，互信之有？

總合上述各節，我們要重新認識和徹底反省過去大陸對台政策之長短，今後正確針對頂門，大力「一推一拉」，即推開分離，反華勢力於中國領土主權之外，拉近台灣民心民意於兩岸互信敦親之中，促進兩岸平和統一。

今天，兩岸關係惡化到底谷，再壞下去就是兵戎相見，兩岸人民同是中國人，兩岸形勢除非外國勢力介入等萬不得已事體以外，要極力避開流血。難道台灣當局願意看同胞自相殘殺局面？難道新政權領導人不在意戰爭，不在意人民流血嗎？當前是兩岸關係的關鍵時刻，能不能否極泰來？其次來探討外國勢力介入台灣問題的要害所在。

三、美日反華勢力鼓舞台灣分離主義的要害

首先，要徹底認識台灣分離主義的大後台美日的反華霸權本性。台灣與大陸，在政治上、軍事上的力量大小向來顯然非常不對稱。在經濟方面，大陸也已經比台灣佔優勢，兩岸經濟的不對稱正

在逐步擴大。在這樣情況下，台灣分離主義之所以得以頑強拒統不談，莫非端賴美國為首的外國勢力庇護壯膽。試問，台灣政權如果沒有美國的軍事保護，則一天也不能存在，台灣實質上業已淪為美國的「保護區」，更何談「主權獨立的國家」之有。台灣分離主義挾洋天子自大。台灣當局就是依靠美國威武來抗拒兩岸統一，有恃無恐。可知兩岸關係背後的癥結就是中美關係。[2]

依我看法，美國的政治，經濟以及軍事的總合國力確實是非常強大，無疑是當代世界唯一的單極超強國家。然而其作法，長期以來霸道成性，唯我獨尊。以歐美民主人權價值作為全球單一普遍準繩，在國際外交上，到處強加予他國。親疏雙重標準，實質上是自我利益至上，威武干涉他國的徹頭徹尾之霸權主義國家。就台灣問題而言，過去的是是非非不談，僅就 1979 年中美邦交正常化以後來說，中美雙方在建交公報上，明明記載承認（recognize）中華人民共和國政府為中國的唯一合法政府，承認（acknowledge）世界只有一個中國，台灣是中國的一部分。可是美國這個國家對外說話不算數，建交公報發表不久，國會便貿然制定所謂的《台灣關係法》，裡面挾帶「兩個中國」或者「一中一台」之伏筆，規定武器軍售台灣，以便繼後隨時介入台灣問題。台灣分裂分子則依附此一《台灣關係法》所代表的國際反華勢力為後盾，時刻趁機策動兩岸分離。[3]

美國要在亞太地區稱霸，必要日本鼎力。日本自從戰敗不久的 1950 年代以來，對台灣問題暗中一直堅持「兩個中國」，或者「一

[2] 請參閱拙文〈中米関係の展開——台湾問題を中心に——〉，《現代中国》，第 74 号，日本現代中国学会，2000 年 7 月近刊。

[3] 請參閱蘇格，《美國對華政策與台灣問題》，北京：世界知識出版社，1998 年，第 744-482 頁。本文選為此一領域的代表著作。

中一台」立場，對舊殖民地台灣抱有死灰重燃的領土野心。[4]近年，對大陸的快速發展，對中華民族的振興隆盛感到「威脅」。就台灣問題的利害而言，美日狼狽為奸、一拍即合。冷戰結束後，1996年的美日安全保障條約「再定義」卻竟然加強兩國軍事同盟關係，威嚇周鄰。1999 年前半一段期間，日本與美國進一步締定 TMD（Theater Missile Defence，戰區飛彈防禦）的共同開發計畫，聲東（北韓）擊西，目的在防杜「中國威脅」。[5]同時候，日本國會又匆匆制定美日新防衛合作指針相關法案，其「周邊地域」範圍實質上包括台灣地區。是針對美軍在台海的軍事介入作支援準備的備戰法案，是一個露骨干涉台灣問題的具體表現。[6]接踵，李登輝便冒言 7.9「兩國論」來挑釁大陸。這是「蛇窟通鼠巢」的一系列有計劃之分離反華動作。

---

[4] 陳肇賦，《戦後日本の中国政策—1950 年代東アジア国際政治の文脈》，東京：東京大学出版会，2000 年。本書為東京大學博士論文的刊印本，是具有高度水平的學術論著。其第二章主要在論述 1950 年代，在吉田內閣之下與台灣蔣介石政權締定的日華和約之性格，論定日本戰後的中國政策，自始一貫採取「兩個中國」或者「一中一台」的外交立場與戰略（第 77-79 頁）。關於日本對華賠償問題，則認為日本當局的想法是以放棄在華日產來作賠抵消（第 82 頁），而日本右翼人士一般所說的對蔣介石之「以德報怨」之「感恩論」，是表面文章，藉口對一般人說明日本擁護中華民國（台灣）之正當性，以便推行「兩個中國」政策之實（第 104 頁）。進而，陳氏論證點出，吉田每其核心幕僚（松本重治）等人所策劃的「日台聯合王國」構想。即日本堅持「兩個中國」政策的目的，在於將來蔣政權消失之後，與親日台灣人的新政權構建「日台聯合王國」。（第 94-107 頁）。另者，此一陰謀與當時美國杜拉斯之「兩個中國」政策並不相關。吾人不禁發覺 50 年前，戰敗不久的日本之對台政策與野心，與最近的台灣政治動態，特別是「兩國論」或者「聯邦論」，「邦聯論」等有一脈相承，「臭氣相投」之處。

[5] 請參閱拙文〈日美霸權主義的防盾 TMD 之虛實〉，收錄於《「跨世紀亞洲人民反對美日帝國主義運動」國際研討會議》（台北），1999 年 7 月 26 日，第 9-14 頁。

[6] 請參閱拙文〈日美安保新指針的霸權本性〉，《海峽評論》（台北），第 105 期，1999 年 9 月，第 6-10 頁。

李某之如意算盤不外有二，一來是憑美日軍事護台體制進一步鞏固為屏障，冒賭大陸不敢輕意動武攻台，趁機鞏固「兩國論」的既成事實。二來當時中美之間以美國為首的 NATO 轟炸柯索沃和炸傷南聯中國大使館問題，兩國關係惡劣到極點，李某視為千載一遇的「良機」，想拖美國下水在台海打一仗，以期冷戰的再來而從中「保台」收漁翁之利。殊不知美國的亞洲以及世界戰略對中美關係中的台灣問題有必要堅持「一個中國」原則，「兩國論」抵觸了美國的此一原則，李某誤算了，「兩國論」不得逞，弄巧成拙，被國際社會譏為「麻煩的製造者」。可要留意，唯有日本暗中叫好。在台灣問題上，美日之間暴露出戰略意圖的差異。

由是觀之，在台灣問題上，大陸如果沒有充實總合國力，沒有具備強大軍事力量，沒有表示有充分力量自我解決台灣問題，則很難來抵制美日在亞太地區的霸權主義介入，很難粉碎台灣分離主義的陰謀詭計，很難以平和手段來完成中國統一大業。所以要解決台灣問題，不能放棄武力手段，是為要對付外國勢力干涉，擴軍備戰是外國反華勢力強加予我們的。以下將基於以上反思和認識，來探討台灣陳水扁政權上台對兩岸關係變化之初步看法。

四、陳水扁新政權上台的背景與意義

這一次台灣選舉結果，長期執政的國民黨政權下台，被弱勢野黨民進黨所取代，其原因大致有四。第一、國民黨內部分裂。就是說，李登輝心胸狹隘、懷有陰謀、排斥異己，讓國民黨高層精英連戰和宋楚瑜自相殘殺，而令民進黨的陳水扁從中得到漁翁之利。第二，國民黨黑金政治，體質腐敗不堪，背離民心。第三，陳水扁為爭取選票，大大修改政策訴求，淡化「台獨」色彩，走中間路線。不過即使這樣，陳水扁還不一定會當選。第四、李遠哲在最後關頭，站出來挺扁，發揮李遠哲情結，讓相當一部分不定主意的浮動票流向陳陣營，才讓陳以微差勝宋。

在這過程中，宋陣營支持率的動態值得注意。總觀民意調查的動向，宋支持率從開始一直領先。到後段，因興票案的打擊，從年底到年初，支持率逐漸滑下。但是，到最後階段宋陳之間乃旗鼓相當，難分上下。可見李遠哲情結所演的角色格外重要。李挺扁的理由有二，即第一，為要掃除黑金腐敗，非有政黨輪替難予辦到。第二、改善兩岸問題李願效勞。

由以上觀察，可知這一次台灣選民支持陳，主要是要陳掃除黑金腐敗，對兩岸問題未必有多大期待。這一點主流民意很重要，就是說，陳若要搞台獨，則就背離台灣民意。陳水扁初步表示不願受制於民進黨「台獨綱領」，強調要當「全民總統」的意思表示，其背景之一，應該在於此。

雖然如此，這一次陳水扁當選和政黨輪替對今後台灣政治生態具有非常重大而深遠的影響。其意義概略有以下四點。

第一、國民黨的下台在中國近代史上的意義匪淺。就是說，國共鬥爭的歷史從此告一段落，同時，要透過國共合作來解決台灣問題的路徑幾乎完全消失。在可預見的將來，很難看出國民黨再執政的可能性。因為台灣民眾痛恨國民黨黑金腐敗的感情，從台灣光復以來，根深柢固。除非宋楚瑜復黨，連宋攜手重建國民黨，這個可能性並非完全沒有，但是就是因為未深知民眾意向，短期間復黨未必有利。尚需觀看今後形勢的演變。

第二、具有「台獨綱領」的民進黨執政，帶來最大危機與轉機的新局面。民進黨到底獨不獨，形勢一下走到一個臨界邊緣。這是民進黨的頭一次搞「台獨」的機會，也幾乎是最後一次機會。今後一段時間，台灣將面臨「台獨」危機時刻存在的形勢。然而，民進黨這樣一個機會若又獨不起來，它的「台獨」招牌就不得不失靈，以後人民也不再相信民進黨唱「台獨」。台灣經過這一段過程，而後來談兩岸統一問題，比較有說服力而民眾心理也容易接受，人民心甘情願。

第三、領導人和領導層新舊世代交替，帶來新作風。李登輝個人「皇民精神」和媚日心態很重，他年代包括本人在內的老一代台灣人，多少都有這種日本情結，成為兩岸互相和善意瞭解的心理障害。陳水扁一代人，完全接受戰後中國文化教育，其精神面貌和思考方式與老一代必不同，作法自然也會不一樣。至於李登輝路線的問題，未必會全面繼承，有待觀察其變與不變之別。

第四、陳水扁的當選，從其個人的身世背景和個性因素，給台灣民眾帶來一種「出頭天」的感受，受到廣泛的肯定。陳為貧農家庭出身，學優而反，坐過牢，具有義俠清流的形象。比起連和宋兩人上層家世，陳先天具有草根性、本土性和民粹性和親民的條件。不過，依據這一次選舉結果來說，他的這個優勢應該侷限於南部地方，中北部民意對他保持距離。這一點事實，希望陳水扁要謙虛而切身體會民意主流的所在與民心的走向。

五、唯有一中原則，台灣人才能真正實現「出頭天」，台灣才能長榮久安——結語

陳水扁新政權的班底中，諸多分離主義者和「兩國論」者登上政要當權。然而，一時人馬不足，也留用一些國民黨原有人才。看來是一個沒有理念共識的「雜牌」內閣。不過，「資政」「顧問」之類的外圍，則論功行賞，老牌台獨分子「群星雲集」，比比皆是，這一批人，處處將成為扁政權改善兩岸關係的絆腳石，同時，多頭失控或者趁機冒「獨」的危險性不能說不高。一方面，當權務實、傾聽民意、審時度勢，則一部分人也有修改意識形態，謀求進步，

改善兩岸關係的空間和餘地。聽其言觀其行，提高警惕而防患於未然。

總而言之，包括台灣人民在內的中國人民絕不容台灣成為美日霸權主義為首的世界反華基地，也不容台灣分離主義出賣國家，背叛民族。台灣人也是中國人，台灣同胞與大陸同胞都是中華民族的骨肉親。我們要深深記住中國人民一百多年來所受的欺辱與苦難的歷史，不要忘記千萬先代先烈前仆後繼為國家民族的獨立自強所付出的血淚和犧牲之事跡。當今，儘管有多元的制度、價值、意識形態，但是中國人不應該再借用任何理由自己再搞分裂。即說，中國不應再分裂，不可再分裂，也不容再分裂。由是我們要與台灣分離主義劃清界線，要與外國反華勢力鬥爭到底。特此呼籲台灣新領導人認清大是大非，趕緊回到一個中國原則，不是未來而是現在。兩岸復談要有原則，堅守一中原則，才能解決問題，應早勿拖。

台灣的當權來自選舉，因此今後民心與民意的趨向格外重要。台灣人的最大願望一向是「出頭天」（當家作主），安全和繁榮。為要達到這個目的，本人在此要強調，第一，台灣人要「出頭天」，則一國兩制是最佳方式，實質上比聯邦制或者邦聯制更佳，更適合於中國的國情。一國兩制方式就是要保證台灣人自己管自己而當「一等公民」，保證在一個中國之下台灣人的真正「出頭天」。當今台灣處處附庸美日，台灣人依人籬下、仰人鼻息，實質上仍然是「二等公民」，台灣人沒有真正「出頭天」。

第二，台灣人要安全，則一個中國原則，和平統一，才是確保長久安全的唯一方向。今日台灣沒有美國的保護就感到沒有安全。依賴美日威武嚇阻與大陸敵對，而來獲得台灣安全，則台灣永遠沒有安全。因為美日不可能永遠武力保護台灣，所以這樣下去台灣人永遠得不到安寧。在一中之下，與大陸和平統一，台灣人才能真正久安無憂。

第三，台灣人要繁榮，則以大陸廣大市場為腹地，兩岸經貿分工合作，互補互惠，才是未來台灣經濟發展，社會繁榮的最佳架構，這個道理已有事實證明在先，不用贅述。現在兩岸應該立即三通直通，及時加入WTO，擴大互補合作關係，這才是台灣長久保持繁榮的最佳道路。

以上的道理非常明確，切實而可行。可是當今改善兩岸關係的核心障礙，除去外國勢力不談，則在於台灣人對大陸的「互信」不足。遺憾的是這些不信任感，具多來自過去台灣當權者和一小撮分離主義者危言聳聽、矇騙人民，有意製造出來的。難道大陸都沒有進步嗎？都沒有可取之處嗎？難道台灣人還想繼續聽信這些分離主義的話，而來拒絕一中原則，拒絕一國兩制，和平統一，非讓兩岸同胞兵戎相見不休嗎？

時代在變，形勢也在變，我們已經來到21世紀。台灣人應該拋棄反共意識，拋開冷戰思維，好好想一想自己的未來，想一想兩岸的未來和全體中國人的未來。同時，好好重新認識過去，展望未來。大陸不斷在發展，中華民族不斷在振興，祖國大陸欣欣向榮，未來前途光明似錦。進而，認同一個中國原則，推動兩岸和平統一，這才是台灣人百年來打拼爭取「出頭天」，確保安全與追求幸福的光明大道。[7]

---

[7] 請參閱拙文〈一個中國的方向才是台灣長榮久安的大道〉，《海峽評論》（台北），第112期，2000年4月，第56-58頁。

一個中國的方向才是

台灣長榮久安的大道

給總統當選人陳水扁先生的建言

本文原載於2000年4月發行的《海峽評論》第112期。

這次陳水扁當選總統，把兩岸推到戰爭與和平的邊緣，緊張接近「臨界」的極點，國際間非常關注，不無擔心。但願極否泰來。不過，無論如何，有這一個過程，將來台灣或獨或統，台灣人才心甘情願，特別是土生土長的老一輩台灣人才「甘願」，戰後遺留下來的歷史創傷，才能治癒。不然，台灣人絕不「甘願」。

我是1930年代初出生，台灣土生土長的老一輩台灣人，所以我在感性上，油然肯定陳水扁的當選。同時，我長期以來在海外反對國民黨專制統治台灣與欺搾台灣人民，關切台灣民主化並冀求台灣人民當家作主的實現。因此，對陳水扁這二十年來，為台灣民主運動獻身奮鬥，為反對國民黨的黑金腐敗而打拼，深感敬服。

然而，關於台灣與大陸的兩岸關係一件事，我對陳水扁的政見，則不能不有所保留，對民進黨的「台灣共和國綱領」不能贊同。因為我個人極不願見中國分裂，不希望台灣和大陸繼續割斷，衷心期望中國統一，希望台灣在統一的中國下，高度自治。這個願望是我在台灣光復時的初衷，也是二二八先烈以鮮血換來的願望，是我半個多世紀以來對台灣問題一貫堅持的理念和原則。

老實說，我這個年代的台灣人，包括李某領導人在內，內心最痛恨「外省人」，最痛恨二二八，最痛恨國民黨「外來政權」的恐怖統治。這個感受，我親歷其境，原來仇恨台灣的外省人，不滿國民黨的感情，絕不亞於別人。具有這種不滿和仇恨感情的台灣人，很自然地同情台獨，傾向台獨。所以我對台獨的心情，親身體會，十分理解。但是即使這樣，我仍不能容認台獨，反對台獨。因為這是悖於自己的初衷願望、違背先代遺志、背叛民族大義，同時，客觀上也是走不通、達不到的死胡同，絕非台灣人之福。

我這一個想法，是 1960 年代初來到海外深造以後，更加堅決，更加鞏固。在外國接觸到自由的學術，思想和言論風氣，廣開見識，得以客觀認識到台灣，中國以及世界近代歷史演變，才深切體會到在台灣沒有感受過的我中華民族真正偉大之處。從而，克服上述仇恨心態度。不過話要說回來，一樣來到海外的人，在同樣一個環境下，具多同輩朋友都走向台獨。所以說，我們這一代的台灣人，像我這樣想法的人並不多，我的看法和立場是屬於少數的。

我之所以與我的同輩台灣人有不同的看法和想法，其要點有三。第一、是台灣人的民族心、同胞情的問題。我認為台灣人也是中國人，大陸同胞也是同胞。台灣同胞所受的苦難與大陸同胞的苦難是同一時代背景的歷史產物，同是中華民族的悲劇。在近代史的過程中，台灣同胞吃盡歷史悲情之苦，大陸同胞一樣飽受外國欺凌的悲情之痛。台灣與大陸唇齒相依、文化相承、語言相通、血緣相親、習俗相近、信仰相同、經濟相補、民族歷史文化同基。五十年一瞬，分合有時，現在是時候了。我們絕不能說台灣是台灣，大陸是大陸，互不相干。台灣絕多數人的先代都是從對岸來的，台灣人要有寬量的胸襟，發揚民族心、同胞情，建立兩岸人民的互信。老實說，這種認識和領會，即使我也需要一段時間和過程。

第二，是兩岸人民的互信問題。現在，兩岸人民的互信不足，隔閡很大。即使兩岸交流十幾年，台灣赴大陸訪問的人上千萬，一般台灣人對大陸少有好感。依我看法，台灣人多從負面來看大陸，關注大陸的欠點而少從正面來理解大陸，領會其優點，是其中原因之一。一般來說，大陸的生活、設施、制度等種種都比台灣差，這是事實。這種差距從台灣光復時就存在，那時的差距比現在還大，現在已經縮小很多，往後還會慢慢縮小。

我長期在海外觀察大陸、研究大陸，也住過大陸，時常交流來往。依我經驗，我信得過大陸。我認為大陸雖問題還不少，但大處和大方向是往好的方向在進步，在發展。中共確實在為振興中華打拼。不然，這五十年來受美蘇兩強包圍打壓，早就垮了。它雖在文革時犯了一大錯誤，然把內憂外患，四分五裂的中國，花了很大力氣統一起來，今日，正在為十三億中國的經濟發展和現代化作出貢獻，其成就是非常了不起的。

我們這一代的台灣人，很難相信大陸人「外省人」。他們都認為國民黨壞，共產黨更壞。其實這種認識不正確，把國民黨打垮的共產黨，必有比國民黨優勢之處，才能做到。說實在，當時共產黨得人心才打跨國民黨，當時國民黨因為黑金、腐敗才被打倒；正如眼前國民黨為黑金腐敗而失去人心，一脈相承。

第三、台灣人媚日反華的問題。一般台灣人，特別是老年一代的台灣人非常親日，甚至媚日，抱有戰前比戰後好的「養子」心態，進而，恨國民黨就來怨大陸，這是極不正常的。我們應該說，韓國人非常反日，台灣人非常親日，都是過分的。我們不必反日或恨日，但絕不應該美化日本對台灣的殖民地統治，以為戰前比戰後好。戰前，日本對台灣人的歧視和差別，我親歷其境，日本對台灣殖民地經濟統治史是我的專業研究課題，我又長期居住在日本，十分熟悉日本底細。依我的見識和體驗，我認為台灣人媚日的態度，莫非是台灣人悲情的當代「再生產」，是台灣人奴性劣根在原地踏步，沒有進步的心態，可悲可哀。

1960 年代，我親睹日本當局為要討好蔣政權，動手壓迫反蔣分子，逮捕台獨分子，強制收容而遣還台灣，是對台灣人的第二加害，是一種政治犯罪。今日，在日本人的心目中，還是看不起台灣人。因為台灣人受日本殖民之害，還要感謝日本。台灣美化日本的殖民地統治，讓日本有識之士莫名其妙，很難為情，台語說「起雞毛皮」。殖民統治是人類近代史上的罪惡，對此有正省批判的態度，才會受到尊重。韓國人的骨氣，值得我們學習，請台灣領導人深思。

以上三個問題都在阻礙兩岸關係的改善，阻礙兩岸人民對一個中國的共識。為了要消除這些障礙，還需要一段時間和過程。然而，這裡我要特別指出台灣當局對一個中國問題的兩點誤導，要強調一個中國立場的嚴肅性與不可侵犯性。

第一、台灣並不是「一個主權獨立的國家」。台灣與大陸的領土主權是分不開的，它在國際社會（關係）上，與大陸是同一個主權。換句話說，好比是「同一筆所有權的土地」，是「同一個所有者的房地產」。台灣要成為「主權獨立的國家」，需要作所有權分割的手續，但是世界還沒有世界政府，也沒有「世界地政事務所」。在這種情況下，要辦理主權分割手續，則由利害當事者商量，若談不妥，起了糾紛，還不能解決，最後手段是靠當事者的武力來解決。現在台灣要獨立，大陸反對，所以台獨便意味可導致兩岸戰爭，這個道理在國際社會非常明確。美國只能勸阻大陸不要動武，大陸拒絕干涉，美國若介入就引起中美打仗，兩敗嚴重俱傷，後果不堪設想。美國是不會輕易介入，實不願介入。所以說，台獨走不通，走不得，也不該走。

第二、台灣靠美日保護，最後是靠不住的。今日台灣的中華民國，實質上是美國的「保護國」。說實話，沒有美國的核武器嚇阻力來保護，中華民國就無法存在一天。這樣台灣人民那裡有尊嚴可談。美日要保護台灣，為的是自己國家的利益。正如台灣有台灣第一，台灣優先的指針，美日也都以它們的國益為優先，利用台灣問題牽制中國大陸。我們要正視中國大陸的總合力量正在上昇強大，有一天，台灣要搞獨立，大陸便要迫使美日選擬大陸或者台灣的一方，美日斟酌各方利害，其優先順序，最後還是以大陸為重，而不支持台獨，是自明之理。

這一次的新總統陳水扁，是土生土長的領導人，又不是國民黨，與大陸無怨無仇。他可以告別國共鬥爭糾纏不清的一切是非，純從台灣與台灣人的立場來推動新的兩岸關係，來解決百年來未決的台灣問題，是台灣的一個大轉折點；好好處理，將成為一個大好機會。

記得，1986 年秋，我在東京見到剛成立的民進黨一位領導人，我特地表示民進黨的「獨立綱領」將來一定成為該黨進步的一大包袱，換一句「人民當家作主」便足。這位擔任起草綱領的領導人回答說，現在要把「獨立綱領」拿掉，黨會分裂，很不得已。這確實需要一個歷史過程，現在該是修改的時候了。

陳水扁是有見識有智慧的人，這次加上德高望重的李遠哲道德力量之鼎助，必定大有作為。陳水扁表示要作全民的總統，是非常好的抱負。切希新總統高瞻遠矚，包容所有族群的想法，特別傾聽基層勤勞人民的聲音，領導全民改造台灣，正正堂堂立足於一個中國的立場，為台灣人民真正當家作主，勇往邁向台灣長榮久安的大道前進，是則台灣人最甘願的未來道路。至誠相託。

關於台灣問題

這是劉進慶於 2000 年 4 月 5 日在日本參議院會館的報告提綱。會議由議員田英夫主辦。原文是日文。

本文由邱士杰翻譯，劉孝春校定。

一、所謂台灣問題

1. 本質:

   * 圍繞著台灣的領土主權的中台間以及美中間的地域爭議問題。

   關鍵詞:「一個中國」、「兩個中國」。

   ○ 中台問題（海峽兩岸問題）：統一還是獨立？和平還是戰爭？

   ○ 美中關係：敵對—對立—對抗的展開。

   ○ 東亞中的美日 · 中國的安全保障問題。

2. 新局面:

   ○ 李登輝「兩國論」的波紋：從「一個中國」到「兩個中國」的軌道修正。

   ○ 政權交替：長期執政的國民黨的下台。

   持獨立綱領的民進黨（民主進步黨）政權誕生的衝擊。

二、被外部勢力所翻弄的歷史與社會之台灣

1. 漢人入殖（18 至 19 世紀）的社會和經濟活力。
2. 外部勢力所導致的長期分割：
   - ○ 台灣割讓——日本的殖民地支配（1895 至 1945）。
   - ○ 國共內戰——中台分斷（1949 至今）。
   - ○ 朝鮮戰爭與冷戰體制——分斷的長期化、固定化。
3. 多族群（ethnic group）的社會：
   - ○ 本省人：閩南人（70%）、客家人（13%）、原住民（2%）。
   - ○ 外省人（戰後從大陸渡海來台的漢人）（15%）。

三、美中關係之中的台灣

1. 新中國誕生（1949）與美國的《中國白皮書》（批判國民黨政權）。
2. 朝鮮戰爭與「台灣地位未定論」（1950 年 6 月 27 日）以及台灣海峽的封鎖（派遣第七艦隊）。
   美國的「兩個中國」政策。
   ＊日華和平條約（1952 年）：日本放棄對台灣的領有權，但接收方卻是空白（杜勒斯外交的產物）。
3. 越南戰爭、中蘇對立與美中接近。
   聯合國中國代表權問題的最終歸著（1971 年 10 月）。
   ＊日本的重要事項提案（中國代表權問題的懸案）（1962 年）。
   尼克松訪華，上海公報（1972 年 2 月）、尊重「一個中國」。
   ＊日中恢復邦交（1972 年）、締結日中和平友好條約（1978 年）。

4. 美中邦交正常化（1979 年）與《台灣關係法》的任務。
   美國政府與議會的兩岸政策之兩面性：
   - 白宮：「一個中國」、兩岸對話、和平解決。
   - 議會：「兩個中國」、台灣牌。
5. 中國威脅論與美中戰略夥伴：
   - 北約新戰略概念——科索沃空襲；美國的中國核技術間諜事件。

     ＊美日安保新指針法案的制定、推進日美 TMD 共同開發。
   - 克林頓關於台灣問題的三不政策：〔不違反〕一個中國原則、不支持台灣加入聯合國、不支持台灣獨立。
   - 世界的單極支配與對多極化的對抗關係。

四、國共鬥爭與冷戰下的台灣

1. 蔣父子政權下的反共、反獨、「一個中國」之國是：
   - 50 年代的反共白色恐怖。
   - 長期（38 年）戒嚴令下的一黨獨裁支配。

     壓抑黨外民主勢力、彈壓獨立派。

     堅持「光復大陸」、「一個中國」。
2. 李登輝政權下對台獨的容忍、「兩個中國」傾向：
   - 政治民主化、權力本土化、國民黨台灣化。
   - 對於獨派勢力的接受與聯繫，以及「兩國論」。
3. 台灣民眾的獨立傾向的感情背景——戰後史的悲哀（悲情）：
   - 戰後之初的二二八事件（1947 年）留下的深刻傷痕。

     期待與絕望；抵抗與虐殺。
   - 對於國民黨恐怖政治的憎惡。

○ 對於中共的生疏。

○ 經濟發展與兩岸的生活差距。

五、台灣政權交替的新局面

1. 通過國共合作實現中台和平統一的道路被切斷。
   中共與民進黨政權之間的狹窄渠道、焦慮感。
   武力統一?
2. 中國大陸的大局動向:
   ○ 改革開放政策的堅持與推進。
   ○ 和平發展戰略的優先與綜合國力的向上。
   ○ 國家統一的悲願之達成，不過，台灣問題乃國運所繫。
3. 消融統獨問題的兩岸交流:
   ○ 擴大經濟交流與深化相互依存:
      ◆ 兩岸貿易 250 億美元，台灣的貿易順差 160 至 180 億美元。
      ◆ 台灣的對中投資，4 萬件，240 億美元。
      ◆ 加盟 WTO 與經濟圈的加速形成。
   ○ 擴大人的社會交流:
      歷史文化的共通性、血緣、語言、習俗、信仰的親近性。
      社會的融合作用。
4. 台灣民意的表層與深層:
   ○ 「不統不獨」的狀態、維持現狀的選擇。
   ○ 主人翁·安定·繁榮的願望。
   ○ 經濟力至上的社會——台灣（只有經濟力，才有台灣存在的根據，不是政治也不是獨立）。

陳水扁新政權的方向——現實主義、中間路線、摸索改善兩岸關係。

六、日本的對應

1. 政治性和軍事性介入的界線以及安保新指針，慎重對應 TMD 問題。
2. 為了東亞和平、安定、繁榮的新想法以及安全保障關係的摸索。
3. 經濟合作的影響力與國際關係的有機結合。

全球華僑歷史性愛國主義運動的

第三次熱潮

新世紀東京大會「總結報告」

本文是2001年7月17日劉進慶以大會執行副主席的身分在「全球華僑華人推動中國和平統一大會－新世紀東京大會」(2001年7月16日至17日）的總結報告。本文並登載於2001年9月發行的《海峽評論》第129期。

全球海內外炎黃子孫的同胞們、朋友們!

本次東京大會即將閉幕，作為大會委員會的一個成員，受命在此作大會總結報告，本人覺得很榮幸，也感到責任之重大。

這次大會據初步估計，約有六百多名參加，一百多名與會代表發言。兩天來的大會發言，非常熱烈、精采、豐富。每一位發言人的發言內容，都非常精闢，富於啟發性。其中也包括有創新性提案和解決問題的方案等，簡直難於在短短幾分鐘之內，用幾句話來把這般豐富的精采內容總結。何況本人能力有限，更不敢也不該冒以偏概全之險來總結它。寧願容許我借這個機會來談談我個人對本大會的一些感想看法，就教於大家。

一、在天時、地利、人和之優勢下，大會獲得望外之成功

本大會首先具有天時之機。這次開會時機不僅是在新世紀開頭之年，特別是在前三天北京申奧成功的捷報傳來，與會人揚眉吐氣、備感自豪的心情之下召開，大會充滿著新的希望，一股中華昇龍之勢瀰漫會場的各個角落。其次是地利之勢。東京這個地點，不但是地理上靠近台灣和大陸，而且一直是愛國華僑集聚、奮鬥的海外重要基地。百年前，我們的先輩就是在日本呼喚出「振興中華」之聲音。今天，日本又是「台獨」勢力特別猖獗的地區，「台獨」勾結日本右翼繼續坐大。台北駐日機構，前不久，竟下發文件施加壓力，阻止部分僑胞參加本大會，並故意作出一些小動作。本次反獨促統大會就在海外「台獨」大本營的東京召開，與台獨勢力針鋒相對，加深本次大會的切實性和時代意義。

再次是人和之力。日本的僑胞僑團在這次大會實現空前的大團結。日本是愛國僑胞僑團組織最完善的地區。歷史悠久而具有傳統的僑團組織，以東京為首而分布在全國各個地區。即使這樣，在過去一段時間，由於冷戰因素和歷史原因，在不同立場的僑胞僑團之間，不免有這樣那樣的矛盾存在。然而，這次在祖國統一大業的民族大義之下，為要開好大會，各個僑胞僑團不分左右、不分前後、求同存異、捐棄前嫌、化解矛盾，把通常不可能的事、過去沒有想到的事，變成事實可行，實現在日僑胞罕見的大團結。加上這麼多愛國僑胞，不辭遠路辛苦，踴躍來自世界各地參加盛會，表現全球僑胞推動中國統一的大團結。人和的力量實在是這次大會偉大成功之關鍵因素，是值得我們稱心自傲的一件事。

二、「反獨促統」與「和平統一」的核心著力點在反獨

這次大會上的兩個關鍵語，是「反獨促統」和「和平統一」這兩句話。經過大家反覆探討其內涵和實際，進一步認識到這兩句話的核心在於反獨一點。因為要和平就要反獨，有台獨就沒有和平，不徹底反對台獨，就難覓求和平統一之路，這是最基本的硬道理。

其次，和平統一的內涵卻具有兩面性，一個是「和而統」的道路，再一個是「和而不統」的走向。前者是我們所期盼的，後者則包括「反獨而不統」在內，有意無意附和美國對華「和而不統」的戰略，是我們所反對的。兩者的內涵和實際利害完全對立，站在大方向看不能不劃清這兩者的界線。

本人在參與這次大會籌備以及這兩天大會運作的過程中，深切體會到全球華僑華人對台灣問題抱有迫切的危機意識，認真面對台灣將從中國分離出去的危險性。普遍認為當今中華民族正面臨又一次危機時刻，不能坐視不理，有必要全心全力來反對台獨。這一個民族危機意識的共識，形成了這一次大會的主流思想。總而言之，全球僑胞在東京大會上展現了中華民族的凝集力，掀起了歷史性愛國主義運動的第三次熱潮。本人有幸身處其境，十分感激和感動。同時，這一股大團結熱潮的表現，乃是本大會的一大收穫。

三、危害台海和平的兩個人

這次大會發言中，被批評最多的兩個人，就是陳水扁和李登輝。這兩個台灣新舊領導人本性台獨、狼狽為奸、時刻挑釁大陸、傷害所有中國人的感情，進而破壞兩岸關係、置台灣民眾的生命財

產於不顧，危害台海安寧，危及亞洲和世界和平，是內外公認的麻煩製造者，其言行非常險惡。

比如說，陳水扁居然不承認自己是中國人，「中國人不打中國人」的兩岸關係之共識原則就不復存在，將解決台灣問題之途徑推到非兵戎相見不可的邊緣，對台海的和平構成極大的威脅。

其次是李登輝。他藉稱「心病」、強行訪日，旋即又訪美，一意孤行引狼入室，到處勾結外國霸權主義勢力插手台灣問題，干涉中國內政，只怕中國和美日不敵對，唯恐台海無戰火。大會上有位洞悉李登輝身世底細的資深台胞說得妙，「李登輝曾經出賣過共黨，又出賣過國民黨，如今他將要出賣台灣了」，此言不差。

四、促統的緊迫性

中國的統一，為何要早日實現？回顧從鴉片戰爭以來一百多年，中華民族飽受到列強侵略摧殘，喪權割地，迄今尚未完全統一。本人作為台灣同胞，從甲午之年台灣被日本割讓作殖民地，迄今一百多年，就從日本投降台灣光復也已經有半個世紀多了，然而台灣和大陸很長時間尚在分裂狀態中。祖國的統一，對現代每一個中國人來說，是一個崇高無上的奮鬥目標，著實不容以地區社會制度之不同或者人們意識形態之差異為由來再拖延。

特別對台灣同胞來說，海峽兩岸的統一應該是一個多世紀以來，幾代台灣同胞心理深層中的歷史願望。我要強調，我們這一代中國人有責任早日解決台灣問題，完成祖國統一大業。有位旅日老僑領在文章上說得好，「將統一的祖國留給下一代」。夜長夢多，中國的完全統一實在不能再延誤，我們的責任何等重大。

五、寄希望於台灣人民

本大會是繼柏林、華盛頓大會之後的第三次大會，舉其特色略有兩點。一點是發行論文集，再一點是突出台灣同胞的聲音。首先，在各位手上拿到的大會論文集，收編了來自海內外的八十六篇撰稿，一共四百餘頁，五百多萬字。它的功能一來提供包括不能與會的同胞在內更多更大的發言機會和空間。二來透過文章論稿的主張，有情又有理，說話有依據。三來將把這次大會的心聲傳達全球同胞，擴大團結。其實最重要的，是這一本又大又厚的大會論文集本身，就是全球華人對祖國統一大業的一股熱誠，以及對當前台灣問題之深切危機意識的實實在在的有力表現。

其次，本次大會的第二個特點是突出台灣同胞的聲音。推動中國統一，就是要解決台灣問題。台灣問題的解決必須依靠台灣人民。台灣同胞在近代史上有光榮的愛國主義傳統。為了這一次大會，久居大陸的資深台灣同胞張克輝先生和蔡子民先生特地前來參加。大會委員會成員中，日本僑團領導陳焜旺先生、劉俊南先生以及來自台灣的郭俊次先生和我本人也都是土生土長的台胞。在大會議程上儘量讓來自台灣的同胞發言、表達台胞的意見。其中有不少曾是政治受難的愛國主義志士，比如林書揚先生、陳明忠先生夫婦、王曉波先生等，其他容不一一枚舉。在本次大會上台灣同胞的聲音非常突出，使廣大與會代表深受感動，留下深刻印象。我們衷心寄希望於台灣人民，在中華民族危急的關鍵時刻，再次發揮台灣人民愛國主義精神，為祖國統一大業作出貢獻。

本人回想，在日從事祖國統一運動，已經三十年了。70 年代初，和幾位朋友在東京秘密組織「中國統一促進會」，[1]不慎被國民黨特務機構發覺，戴上「中國統一會」分子的「紅帽子」，被台灣當局吊銷護照。當時中國知識分子為民族大義要愛國、主張統一，就要冒「叛亂」、「坐牢」之險，人身安全也受到威脅，切身飽嘗民族分裂的悲哀和痛苦。始所未料，今天能在這次東京大會的主席台上，向全球華人同胞正正堂堂宣揚自己推動中國統一的主張，誠是感慨萬千，人生的意義莫過於此。

六、一國兩制、造福台灣、振興中華

海峽兩岸的政治與經濟關係一直對立相左、走向背道而馳，政治關係越離越遠，經貿交流卻越靠越近。近年兩岸政治關係後退的原因，主要來自台灣一小撮分裂主義領導人的政治野心，挾洋自重冒出「兩國論」、不承認九二共識等來抗拒一中原則所致。相形之下，兩岸經貿交流互補互利，累年迅速發展，在經濟全球化和亞太區域化的大潮流中，節節趨向一體化，兩岸加入 WTO 的來到將加速經貿一體化的腳步，是乃順應主觀條件和客觀形勢的主流動態。遺憾的是台灣政經矛盾對立愈來愈深刻，已經成為近一年來台灣政治不穩、經濟惡化、社會混亂、民心惶惶的百病根源。

當前台灣經濟滑落非常嚴重，百業蕭條，失業激增，每況愈下。其原因，有部分來自世界性經濟萎縮的影響，但是主要來自台灣本身「三通」不通、「戒急用忍」的障礙遲不解除，兩岸政局僵化，復談遙遙無期等政治負面因素所致。而我們更應留意的是台灣經濟

---

[1] 請參閱本文選「劉進慶與七十年代在日中國統一運動」篇所收材料。——編者按。

沉淪受害最深的大多數是基層民眾。本人今春返台，親眼目睹台灣勞工大眾非常困難的處境，痛心萬分。大陸有大量廉價勞動力，台灣社會亂象不斷，台商大舉出走大陸，使台灣產業空洞化，就業減少、工資下降、工人的生活日益惡化，實際上連「維持現狀」都有困難。

為要根本解決這個問題，歸根結柢，第一、台灣要接受一個中國原則。兩岸在一個中國的原則下，早日實現政治談判。台灣的未來大方向一定，政局才能穩定、社會才能安定、民眾才能安心、台灣當前的諸多困境都能迎刃而解。第二、要採取一國兩制。一面可以保證台灣人民當家作主之政治地位，再一面得以建構兩岸經貿的政策性有序互補體制、維護台灣工作機會的安定和生活水平不再下降。現在兩岸經貿沒有一定的制度規章可循，經濟分工協作關係不存在有政策性調整機制和合理秩序，市場經濟的負面影響統統推到勞工大眾身上，非常不利於台灣大多數民眾。最近在台灣「一國兩制」的支持率攀升之社會經濟背景，由此可證實其一端。我要強調，大陸經濟已經有能力幫助台灣經濟結構轉型，帶動台灣經濟成長，合則兩利，海峽兩岸人民的根本利益是一致的。

總而言之，願我們全球華僑華人團結起來，為推動中國和平統一，一國兩制，進而造福台灣、振興中華，繼續努力奮鬥下去。

中美關係的演變和本質

——以台灣問題為中心

本文原載於2000年9月發行的《現代中国》(東京) 第74号。原文為日文，標題為〈中米関係の展開——台湾問題を中心に〉。

本文由曾健民翻譯。

一、中美關係的歷史足跡

從近代史看中國與美國之間的政府關係，以1884年清廷與美國之間簽訂的望廈條約為開端 鴉片戰爭的結果中國給予美國相當於中英南京條約（1842年）的條件，主要內容為門戶開放和通商、關稅權益的均霑、領事裁判權等特權。[1]接著，在天津條約（1858年）和北京條約（1860年）中，美國雖然是配角，也從中得到與英法相當的一定特權。總之，19世紀後半葉，美國對中國的關心焦點，就像培里航行到日本的角色一樣，主要在獲得門戶開放和通商利益。

而近代台灣與美國的最早接觸，依史實記載，應從1850年美

[1] 黃敬華編，《中國近代史常識》，香港：朝陽出版社，1974年，第21-22頁。

國貿易公司的樟腦和砂糖交易開始。[2]其後，在 1867 年因漂流到台灣南部的美國人被原住民殺害的事件，美國出動軍艦引發中美間的外交交涉。擔任事件處理的人就是美國駐廈門領事李仙得（Charles W. Le Gendre）。李仙得認為台灣原住民地區是與清朝的支配隔絕的「無主之地」。這種台灣認識，可以說包括美國駐日大使狄龍（Charles Delong）在內的美國駐遠東外交官所共通的。因此，1874 年日本「台灣出兵」之際，李仙得的台灣原住民地區「無主地」之論，在背後起了鼓勵日本「台灣出兵」的作用。[3]關於這點，必須注意到這種美國的台灣認識，成了第二次世界大戰後美國「台灣地位未定論」的底流。

20 世紀以 1900 年的義和團事件爆發的八國聯軍攻北京為序幕，列強更進一步分割中國，中國日愈陷入內部分裂、列強分割的所謂「內憂外患」與貧困的窮境。在這個中國貧弱的時期，美國在對中國問題的立場與其他列強有異，它提倡中國保有領土和行政的完全，在中國所有地區實行機會均等與平等通商，一直到 20 世紀前半一直堅持這個原則。在這點上，與其他列強比較起來，中美關係的良好成為特色。因為，使擁有巨大人口的大國中國從混亂和貧困中站起來，成為主權獨立和政治安定的現代國家，符合亞洲的安定和美國的利益。因為，從圍繞著日本侵略中國形成的美日對立成為太平洋戰爭的主要背景，還有，在對日戰爭的戰後處理之際，美

---

[2] James W. Davidson, *The Island of Formosa Past and Present: History, People, Resources, and Commercial Prospects*, Taipei: SMC Publishing Inc / Oxford / New York: Oxford Uneversity Press, 1988, p.445. The first published, 1903.

[3] 毛利敏彦，《台湾出兵：大日本帝国の開幕劇》。東京：中央公論社，1996 年，第 19-40 頁及第 27 頁地圖。另外，註 2 所引著作之作者 James W. Davidson 曾在 1895 年日本軍占領台灣時擔任隨軍記者，其後，被美國政府任命為駐台領事。他在前書中刊出的台灣地圖（第 371 頁），與毛利書中的地圖幾乎吻合。

國在開羅宣言、波茨坦宣言中加入滿洲、台澎歸還中國等歷史來看，雄辯地說明了前述的事實。因此，一直到新中國誕生的近一個世紀期間，美國的對中國政策有二個原則，一是商業上的機會均等，另一是中國領土和行政的保全以及維持政治的獨立，[4]這並不過言。然而，這之後情況完全轉變。

戰後，捲入中國國共內戰的美國，先是馬歇爾停調停失敗。[5]接著，由於對革命進步一方的中共理解不足以及對蘇戰略的思維而轉向援蔣反共政策，結果，蔣介石政權在內戰中崩潰敗退台灣，新中國成立，美國戰後的對中國政策吃了政治大敗仗。對於新中國，美國仍難掩期待，杜魯門在 1950 年 1 月 5 日發布「不介入台灣」的聲明，暫時靜觀其變，待塵埃落定。[6]然而，不久爆發了朝鮮戰爭（1950 年 6 月 25 日）而使事態完全逆轉。6 月 27 日，杜魯門立即宣稱「台灣地位未定論」。這只不過是為了派遣第七艦隊進入台灣海峽阻止解放軍解放台灣的目的，提供法的根據；亦即，因為台灣地位未定，「必須等待太平洋地區的安全恢復，以及對日本的和平條約成立，或經過聯合國討論後，再作決定。」〔The determination of the future status of Formosa must await the restoration of security in the Pacific, a peace settlement with Japan, or consideration by the United Nations.——編者按。〕[7]這對於本來一直提倡保持中國領土

---

[4] アメリカ国務省著、朝日新聞社訳，《中国白書：米国の対華関係》，東京：朝日新聞社，1949，第 19 頁。還有，該書批評蔣介石的腐敗，把戰後美國對中國外交政策和援蔣政策失敗的責任歸咎於國民黨政府。要瞭解從美國立場看美國介入國共內戰的詳細情形，該書是一本重要文獻。

[5] 杉田米行，《ヘゲモニーの逆説：アジア太平洋戦争と米国の東アジア政策，1941 年—1952 年》，京都：世界思想社，1999 年，第 91-100 頁。

[6] 梅孜編，《美台關係重要資料選編（1948 年 11 月—1996 年 4 月）》，北京：時事出版社，1997 年，第 69 頁。

[7] 前引梅孜書，第 71-76 頁。

完整的美國來說，幾乎是 180 度的大轉彎。這與其說是國際法，不如說是美國強國的邏輯。對此，中國強烈反擊批判這是對中國領土的侵略，中美突入敵對關係的局面。同年 10 月，在朝鮮戰爭中雙方陷入了軍事衝突。正可謂中美關係的歷史性大轉換點。

其後，美國恢復了對台灣的援蔣反共政策，從台海的金門、馬祖砲戰（1958 年），到越戰中的對決，雖然在世界冷戰下中美間仍然繼續著生死鬥的熱戰。好歹，後來由於越戰結束，以及以中蘇對立為背景實現了尼克森訪問中國（1972 年），雖然中美建交（1979 年）中美關係在表面上從對決轉變為對話，但是直到 21 世紀的今天，中美關係在根柢上仍然繼續著對立。

總而言之，像這樣的中美關係的本質到底是什麼？其中的台灣問題處於怎樣的位置，圍繞著台灣問題的中美關係歷經了怎樣的變化，下面試圖進行考察。

二、中美對立關係的本質和台灣問題

概括新中國成立以來中美關係的基本概念不外是「對立」，惟，在這期間，冷戰期和後冷戰期各有其不同性格。亦即，冷戰期中美對立的本質，是資本主義對社會主義的意識形態和體制的對立；而後冷戰期的對立，一般被理解為民主、人權問題的對立。然而，這就算是全面的完整的理解嗎？冷戰終結後，在蘇聯、東歐社會主義體制的崩潰和中國社會主義市場經濟化的變化過程中，世界對立的焦點由資本主義與社會主義的體制對立問題急速被人權問題所取代，但中美間的對立關係還是依然繼續著。問題在，看不到所謂對立點的從體制移行到人權有什麼值得一提的邏輯關聯。一般而言，如果從體制和人權的價值基準來看，人權遠比體制居於更居於上位的概念。然而，過去美國對於東亞親美反共軍事政權的反人權獨裁支配卻保持長期默認的事實，大家記憶猶新。而今天美國製造中國人權問題論調的背後，實際上隱藏著對於中國潛在威脅的警戒，也就是所謂的「中國威脅論」。毋寧說，這一點才是後冷戰期中美對立的「真話」、「本質」的問題。

雖然如此，美國對於中國強大化的威脅感、警戒感，從冷戰期就以不一樣的形態存在，只不過表面上採取了「反共」的形式。因此，貫穿著冷戰和後冷戰底流的中美對立的本質，實際上交織著資本主義對社會主義的體制對立、包括民主人權的對立在內，還有更根本的「中核新興國家（core emerging power）」對於美國根柢上的中國威脅論的「超霸權國家」（super hegemonic power）支配秩序的抵抗的對立意識。亦即，第三世界周邊國家對「美國支配下的世界和平秩序」（pax Americana）的抵抗或者挑戰的關係；所謂「反霸權（Anti-hegemony）」對「霸權（hegemony）」的對立關係。因而，台灣問題是在這樣的中美對立關係的大框架內，可以說處於作為其中一個戰略要素位置美國的「台灣牌」。

所謂中美關係中的台灣問題，直率地說就是在有關台灣地位和主權問題上，相對於中國的「一個中國原則」，美國採取了「二個中國」或者「一中一台」戰略的問題。大概這三個用語就構成了台灣問題的關鍵詞。而且在這形勢中，美國的「二個中國」或「一中一台」戰略，與其說來自美國對台灣的領土野心，倒不如說主要在對中國的牽制才是重要的因素。因此，半世紀以來中美關係中的台灣問題，一方面主要受到中美關係大局的要素（大局）和台灣內部因素所左右，又經歷了各自不同的脈絡和發展。

首先，所謂的中美關係的大局要素，主要指包括美蘇、中蘇、中美蘇在內的複合的中美關係。就如前述，這可以大致區分為冷戰時期和後冷戰期；冷戰期又可區分為二時期，一為從 1950 年到 60 年代，也就是從朝鮮戰爭到尼克森訪問中國，另一為其後一直到冷戰結束為止。相對於冷戰前期主要在美蘇對立的世界大局下的中美敵對關係為基本面，冷戰後期可以說以在中蘇對立的大局下中美接近為主要基本面。

在這樣的局面中，所謂台灣的內在要素，主要是指從 1950 年一直到 1988 年，蔣（介石、經國）父子政權的時代以及其後的李登輝政權時代的兩時期。兩時期最大的不同在於，相對於蔣政權和中共政權同樣都堅持「一個中國」原則，李政權則指向實質上的「一中一台」。[8]不可不注意到，像這樣的台灣內在因素的變化，經常受到時時刻刻變化的中美關係大局所左右。在這層意義上，嚴格來說台灣問題浮上為中美關係的核心問題應該是在後冷戰時期，而這之前蔣氏父子政權時期的台灣問題，看作是中美關係的從屬變數比較恰當。

下面，將隨著時序，從這樣的二重視角來考察以台灣問題為中心的中美關係的進展。

三、冷戰前期的敵對（1950—1972）

（一）在朝鮮戰場上的對決

新中國誕生後，中美關係首先面臨的是中華人民共和國的承認問題。當時美國還未從援蔣政策失敗的負債中覺醒，對新中國的承認還未有最後的決定，仍然腳踏著兩條船，那時美蘇關係風雲告急，美國對中共倒向蘇聯抱著極度的警戒心。本文在前面也提過，1950 年 1 月杜魯門總統發表了「對台不干涉」聲明，靜觀中國的

---

[8] 山本勲，《中台関係史》，東京：藤原書店，1999 年，第 18-19 頁。本書認為在後冷戰中台關係繼一步緊張。

動向。但是，同年2月締結了中蘇友好條約，這對美國承認中國的檢討澆了冷水。接著6月25日爆發朝鮮戰爭，中美對決成了定局。

杜魯門總統馬上在6月27日，馬上宣布了「台灣地位未定論」的聲明，即刻向台灣海峽派出了第七艦隊，宣布了海峽中立化，阻止中共軍武力解放台灣。結果中國和台灣再次被分斷，從大陸撤退來台的中華民國的命脈得以延續；直到今天，國共內戰長期一直看不到法制上的最終解決。這是戰後中美關係中的台灣問題的原點。

接著，當年10月中共解放軍參加了朝鮮戰爭，與美軍之間展開了反覆的淒慘的生死戰，中美間的敵對關係成了定局。1951年2月，在美國主導的聯合國大會上，通過了譴責中國侵略者的決議。[9]其後台灣（中華民國）以代表全中國的虛構體制在聯合國和安理會中連續占有二十年的席位，而中華人民共和國重回席位花了二十年的歲月。無須贅言，朝鮮戰爭給予戰後中美關係以決定性的重大影響。

以朝鮮戰爭為關鍵性的轉折東亞全面突入了冷戰體制。當時美國也正好刮起了麥卡錫主義的白色恐怖風潮，把中國問題國內政治化，盛行中國赤化（共產化）將波及亞洲的反共骨牌理論。作為對抗「赤化」的手段採取了封鎖中國的政策，構築了連結美、日、韓、台、越反共軍事同盟的中國包圍網。[10]因此，美國很快與台灣締結了美華（台）共同防衛相互援助協定（1951年），而且在美國國務

---

[9] 安藤彦太郎編，《現代中国事典》，東京：講談社，1972年，第290-292頁。並見朝鮮史研究会編，《朝鮮の歷史》，東京：三省堂，1995年，第320-326頁。

[10] 山極晃，《米中関係の歷史的展開：1941年-1979年》，東京：研文出版，1997年，第14-16頁。這本書已指出，從1950年初開始，美國已深化把中國問題「國內政治化」，這一點十分重要。這裡有在1979年中美國交正常化時，美國制定《台灣關係法》的歷史脈絡。

卿杜勒斯的單獨對日本媾和外交中，終於促成了台灣與日本簽定了日華（中華民國）和平條約（1952 年）。這條約中最有爭議之處在於，日本雖然宣稱放棄台灣的統治權但卻沒有明記還給誰。這問題，其範本和基礎是本文前面已指出的美國的「台灣地位未定論」。對於這種對待，「開羅宣言」四巨頭之一的蔣介石、國民政府也曾表示不服和感到屈辱。然而，對於已失去對全中國實質支配、在台灣只要一日沒有美國庇護就無法生存的中華民國，除了默認杜勒斯的指示之外也沒其他辦法。

（二）在金門、馬祖砲戰中「一個中國」的暗鬥

1950 年代，中共解放軍一直進行對台灣的武力解放的行動，在大陸沿海諸島上經常發生武力衝突。對此，台灣的蔣介石政府以反攻大陸為最高目標，一直全力準備軍事反攻大陸。1957 年 7 月，中共解放軍對福建廈門對岸國府軍支配的金門、馬祖兩島發動了砲擊，這是第一次對金、馬的砲擊。進而在 11 月攻占了舟山群島的一江山和大陳兩島，美國為了強化台灣的防衛於 12 月與台灣簽訂了美華（台）相互防衛協防條約。

1958 年 8 月，中共解放軍再次發動了猛烈的第二次金、馬砲擊，這時，美國向台灣海峽派出了第七艦隊，但對協助金、馬防衛卻表現消極態度，並勸告蔣介石從兩島撤退；這背後包含著把台灣問題從中國內戰切割出去，執行「二個中國」或「一中一台」的美國戰略意圖。蔣介石察知美國的戰略意圖而拒絕撤軍，採取了徹底防衛的態度，堅持「一個中國」的立場。另一方面，探知了蔣介石採取了「一個中國」意向的毛澤東，在與蔣介石暗默的理解中，採取了反對美國「二個中國」陰謀的「聯蔣抗美」戰略。亦即實行了「單日打，雙日不打」全世界少有的金馬砲戰。以此，中國總算維

持了繼續內戰並避免損傷的形式，讓金、馬兩島給蔣介石統治。[11] 美國也在毛蔣協作中領會到超越反共的中國民族主義的「不可侵性」。在某種意義上，這也是蔣介石在日華（台）和約中嚐到屈辱的一種報復。

即便如此，美國並不就此罷手。同年10月，蔣介石和杜勒斯共同發表了以「否定用武力反攻大陸」為主要內容的聯合公報。[12] 實質上它意味著蔣介石否定了「反攻大陸」的最高國策。這個衝擊極大，台灣島內湧現了「反攻大陸無望論」，之後，它成了民主、反體制運動以及國外「台灣獨立運動」的理論實踐根據。

（三）聯合國中國代表權問題的鬥爭

1960年代，美國深陷越戰，從大量派兵越南到向北越轟炸，戰線不斷擴大升級，使戰爭長期化、泥沼化。另一方面，中國扮演了支援北越的強大後方基地角色；從朝鮮戰爭的經驗可知即使美國也沒有阻止的辦法，北越的後方基地——中國甚至已「聖域」化。在戰爭中，美國讓韓國派兵投入戰鬥（1965年），但因為忌憚中美關係複雜化而迴避了台灣國民政府派兵。如此中美關係在越戰中成了敵對、對決的關係，然而，1968年當選了美國總統的尼克森開始摸索早日解決這個非正義戰爭的方策。

另一方面，中蘇對立也在底面下進行著，1969年，在中國與蘇聯東部的國界爆發了珍寶島的武力衝突，表明了中蘇對立已進展到一觸即發的深刻局面。中蘇對立造成了美蘇關係和中美關係的大

---

[11] 許世銓編，《台海風雲錄》，北京：華藝出版社，1998年，第81—85頁。

[12] 李永熾監修、薛化元編，《台灣史年表·終戰篇（1945—1965）》，台北：國家政策研究資料中心，1990年，第298頁。（該公報的正式內容為「中華民國政府認為恢復大陸人民之自由乃其神聖使命……而達成此一使命之主要途徑，為實行孫中山先生之三民主義，而非憑藉武力」——譯者按。）

變化，美國對蘇聯有效地打出了「中國牌」。如此，中蘇對立的激化和美國摸索解決越戰的利害關係成了造成中美接近的契機。其具體變化的信號，就在聯合國中國代表權問題上的進展。

新中國在正式恢復聯合國席位的門檻本來很高，1960 年代初頭，由於非洲諸國的大量加入聯合國，造成了中國只要有過半數支持即完成加盟手續的情勢，然而美國為了阻止這種情勢發展，唆使日本等五國提出中國問題重要事項案（1961 年），以提高中國恢復席位的門檻（三分之二以上贊成），把問題擋了下來。這種在聯合國阻止中國恢復席位的情況，隨著前述中美關係的變化而朝向改善的方向。美國終於表明了承認中國的聯合國代表權，1971 年 10 月，以聯合國第 2758 號議案通過了二十年來一直是懸案的中國代表權問題，同時，台灣的中華民國退出了聯合國。

從本文的視角來看，值得注意的是，那時美國曾在背後勸台灣變更國名留在聯合國，蔣介石對此拒絕，採取了退出聯合國堅持「一個中國」的立場。在這裡也進行著有關「一個中國」和「二個中國」問題的鬥爭，我們不可不從中看到一直聯繫到今天的「一個中國」問題的底流。總之，作為這個時期中美關係改善的一連串動作，尼克森訪中成了後續的重大變化。

四、冷戰後期的接近（1972—1991）

（一）尼克森訪中與中美接近的考量

1972 年 2 月，越戰還在戰火中，尼克森就訪問了中國。尼克森訪中大約有三個目標。首先，為了早日解決越戰：中國是越南強力的後方基地，如果沒有中國暗默的理解和支持無法保證美軍的安全，美國要體面地撤退也是不可能的。第二，因為中美關係正常化以及讓中國參加國際社會，有利亞太地區的和平和符合美國的利益。第三，考慮到對蘇聯的戰略，亦即，利用中蘇對立的間隙和矛盾拉攏中國，以「中國牌」牽制蘇聯，保持對蘇優勢。1970 年代正是美蘇競相發展核導彈的軍事競賽時期。

相對的，對於迎接尼克森來訪的毛澤東來說，有三個考慮。一是，以中美關係正常化參加國際社會，得以促進經濟再建和發展。1960 年代，中國因為文革處於鎖國狀態經濟呈現疲憊和窒礙，而這期間日、韓、台等周邊地區、國家經歷了快速的經濟成長，使中國的經濟建設顯現落差；因而，打開這種閉塞局面成了緊急的任務。第二，與美國相同，主要是對蘇聯戰略的考量。一時期蘇聯似乎認真考慮過對中國發動核攻擊，對此，中國也認為是一個重大的威脅。第三，為了解決台灣問題，美國在台灣有駐軍，如果沒有改善美國關係，就無法和平解決台灣問題完成國家統一。作為其第一步，中美接近是必要的。

如此，尼克森與周恩來共同發表了上海公報（1972 年 2 月），表明了「一個中國」、「台灣是中國的一部分」、「中美關係正常化」等重要內容。如果進一步闡釋這公報內容，可以說中美之間正式樹立了：否定「台灣地位未定論」和不支持台獨的立場。[13]本來，尼克森打算在任內完成中美正式建交，但很快因水門事件而失腳，中美建交就交給下任的卡特政權。

尼克森訪中的副作用不小。首先，日本受到尼克森越過日本（沒告知日本）對中外交的衝擊很大，作為反作用，同年 9 月，田中角榮首相訪中搶先完成了中日建交，這對中國而言也是一個意外的收

[13] 蘇格，《美國對華政策與台灣問題》，北京：世界知識出版社，1998 年，第 382-386 頁。本書是在中國研究中美關係的台灣問題的代表作。

獲。然而，作為負面影響，中國與越南的關係大大地惡化；即便如此，中國的收獲還是很大，特別是，迄今被當作美蘇關係從屬變數的中美關係，提高到中美蘇等邊三角關係的位置，從而使中國的戰略選擇也更為廣闊。因此，與美蘇關係成反比例的中美關係的「蜜月」期一直持續到 1980 年代末。

（二）中美建交與《台灣關係法》的利害關係

關於中美關係，卡特政權順著尼克森政權舖下的軌道朝向中美國交正常化推進，1979 年 1 月中國與美國終於完成了建交。這恰好是新中國誕生後三十年，就如前述，其歷程迂迴曲折。這裡介紹中美建交公報中有關台灣問題部分的要點：第一，承認中華人民共和國為中國唯一的合法政府；第二，一個中國，認知台灣是中國的一部分；第三，與台灣斷交，美軍完全撤出台灣。

其中也包藏著兩個問題：第一，相對於「承認」（recognize）中華人民共和國為唯一合法政府，有關台灣問題則使用「認知」（acknowlege）「一個中國，台灣是中國的一部分」的用語；分別使用了「承認」和「認知」二種不同詞彙。在外交上這兩種用語各有不同的意涵，特別是後者的「認知」，有不完全承認「一個中國，台灣是中國的一部分」的意思。因此，美國並沒有完全放棄本文前面曾指出的「台灣地位未定論」，留下了曖昧的地方。

第二個問題，雖然廢除了美國與台灣的軍事條約，美軍從台灣撤出，但是沒有提到美國對台灣輸出武器軍火的問題。這與前述第一個問題一樣，在中美外交交涉中一時無法解決，雙方在理解各自不同立場的狀況下留下了這些問題。隨後，這些問題被美國國會以國內法的方式編入《台灣關係法》中，給往後的中美關係留下了極大的禍根。[14]

中美建交後的同年 4 月, 美國議會用議員提案立法的方式制定了《台灣關係法》。因為這個法案是以美國國內法制定的，本身就有中國政府無法干涉的性質。觀其要旨有：第一，該法把台灣視為實質的且「獨立的」政治實體，以相當於主權獨立國家的標準對待。第二，台灣的前途應以和平方式決定，如果出現非和平的情況，美國視為對西太平洋地區的和平和安全的重大威脅。第三，對台灣提供防禦性武器。第四，保持抑止對台灣行使武力的立場等四點。[15]

總括前旨來看，簡言之，就是美國實際上並不完全承認「台灣是中國的一部分」。就這一點推演的話，就變成美國並不完全承認「一個中國」原則，違背中美建交時的共同聲明（公報），亦即，美國國會和政府在中美關係上立場不同。還有，更重大的是，把台灣問題化為美國內政化。這種邏輯在一般國家是行不通的，可以說只有世界唯一的超大國美國才會有的霸權外交。特別是，美國一方面高唱台灣問題和平解決，另一方面卻對台灣提供武器，對這種矛盾中國當然無法漠視，這就成了其後八一七上海公報的背景。

1982 年，中美兩國經過十個月的不斷協商，結果同年 8 月 17 日對於上述問題在上海發表了公報，也就是中美八一七公報。其要旨是，除了再次再次確認中美建交時中美共同聲明的諸原則之外，特別有關美國對台輸出武器的問題言明：「在性能和數量上將不超過中美建交後近幾年供應的水平，他準備逐步減少對台灣的武器出售，並經過一段時間導致最後解決」。[16]然而，在此美國也拒絕明

---

[14] 前引蘇格書，第 423-429 頁。

[15] 前引蘇格書，第 474-482 頁，以及若林正丈，《台湾：分裂国家と民主化》，東京：東京大学出版会，1992 年，第 199-202 頁。

[16] 前引蘇格書，第 524-530 頁。

記最終解決的期限，使用了「認知」(acknowlege) 的曖昧用語。

如此，雖然完成了中美建交，但美國以制定把台灣問題內政化的《台灣關係法》，把中美關係中的台灣問題轉移為中美對立的核心問題，留下往後中美關係的火種，一直到今天。

(三) 天安門事件與中美關係的倒退

1980 年代，伴隨著中國改革開放政策取得了經濟成長和市場經濟的進展，同時，在美蘇激烈的軍擴競賽情況下，中美關係的「蜜月期」也順利進行。因而在台海兩岸關係上大陸政府採取了與中美建交的一致步調，對台灣展開了一連串的和平統一呼籲。譬如，全國人大常委會的「告台灣同胞書」(1979 年 1 月)，接著人大委員長葉劍英也發表了〈關於台灣回歸祖國，實現和平統一的方針政策〉(葉九條) (1981 年 9 月 31 日)，還有鄧小平的以「一國兩制」為國家統一的提案 (1984 年 6 月)，接連適時地提出了這些方案。[17]再加上東西冷戰的快速解凍，這些國際因素也造成了台灣內部的變化。

1987 年，經蔣經國的決斷解除了從 1949 年以來繼續了 38 年的台灣戒嚴令，開放了回大陸探親。[18]以這為契機，迄今在水面下進行的兩岸貿易浮出了台面，兩岸經濟交流像決堤的河流般急速擴大，人的交流也自然增大。隨著兩岸關係的改善，台灣和大陸的和平統一，一時期看起來朝著良性循環的方向，然而，1989 年 6 月 4 日的天安門事件使一切都改變了。

通過視覺影像所傳播的事件樣相，給台灣和世界的人們很大的

---

[17] 中共中央文獻研究室編，《一國兩制重要文獻選編》，北京：中央文獻出版社，1999 年，第 1-20 頁。

[18] 前引前若林正丈書，第 231-236 頁。

衝擊。美國把這事件定位為對民主、人權問題的重大冒瀆，對中國採取了經濟制裁，使中美關係一舉大後退。美國對中國政策強硬化的背景，緣由於冷戰體制的終結使「中國牌」失去了效用。美國已沒有必要為了對蘇戰略而在乎中國。以這個事件為界，美國的對中國政策很清楚地從反共轉移到以人權為中心。在這同時，蘇聯和東歐走向崩潰，終於迎向了後冷戰時期，中美關係也移行到新的局面。

五、後冷戰期的新局面（1991—）

（一）單極和多極競爭的新中美關係

蘇聯、東歐的崩解和歐洲冷戰的終結，造成了中美關係的新局面。首先，原本冷戰基軸的中蘇對立，基本上消失了，美國不論名實都躍上了世界唯一的超級大國，出現了美國單極支配的世界體制，就如前述，美國再也不需要用來對付蘇聯的「中國牌」。在這新國際局面中，美國克林頓政權把迄今為止的反共外交轉移到以人權為外交重點。

加上，1990 年代，由於技術的進步，美國明顯持續著經濟高成長和軍事力的強化。以其傲視群倫的政治、經濟、政治國力為背景，突出了美國單極支配體制和霸權主義性格。美國在北約 NATO 導入了「人權優於主權」的新戰略概念，無視聯合國的程序，以軍事強行介入南斯拉夫科索沃紛爭；在這紛爭中，就如蠻橫轟擊南聯盟貝爾格萊德的中國大使館所顯示的，美國對中國表明了挑釁的態度。

對此，中國仍堅持改革開放、導入外資和輸出導向的經濟政策，進入 1990 年代進一步推動社會主義市場經濟，達成了持續的高度成長。結果，中國在爆發亞洲通貨危機之時受到的打擊最小，維持穩定的人民幣匯率，表現了優秀的經濟活動，相當提高了在國際社會中的威信。在這同時，美國的「中國威脅論」高漲，增強對中國人權問題的非難和牽制，中國則把和平發展戰略作為最優先指導，極力迴避與美國的對立，一心朝富強的道路邁進。這些都是朝向提高綜合國力的目標，同時，這也是中國在世界戰略中相對於美國的單極支配和霸權主義得以貫徹多極化和反霸權姿態的最重要而確實條件。

從世界範圍來看，在後冷戰時期，起因於資源、環境問題、人口食糧問題、南北問題，進而宗教、種族問題的地區紛爭不斷。這些諸多問題若全要靠美國處理解決，不管有多超強的美國也是無能為力的。特別是要維持亞太地區的和平繁榮，沒有中國的協同合作是不可能的。因此，客觀上，一個安定而繁榮的中國也會成為美國的利益，與中國維持戰略伙伴關係對美國來說相當重要。[19]

然而，一旦牽涉到台灣問題，這事又成別論；就如本文前面所提的，美國仍然以玩弄「台灣牌」來牽制中國。譬如，1992 年美國對台軍售 150 架的 F-16 戰鬥機，就顯示了其一端，對此，中國仍堅持一貫的原則和立場，表現了對美國強烈批判的態度。圍繞著台灣問題的中美對立關係依然嚴峻。

（二）台灣政治的本土化、民主化以及「兩國論」風波

從大局的因素來看中美關係，可以看出有其一定的戰略利害一

---

[19] 井尻秀憲編著，《中台危機の構造：台湾海峡クライシスの意味するもの》，東京：勁草書房，1997 年，第 198—201 頁。且該書指出，美國的以「干涉與擴大」為基調的東亞戰略，其目標在把中國導向自覺到貢獻東亞區域和平與安定的責任。

致性，但從台灣內部的因素來看的話，特別 1990 年代則有很大的變化。首先，從 1988 年蔣經國去世後登台的李登輝政權以來，台灣政治的本土化和民主化有很大的進展；亦即，由於戰後從大陸來台的外省人支配體制崩潰，本省人的政治參與擴大，同時包括總統直選在內的民主化急速進展。[20]隨著這種變化潮流，出現了可以自由主張台獨的環境，結果，台灣內部出現了有關「一個中國」、「兩個中國」或「一中一台」的爭論。亦即，在兩蔣時代被視為分裂國土行為的「統一」或「獨立」的「統獨問題」，在李登輝時代成了公開討論的議題，這是一個很大的變化。現在為止台灣、大陸兩方政權都對美國堅持「一個中國」的情形產生了變化。這情形讓有「台灣地位未定論」想法的美國國會（《台灣關係法》）有介入台灣問題的根據。

其中特別是，台灣的最高領導者、國民黨主席的李登輝自身都容認獨立論，同時，其本身甚至用「台灣的中華民國」、「階段性的兩個中國」、「兩岸的分裂、分治」、「台灣是主權獨立國家」等概念，拒絕中國大陸以「一個中國」為原則的「一國兩制」。[21]其結果，成了 1999 年李登輝公開明言「兩個中國」。這個立場實際符合了美國國會的意向和《台灣關係法》的內容。美國的對中國政策，政府白宮和國會的態度不同，相對於白宮採取的「一個中國」、「不支持台獨」、「反對台灣加入聯合國」立場，國會的真意則是「一中一台」路線，這恰是美國對外政策的雙重標準。顯然，李登輝路線走的是與白宮不同的美國國會路線，這風波很大。

---

[20] 國民黨主席李登輝在與司馬遼太郎的對談中表明：「國民黨也是外來政權」，這加速了台灣政治的本土化和民主化。參見：司馬遼太郎，《街道をゆく（四十）：台湾紀行》，東京：朝日新聞社，1995 年，第 495 頁。

[21] 李登輝，《台湾の主張》，東京：PHP 研究所，1999 年，第 117-120 頁。

這些台灣內部因素的變化與美國的雙重標準投射到中美關係上，使中美關係不時圍繞著台灣問題昇高緊張局面。譬如，1995年李登輝訪美之際，因白宮屈從於國會壓力而成行，結果造成了中美關係的後退。在這背景下，1996 年在台灣舉行總統選舉之際中國大陸舉行了朝向台灣方向的導彈演習，對此美國派遣了第七艦隊，引起了一觸即發的緊急事態。[22]接著在 1999 年，終於發展到了美國在對南斯拉夫的科索沃空襲中故意轟擊中國大使館的事件，中美關係陷入了最惡的惡性循環中。

（三）國民黨政權下台的新局面

2000 年的台灣總統選舉使民進黨的陳水扁當選，敗北的國民黨從戰後以來長期執政的寶座跌落到在野黨，這是一幕讓人意外的政權交替。從台灣問題的視點來看，這個結果有二個意義：第一，對中國大陸來說，由於國民黨下野使迄今為止台灣問題只由國共兩黨談判解決的劇本失去了基礎；第二，由於擁有「台灣獨立」黨綱的民進黨誕生，使「獨立」的可能性和緊張感驟升，增大了兩岸情勢的不透明性。

如果只簡單地思考這個情勢變化，會以為台灣獨立的傾向增強，大陸將為了對抗這個新動向而行使武力，海峽戰爭的危險性升高；然而，實際上台灣和大陸雙方都不願意看到這種情勢發生，美國也期望和平解決並強烈要求雙方自制。另一方面，從這次的台灣選舉動向來看，選民對新領導人的最大期望並非台灣獨立，而是希望一掃腐敗和黑道金錢體質的政治。可以理解的是，由於兩岸關係緊張而迫使中美關係走到戰爭邊緣，這種狀況是不可能出現的。不

[22] 中共中央台灣工作辦公室、國務院台灣事務辦公室，《中國台灣問題》，北京：九州圖書出版社，1998 年，第 112-117 頁。

過，由於台灣內在因素的大變化，圍繞著台灣問題的中美關係已進入了一個新的局面，這是沒錯的。

六、結語——圍繞著台灣問題中美關係的和平與戰爭

中國大陸視台灣問題為中國的內政問題，把台灣問題的解決當作國家統一的國家目標。對中國而言，這是清算鴉片戰爭以來不斷受到列強的侵略和支配、領土分割、民族分裂的屈辱歷史，贏得國家真正的獨立和統一的長年悲願。[23]

相對的，美國關於台灣問題上，白宮顯然採取「一個中國」、對話、和平解決的基本態度，國會則把台灣問題內政化，繼續賣武器給台灣維持兩岸的軍事平衡，介入有關中國領土主權的台灣問題。而台灣則企圖堅持台灣是兩岸分裂分治的實體，民主人權作為優先事項，擱置統一問題繼續維持現狀。

總之，美國和台灣視海峽兩岸的和平共存為第一，統一則為其次；實際上採取不統也不獨繼續維持現狀的態度；對此，中國大陸則視只有統一作為前提才有和平的解決，兩者互為對立。更且，美國特別國會方面反中勢力強大，經常利用「台灣牌」用「中國的威脅論」牽制中國，只要有機會就以民主化、擁護人權的議題脅迫中國，圖謀造成中國社會體制的「和平演變」。中國大陸則強烈反擊這是美國霸權主義對中國的內政干涉。

就如上述，圍繞著台灣問題中美對立的根源很深，其根柢是：

第一，美國與中國之間一直存在著美國維持單極支配和中國指向世界多極化的矛盾，換言之，就是霸權與反霸權之間的對立。今

---

[23] 前引井尻秀憲著作指出：「對中國而言，台灣問題正是有關主權的問題，在台灣未統一之前，中國的革命是『未完成』的」。

天，美國是先進資本主義國家的盟主，擁有政治、經濟、軍事等各方面的強大力量，作為唯一的超級大國君臨世界，確立了單極支配體制，亦即，由美國維持的世界秩序和平（pax Americana）。對此，中國是後冷戰的社會主義旗手，由混亂和貧困的窮地向富強躍進，作為發展中國家的領頭羊，且從第三世界的立場出發，主張多極平衡的世界秩序對抗美國的單極支配。

第二，歷史認識和權力邏輯的對立。美國對於開羅宣言和波茨坦宣言明記的台灣歸還中國的承諾，非常簡單地就予以推翻。對美國來說，這承諾決不是中國自己在中日戰爭中戰勝取得的，一切都是由美國的力量所給予的。這種想法一直都隱而不現，[24]因此，只要中國不親美，美國就不放鬆以「台灣地位未定論」牽制中國。雖然如此，這對於嚐盡列強分割領土辛酸的中國來說是決不通的，而且非常危險的。儘管如此，美國仍然繼續採取這種姿態不變，其所依靠的，追根究柢就是強大的核武恐嚇力。反之，這反而使中國深信解決台灣問題如果沒有用「力量」是無法達成的；中國只有增強軍事力，展示為了解決台灣問題不惜賭上國運的氣魄。

於是，圍繞著台灣問題中美對立的核心，成為關係著亞太地區乃至世界的戰爭與和平，一個散發著極度焦臭味[25]的問題。另外，最近日美間制定「安保新指針」的背景也與此有關。今後，圍繞著台灣問題的中美關係的進展，對於日本及亞太地區的和平與安全是一刻也不可輕忽的問題。[26]

---

[24] 前面杉田米行著作指出：以開羅宣言「美國的力量讓國民政府的主要目的一個一個達成，這建構了使蔣介石領導的國民政府以非公式的形式對美國依賴的框架。」

[25] 焦臭味指戰爭。——譯者按。

[26] 中台間的軍事力對比，基本上是「非對稱」的，台灣以單獨的力量無法阻止大陸的軍事攻略，如果想要阻止，只有依靠美國的軍事抑止力和和與日本

雖然如此，於此應該注目的另一面向是兩岸經濟交流的動向。可預見不久的將來是中國與台灣同時加盟 WTO，這必然導致進一步深化兩岸經濟交流和互相依存關係。這種經濟動向使兩岸政治對立緩和，進一步使兩岸關係改善，無疑將給終極的兩岸和平統一造成正面的作用。

如斯，在展望中美關係時，應該超越台灣問題促使東亞冷戰終結，進而為了包括日本在內的亞太地區和世界的和平與安定樹立互相的協合關係，這將成為中美兩國今後的重大課題。

附記：本文是使用 1999 年度東京經濟大學個人研究助成費（PB 09—99）研究成果的一部分。特此感謝。

的軍事協力体制。參見：宇佐美暁，《中国の軍事戦略——中台関係と東アジアの安全保障》，東京：東洋経済新報社，1997 年，第 109 頁。

一國兩制與高度自治提法的探討

本文是劉進慶在香港民建聯所主辦的「一國兩制與中國統一」研討會（2002 年 5 月 23 日）所宣讀的論文。

一、祖國統一大業以收攬台灣民心為首要——序

當今，台灣分離主義勢力猖獗，挾美日洋天子自重，有恃無恐，已到不能容認，不可坐視不管的程度。為要完成祖國統一大業，就要徹底推動反獨促統，著力點主要有三方面。一是提高祖國的總合國力、二是以此抵制美日外國勢力介入、三是收攬台灣民心。本文主要針對收攬台灣民心這方面來探討上開問題。

二、一國兩制涵意的創新前瞻性和對台提法的反省

大家知道，台灣民眾的基本願望是「出頭天」，即當家作主、高度自治。大陸祖國解決台灣問題的基本方針是一國兩制、和平統一。一國兩制的涵意，就是要實現和保證台灣人民當家作主、高度自治、「出頭天」的這個基本願望，是收回香港，進而解決台灣問題的最佳方式。香港回歸後的事實經驗，已經證明這個方式的可行性和前瞻性，海內外所共睹。

可是，台灣當局對一國兩制的提法，始終就從「一國」的用詞和涵意來作文章，挑起麻煩，甚至不接受「一國」，進而來否定「一

國」。由於一國兩制這一用詞比較抽象，一般民眾在感性上不容易了解，於是讓台灣當局有機可乘，恣無憚忌地來醜化一國兩制方式，令這一個解決台灣問題的最佳方式之推動，停留在進口，無法進展。

原來，台灣和大陸同屬於中國，這一個一中原則，國民黨政權時代長期一貫的「漢賊不兩立」政策，以及九二共識，就是堅持一中原則的客觀事實。現在世界上絕大多數國家都承認台灣和大陸同屬於中國的一中原則，這是客觀事實，勿容置疑。所以兩岸之間關於一中原則，原來就可不必談，不用談，也沒有談判的餘地。要談只有是技術性問題而已。台灣當局一再醜化一國兩制方式，拒絕一中原則，意在分離兩岸。

一方面，台灣民眾的最大關心和切身利益，事實上不在一國而在兩制問題。依我所了解，兩制的涵意，對台灣來說，即意味著台灣的高度自治。台灣高度自治，就是表示可以不同於香港的事例，非常寬鬆，彈性很大。在這個問題上，我們知道台灣民眾少有正面的反對，心中是默認接受。基於以上認識，本文要建議對台灣提一國兩制，要強調「高度自治、和平統一」這一句話，才能更吸引台灣民心，說明一國兩制的好處。

三、高度自治理念在台灣的歷史基礎

清朝時期兩百多年的台灣，傳統社會的基本特性就是村落自治，其主要內涵是墾戶佃農的村落共同體自治或者宗族自治。地方自治理念可以說是台灣社會的基本原點，高度自治是台灣人民的歷史性願望。

在日治時期的殖民統治下，1920 年代以後，在台灣掀起的議會設置運動之訴求和基本目標就是要求治灣人的高度自治權利。戰後，台灣民眾的最大意願也是回歸祖國後的高度自治，這個願望強烈地反映在二二八事件時，廣泛人民所提出來的各項要求當中，即「民主自治」的口號。很不幸，台灣人的這個自治理念和願望，不但沒有受到重視和採納，反而被排除在長期戒嚴非常體制之外，人民高度自治、當家作主、「出頭天」的願望被壓抑，百姓痛恨入骨，造成今天兩岸僵局的深層心理背景。

四、高度自治提法的現實意義

今天，我們要對台灣一般民眾強調，用一國兩制方式解決台灣問題，就是保證和實現台灣人高度自治，今台灣自由自主發展，其制度和方式大可以與香港事例有所不同，任由台灣人自己決定。高度自治是合乎台灣人民長期以來的當家作主，「出頭天」的願望。這樣的提法應該更容易讓一般台灣民眾理解和接受。

再說，自治的用詞涵意本身就意味著在一國之下的自治，也合乎一中原則。台灣方面如果接受高度自治，就是表示接受一中原則。所以對台一國兩制的提法中，多說高度自治，多強調保證和探討台灣高度自治的具體方法和架構，絲毫不會違反一中原則。台灣民眾應該比較容易了解和接受高度自治，和平統一的提法。

五、兩岸民眾建立感情的重要性——代結語

然而光是強調高度自治，還不足於說服台灣民眾。因為阻礙兩岸關係的要害在於互信不足。所以首先要努力爭取台灣民眾對大陸的信心，樹立信賴關係。兩岸人民的信賴關係要從培養感情作起。兩岸民眾多交流，多交情，訴諸於情份，相互加深瞭解而建立互信感情，是一項對台工作的首要任務。

台灣民眾特別是台灣中南部地區台灣人，民風素樸、厚意、重情份、口語「三字經」等，氣質酷似對岸閩南人。促進閩南人與台灣人多接觸，多交情，以利回復和加強台灣人和閩南人的同族意識，即兩岸同胞情，兩岸一家人的感情。以此作為促進互信的突破口。

再說，建立感情的重點，應該放在年輕層和中下層民眾。依我觀察，台灣年輕一代人對政治冷漠不關心，重視眼前利，少有歷史是非，這反而表示具有自由思維。理解其心態和氣質，多接觸、善加鼓勵，則很容易建立感情，加深信賴，成為改善兩岸關係的主力。至於底層民眾與既得利益層有別，與分離主義有距離，依其民風氣質，比較容易建立感情。不過，這一層人是社會經濟的弱勢層，又在兩岸經貿交流中的受害者。如何收攬這一層人的民心，目前尚無有效辦法，應該多下功夫覓求良策。

汪辜會談十週年座談會的發言要旨

本文是2003年4月24日劉進慶在中國駐日大使館所辦
汪辜會談十周年座談會的發言提綱。

一、汪辜會談的歷史背景

1. 冷戰對峙形勢的結束。
2. 兩岸民間經貿交流的增長。
3. 兩岸人民的深切願望。

二、汪辜會談的法源依據

1. 依據台灣「國統會」（國家統一委員會）的國統綱領、由大陸委員會授權。
2. 海峽交流基金會和海峽兩岸關係協會的定位。
3. 「九二共識」的法理基礎＝Accord（合約）* 不止於 Consensus（共識）。

三、汪辜會談的歷史意義

1. 建立了兩岸在一個中國原則基礎上平等協商的機制和典範。
2. 推動了兩岸經貿往來和人民交流的發展、凝聚了兩岸同胞的民族認同。
3. 奠定了海峽兩岸與亞太地區的和平、安定、繁榮的基礎。

四、辜振甫先生對「九二共識」的定位＝合約（Accord）* 辜振甫先生在早稻田大學名譽博士學位授與式上的講演（2003 年 4 月 16 日）

1. 兩岸關係的重要性：理性、平等、尊重和互動、互信合作。
2. 「九二共識」的經緯：
   - ○ 1992 年 10 月 24 日，在香港兩會談判上，台灣方面提議「一中、各自表述」，3 天後，北京來電話表示同意。
   - ○ 兩會同意的法理定位、是 Accord（合約、協定、a formal agreement），而不止於 Consensus（共識、a general agreement of opinion）。

     @丘宏達，美國馬里蘭大學教授在哈佛大學台灣研究會的報告，1993 年 3 月 12 日。
3. 講演台上同座的要人：
   - ○ 「總統府資政」，亞東關係交流協會會長許水德。
   - ○ 台北駐日經濟文化代表處代表羅福全。
   - ○ 早稻田大學總長白井克彥等十多位大學領導。

五、汪辜會談的今日意義

1. 辜老先生定義的「九二共識」（合約）之含意，是代表著台灣的主流民意、是祖國和平統一的出發點，是海內外中國同胞的期願。

   #「總統府資政」高玉樹老先生的一夕話（2003 年 3 月 20 日）。

2. 台灣當局有義務承認「九二共識」(合約)，從而打開兩岸僵局，實現三通，確保兩岸和平、安定、發展的光明前途。
3. 台灣領導人的「北京之旅」是「和平之旅」，是順乎民心、是合法、合理、合情的。

九二共識的含義與汪辜會談的意義

本文是劉進慶在兩岸關係研究中心第2次研究會(2003年6月14日）的報告提綱。

一、九二共識的含義

1. 兩會的成立:
   - ○ 台灣、海峽交流基金會：由台灣當局授權於1990年11月21日成立。
     - ■ 「國家統一綱領」於1991年3月14日「行政院」第223次會議通過。
     - ■ 海基會法源、依據「國統綱領」、第4章第1節第2項規定而成立。
   - ○ 大陸、海峽兩岸關係協會：由大陸當局推動於1991年12月16日成立。
2. 九二共識的經過:
   - ○ 1992年10月28至30日，兩會在香港事務性商談中，就堅持一個中國原則的問題進行了討論。
   - ○ 討論中，雙方均堅持一個中國的原則，並表達了謀求國家統一的願望。但對一個中國的涵義，認知各有不同。海基會建議用各自口頭聲明的方式表述一個中國原則。
   - ○ 11月16日，海協會正式致函海基會表示，「在相互理解

①的前提下，充分尊重並接受貴會的建議②」。12 月 3 日，海基會回函海協會，表示無異義。據此，雙方正式達成「共識」。

3. 關於一個中國的含義：

○ 台灣「國家統一委員會」1992 年 8 日 1 日，第 8 次會議通過關於一個中國的含義——「台灣固為中國之一部分，但大陸亦為中國之一部分」。

○ 大陸當局關於一個中國的問題之「新三句」：
「世界上只有一個中國，大陸和台灣同屬一個中國、國家的主權和領土完整不容分割。」 * 錢其琛談話。
* 胡錦濤談話（3 月 11 日）：「中國是兩岸同胞的中國，是我們的共同家園」。

4. 九二共識的定位：

○ 不只於兩會的相互理解① = CONSENSUS，而是雙方協商結果的合意事項②、即「協定」 = ACCORD——依據辜振甫先生的定義。

○ ACCORD 的法理定位：Accord 為 a formal agreement、即合意、合同、協定有付諸實施的義務。例如、Plaza Accord（廣場合意），Kyoto Accord（世界環境議定書）之類 Consensus 為 a general agreement of opinion、即共識。
* 依據 Oxford Advanced Learner's Dictionary。

二、汪辜會談的今日意義

1. 會談的背景：

○ 東西冷戰對峙形勢的結束。

- ○ 兩岸民間間接經貿交流的增長。
- ○ 台灣民眾的迫切願望。

2. 會談的歷史意義：
   - ○ 打破了兩岸不接觸、不對話、不妥協（台灣三不政策）的歷史障礙。
   - ○ 樹立了兩岸在一個中國原則基礎上，求同存異、相互尊重，平等協商的典範。
   - ○ 推動兩岸經貿往來和人民交流的發展，加深兩岸同胞的民族認同。
   - ○ 奠定了海峽兩岸與亞太地區的和平、安定、繁榮之基石。
3. 會談的今日意義：
   - ○ 1993 年 4 月，兩會首腦在新加波召開的汪辜會談，是基於九二共識而實現的。雙方簽署了四項有關人員往來以及商務等合同協定，促進爾後的兩岸交流之快速發展。
   - ○ 台灣當局否認九二共識，自虧於法理和誠信之道義責任。兩會負責人，當事者汪辜兩位老先生均健在，九二共識不但否認不了，而且越來越重要。特別是辜振甫先生最近一再強調九二共識實質是「協定」，強調兩岸關係的重要性。
   - ○ 為了台灣擴大人民的根本利益，兩岸一定要早日回復會談和談判，及早打開兩岸僵局，「實現三通，進一步推動台灣和大陸兩岸的和平、安定和發展，這才是台灣領導人負責的態度和最大課題。
   - ○ 台灣選戰己經開鑼，台灣在野領導人宣稱，明年大選若當選，即將訪問北京，所謂的「北京之旅」，可見兩岸關係問題必將成為大選的頭條論點。同時、選舉的結果，必特大大影響未來兩岸關係和台灣前途。

中國 · 台灣的政治經濟問題之展望

本文是劉進慶在早稻田大學亞太研究中心國際關係公開講座（2004 年 6 月 16 日）的報告提綱。原文為日文。

本文由邱士杰翻譯。

一、三個視角與利害狀況

1. 國際社會中的中台問題：
   後冷戰的冷戰地域：北朝鮮與台灣的問題。
   日、美、韓與東盟地域的繁榮和安全保障的相關問題。
2. 對於中國而言的台灣問題：
   列強侵略的屈辱近代史→中國革命與抗日戰爭→國土 · 台灣的失地恢復。
   戰後的國共內戰與冷戰→台灣海峽的分斷→完全統一的國家事業與目標。
3. 對於台灣而言的中國問題：
   冷戰下的反攻大陸基地→後冷戰下的姿態轉變、拒絕與大陸的統合。
   中台間的政治 · 經濟關係中的對立和接近的官民二律背反之動態
   對中國的統合以及台灣獨立願望之狹縫間搖擺。

二、中台政治對立的構圖

1. 中國的台灣政策：
   一貫的「一國兩制、和平統一」政策以及動用武力的軟硬兩手準備。
2. 台灣內部的「統獨」對立以及分裂——總統選舉的實例。
   - 國民黨、親民黨聯合（兩岸和解）與民進黨（獨立傾向）的激烈衝突。
   - 投票前一天針對陳水扁總統、呂秀蓮副總統而來的襲擊事件。
   - 選舉結果：644 萬票對 647 萬票，也就是得票率 49.9%對 50.1%的微差。
   - 族群矛盾、南北地域間、城鄉之間、社會階層間的分裂。
3. 「背後主角」美國的庇護與介入：
   2003 年 12 月 9 日，布希總統批判台灣當局「改變現狀」。

三、中台經濟接近的實體——一體化的動向

1. 民間、間接、單方面的貿易：[1]
   台灣方面大幅度的黑字以及極高的貿易依存度（1/3）。
2. 台灣企業一邊倒的大陸投資：[2]
   台灣產業的空洞化・高度化，以及對大陸市場的傾斜。
3. 中台兩岸「三通」（通信、通商、通航）的拔河：

---

[1] 參見本文選所收錄〈兩岸關係與台灣民意之研究（1）〉之表 1。——編者按。
[2] 參見本文選所收錄〈兩岸關係與台灣民意之研究（1）〉之表 2。——編者按。

間接←→直接交流；單向←→雙向；限制交流←→自由化．正常化。

四、日美同盟與中台問題

1. 美國的《台灣關係法》(「台灣牌」)：
遏制中國的膨脹（威脅）以及「防衛」台灣（向台灣提供武器)。
2. 日本的周邊事態以及有事法治的對象地域——北朝鮮和台灣：
作為日本的安全保障．南進「生命線」的台灣，支持其「維持現狀」。
3. 中國的「和平與發展」的國家戰略：
對美協調；聯合國．全方位外交；北朝鮮六方會談；亞洲 FTA 的推進。
經濟發展→富國強兵→排除外國干涉→中台統一事業的完成。[3]
4. 台灣的「維持現狀」戰略：
民主化的進展與「去中國化」．台灣意識的高昂←→壓制經濟交流的政策。
日美的政治性軍事性庇護。

[3] 此處略去劉進慶所剪貼、複印的〈中國的主要經濟指標〉一表。該表在 1979 至 2002 年間著重選取九個年度的數據。數據來自《中國統計年鑑》2000 年版、《中國統計摘要》2003 年版。——編者按。

五、中台（政治經濟）關係之展望

1. 「維持現狀」的長期化：
   中國、日美、亞洲鄰近諸國的「和平與繁榮」戰略利害的交叉點。
2. 東亞FTA的進展以及中台共同市場的可能性(參見附圖1、2)。
   通過經濟統合緩和政治對立。
3. 中國民主化的進展以及中台關係互信的回復：
   伴隨著經濟發展的中國政治改革的可能性。
   中台間的經濟一體化、社會・文化・人的交流（每年350萬人）的擴大與深化。
4. 不戰的誓言——台灣高度自治的保證以及中台和平統一的展望。

圖 1:

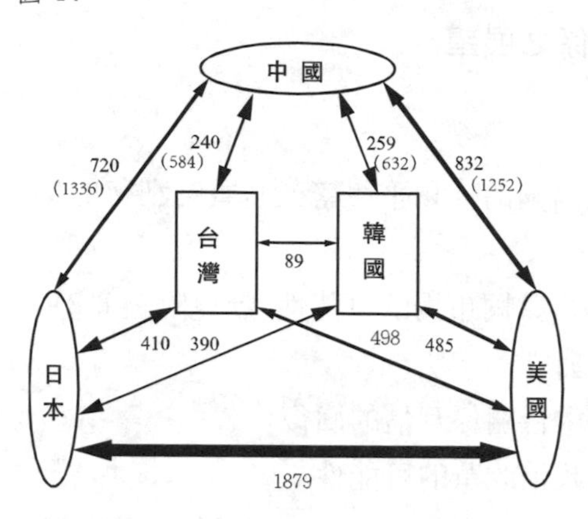

1999 年，東亞(日、中、韓、台)與美國之間的貿易網絡。括號()內為 2003 年數據。單位：億美圓。

圖 2:

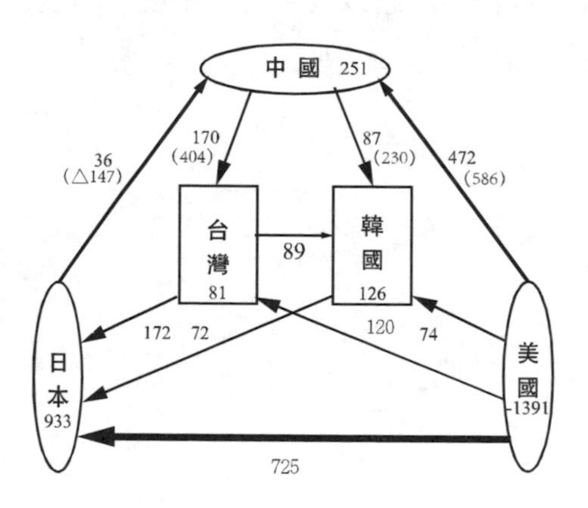

1999 年，東亞(日、中、韓、台)與美國之間的貿易收支。括號()內為 2003 年數據。單位：億美圓

兩岸關係研究中心
與台灣研究

台灣問題懇話會・台灣之未來研究會

成員名單

本文是 2002 年 7 月 9 日劉進慶撰寫的內部文稿。

本文所附錄的〈關於開展台灣問題研究活動的構想〉為收藏在劉進慶檔案中的文件，並未註明作者。

1. 吳新雄　退休。
2. 林清讚　原芝浦工業大學教授。
3. 陳仁端　日本大學教授。
4. 林燦輝　中央學院大學講師。
5. 吳新地　東京經濟大學講師。
6. 汪義正　從商。
7. 林一雄　從商。
8. 林啟洋　從商。
9. 邵雪蓉　從商。
10. 王熙平　日本大學講師。
11. 庚　欣　北京師範大學助教授。
12. 楊天溢　原亞細亞大學教授。
13. 賴石傳　東京女子榮養大學教授。
14. 劉進慶　原東京經濟大學教授。

附錄：關於開展台灣問題研究活動的構想

一、研究目的

台灣問題近來越來越引起全球注目，這不僅是因為台灣已成為全球最敏感、最具爭議性、最有可能引起大國衝突和地區戰爭的危險地區，而且因為台灣已成為最具雙重發展可能性、變數最大的地區。她一方面可能導致糾紛、衝突乃至戰爭；一方面又可能帶來和解、發展與進步。她直接影響著占人口五分之一人類的感情、利益和未來的發展前景，關係到亞太及全球的穩定與發展。

但是，有關台灣的現狀與未來，現在尚缺乏全面、客觀、積極的調查和研究。兩岸由於長期對立，在意識形態等方面留下了較深的隔閡，互信度很低。這在研究兩岸問題的學者中也不例外。海外研究台灣問題的學者中，如以美日等國為例，多是以政治掛帥，為本國利益或為自身的某種政治觀點尋找佐證，很少有人是真正為 2300 萬台灣人民乃至 13 億中國人民的利益、福祉著想，因而缺乏認真的調查、缺乏理性的分析研究，既不能對台灣的現狀作出準確、客觀的判斷，也不能對台灣的未來作出有前瞻性的預測。致使兩岸當局時常出現誤判形勢的情況。影響了兩岸關係的穩定發展。造成了似乎人人關注台灣問題，但又人人對此不求甚解，只是淺嘗即止，或各取所需，造成兩岸關係（特別是台灣島內）似乎進人了「無解」的困難局面。

我們身在海外的兩岸中國人，面對這樣的局面、現應擔負起更大的責任。

我們應本著對祖國負責（當然包括大陸、台灣兩地），對民族負責，對世界負責的態度，以更客觀的視角、更理性的態度，更積極的熱情，開展對台灣問題的研究。

我們研究的目的是：還原台灣歷史的本來面目，掌握台灣今天的現實走向，預測台灣和兩岸未來的發展前景。目前特別要針對世紀之交台灣的重大變化以及對兩岸關係和台灣未來產生的影響，進行深入細緻的調查分析，與兩岸及各國華人學者交流研究，為兩岸當局決策提供參考，影響國際社會對兩岸問題的態度，為兩岸人民造福，作出應有的貢獻。

二、研究方式

1. 瞭解、掌握台灣最新的資訊情報（政治、經濟、社會、文化）。
2. 搜集整理百年以來台灣的重要歷史資料，特別是五十年來的歷史變遷資料。
3. 根據需要進行民意調查、座談、採訪、專訪等（如與兩岸各界人士座談）。
4. 在上述調查等的基礎上，開展對台灣現實和未來發展（政治、經濟、社會、文化等）的研究、交流。
5. 舉辦研究會等，提出調查報告、研究報告等。
6. 與兩岸及海外以互聯網，通訊、交流會等方式進行交流。

三、建立研究組織

擬建立台灣未來研究中心（研究會），以日本為基地，聯繫兩岸和各國的兩岸學者等，開展研究交流活動。

研究中心設名譽主任、主任、副主任、秘書長等，並建立資料組和各專題部，開展活動。

四、建立資訊庫，編輯《通訊與研究》

由資料組主持建立資訊庫，通過上網、訂報刊、資料交流等搜集有關資訊、並定期編輯資料集。

成立《通訊與研究》編輯組，每月（或兩月）出一期（兩岸動態、各國消息、理論文章、調查報告等）。

五、經費

建立資訊庫、編輯《通訊與研究》、舉辦會議、開展研究活動、對外交流等。

關於建立兩岸關係
研究中心(日本)的構想

本文是2002年11月劉進慶為兩岸關係研究中心所撰寫的內部文稿。

一、目的與宗旨

兩岸關係問題，不僅直接影響中國和平統一的進程，而且關係到亞太與世界的安定與發展，因此這個問題越來越引起全球注目。然而，有關兩岸關係的現狀與未來，目前在海外尚缺乏全面、客觀、深入的調查和研究。身在海外的兩岸中國人，面對這樣的局面，責無旁貸，理應本著對歷史和未來負責的態度、為祖國和世界做出貢獻的抱負，開展對兩岸關係問題的研究。

本會的研究方針是：還原兩岸關係歷史的本來面目，掌握兩岸關係今天的現實走向，針對兩岸關係未來的發展前景，以更客觀的視角、更理性的態度，進行深入細緻的調查分析，與兩岸及海外學者進行交流，作出更準確的研判。

本會的研究目的是：為有利於祖國統一，積極聽取兩岸及海外同胞的心聲，為兩岸決策當局提供及時可行的建言，並且，通過與日本各界的交流，爭取日本及國際社會對兩岸問題的正確理解，為兩岸問題的圓滿解決，作出應有的貢獻。

二、名稱與體制

為了上述目的，擬建立兩岸關係研究中心，以旅日華僑華人學者為主體，與關心兩岸問題的廣大華僑華人相結合，聯繫兩岸和海外的學者，開展研究交流活動。

研究中心設顧問、主任、副主任等，並建立專題研究、聯絡資料部等，開展活動。

三、研究方式

瞭解，掌握兩岸特別是台灣最新的資訊情報（政治、經濟、社會、文化等）。

搜集、整理百年以來兩岸關係特別是台灣的重要歷史資料，重點是五十年來的歷史變遷資料。

根據需要進行民意調查、座談、採訪、專訪等。

在上述調查等的基礎上，舉辦研究會，開展對兩岸關係的專題研究，提出調查報告與研究報告等。

與兩岸及海外以互聯網、通訊、交流會等方式進行交流。

四、建立資訊庫及資料交流機制

由聯絡資料部主持建立資訊庫，通過上網、訂報刊、資料交流等搜集有關資訊，並編輯資料集等，發表研究成果。

五、經費來源

本會的經費來源為樂捐及其他。

兩岸關係研究中心(日本)
籌備成立之邀請函與通知書

本文是2002年11月劉進慶為兩岸關係研究中心所撰寫的內部文稿。標題為本文選所擬。

兩岸關係研究中心(日本)籌備成立邀請函

我們一批旅日華人學者、身處海外心繫祖國，愛國家愛民族之情不敢後人。鑑於近年海峽兩岸關係動盪不安，問題複雜錯綜，因是前來籌備成立「兩岸關係研究中心（日本）」，以便盡一份學以回報社稷之職責，聊為海峽兩岸和平統一、振興中華、造福台灣作出一點應有的奉獻。

素仰________致力海峽兩岸和平統一事業，關切中華民族安定繁榮前景不遺餘力，為民領導，精誠貢獻，吾人衷心敬佩。隨文附上通知書，謹此奉告並請指教，順希惠予回音鼓勵，則非常榮幸。

2002年11月吉日

兩岸關係研究中心（日本）籌備委員會
代表　劉進慶　敬上
（東京經濟大學名譽教授 · 經濟學博士）

邀請出席「兩岸關係研究中心(日本)」成立大會通知書

時適天高氣爽，金秋紅葉之季，各位學長，各位朋友，公私均安，是禱。

本籌備委員會經過一段準備工作，方才初步具備條件，於是依照下列宗旨和議程，擬召開兩岸關係研究中心的成立大會，敬請光臨大會，惠予鼓勵、支持與指教為幸。

一、背景與宗旨

近年來、海峽兩岸關係大幅度搖擺、動盪不安。由於兩岸關係問題，不僅直接影響中國和平統一的進程，而且也關係到亞太與世界的安定與發展，因此這個問題越來越引起國際視聽的關注，日本特別敏感。

然而，有關兩岸關係的現狀與未來，目前在海外尚缺乏全面，客觀，深入的調查和研究。我們身在海外的兩岸中國人，面對這樣的局面，責無旁貸，理應本著封歷史和未來負責的態度，為祖國和世界作出貢獻的抱負，開展對兩岸關係問題的研究。

這十餘年來，隨著國人來日留學的增加，在日本已經擁有一群具有相當成就的華人學者，在各個領域作出優異的表現。例如去年，在日本召開的全球華僑華人推動中國和平統一大會－新世紀東京大會，以及「在日中國人教科書問題懇談會」成員編著《「つくる会」の歷史教科書を斬る——在日中国人の視点から》（日本僑報社）等活動中，突顯出在日華人學者相應所作出的關鍵性貢獻，是有目共睹的。站在去年此一成功經驗的基礎上，結合上開對兩岸關係問題的抱負，於是以旅日學人為主體，謹茲成立兩岸關係研究中心（日本）。

本中心旨在為有利於祖國統一、振興中華、造福台灣，針對當前和未來兩岸關係問題，從事收集資料，建立網絡機制，以更客觀的視角，更理性的態度，進行深入細緻的調查分析，同時，與兩岸及海外學者進行交流，作出更準確的研判，進而為兩岸決策當局提供可行的建言，併且通過與日本各界的支流，爭取日本及國際社會對兩岸問題的正確理解，為兩岸問題的圓滿解決，作出應有的貢獻。

二、時間與地點

2002 年 12 月 15 日（星期日）　下午 2:00-5:00
早稻田大學　國際會議場（中央圖書館．總合學術情報中心）三樓，會議室三。東京都新宿區西早稻田 1—6—1　Tel: 03-3230-4141（代表）。

三、大會議程（略）

兩岸關係研究中心（日本）籌備委員會
劉進慶（代表）、朱建榮、陳仁端、凌星光、
王智新、趙軍、張紀潯、庚欣、段躍中
2002 年 11 月吉日〔聯絡方式略〕

兩岸關係研究中心(日本)的工作重點

本文是劉進慶為兩岸關係研究中心所撰寫的內部文稿。署名「兩岸關係研究中心籌備委員會」，日期標記為 2002 年 12 月 3 日。

一、擬重點面向台灣，扎實地開展調查研究活動。從學者交流入手，全面接觸台灣各界人士，對台灣民眾的思想觀念、行為方式特別是近年來對兩岸關係、台灣政治、經濟發展現實與前景等的認識，進行分析研究，實事求是地提出切實可行的政策建議等。

二、與海內外相關組織及機構開展交流、合作，推動海外反獨促統運動。發揮在日華人華僑反獨促統活動聯絡視窗的作用。

三、針對日本各界開展「中日友好，抵制台獨」的活動。爭取日本社會對「一個中國，和平統一」的理解和支援。鑑於今天日本政界、學界「親台」勢力較強的現實，擬首先搞好我們自身的隊伍建設，第一步先從我們中國人自己（包括台胞等）做起，然後再逐步擴展，以適當、有實效的方式對日本各界開展活動。

在開展研究活動的同時，注意發揮在華人社會中的作用，有利於廣大華僑華人的團結，為促進祖國的統一大業做出貢獻。

兩岸關係研究中心(日本)宗旨

本文以及附錄都是劉進慶為 2002 年 12 月 15 日兩岸關係研究中心成立大會而撰寫的內部文稿。

近年來，海峽兩岸關係大幅度搖擺，動盪不安。由於兩岸關係問題，不僅直接影響中國和平統一的進程，而且也關係到亞太與世界的安定與完展，因此這個問題越來越引起國際視聽的關注。

然而，有關兩岸關係的現狀與未來，目前在海外尚缺乏全面、客觀、深入的調查和研究。我們身在海外的兩岸中國人，面對這樣的局面，理應本著對歷史和未來負責的態度，為祖國和世界作出貢獻的抱負，開展對兩岸關係問題的研究。尤其是旅日華人學者之任務，特別重要。

中日兩國是一衣帶水的鄰邦、歷史文化的淵緣深長。近代以來，雖有過一段不幸的歷史，然自中日回復邦交以來三十年、中日兩國精誠合作，友好關係不斷發展，誠值珍惜。然而，遺憾的是事關台灣問題，則時有藉特殊歷史情結，挑起事端加添麻煩，成為中日兩國之間的不穩定因素，令人十分痛心。吾人旅日中國知識分子身處其中，實在責無傍貸，以史為鑑，應致力於促進中日友好，消除此一不良因素，為兩岸關係的改善和發展，創造良好的國際環境。

茲為實踐上開志向和抱負，於是以旅日學人為主體、謹此成立兩岸關係研究中心（日本）。工作重點指向針對當前和未來兩岸關係問題，從事收集資料，建立網絡機制，以理性的態度，進行調查研究，並與兩岸及海外學者進行交流，覓求更客觀準確的研判。進而為兩岸決策當局提供具有建設性的，實際可行的建言。同時，通過與日本各界的交流，促進中日友好，爭取日本及國際社會對兩岸問題的正確理解。本中心的根本目標，旨在為兩岸關係的圓滿解決，為有利於祖國統一、振興中華、造福台灣，作出應有的貢獻。

東京經濟大學 1201 研究室 · 劉進慶〔地址電話略〕

附錄：兩岸關係研究中心(日本)成立大會議程表

2002 年 12 月 15 日，早稻田大學國際會議場

中心成立大會（14:00）。

司會：朱建榮教授。

1. 籌備報告：劉進慶教授。
   朗讀宗旨：王智新教授。
2. 來賓致辭（14:20）。
   - 陳焜旺先生：留日華僑聯合總會會長。
   - 蔡慶播先生：留日台灣省民會會長。
   - 梁電敏先生：夏潮聯合會會長（台灣）。
3. 賀電介紹：張紀潯副教授、庚欣副教授。
4. 閉幕辭：凌星光教授。

專題紀念講演（14:45）。

司會：趙　軍教授。

1. 講演：
   - 講師：許介鱗教授（國立台灣大學名譽教授、東京大學法學博士、台灣日本綜合研究所所長）。
   - 講題：如何看待兩岸關係問題。

2.　討論（16:00）。

散會：陳仁端教授（17:00）。

附錄：成立大會的賀信名單

海峽兩岸關係協會・海峽兩岸關係研究中心。

國務院僑辦國外司。

全國政協港澳台僑局・全國台灣研究會。

中華全國台灣同胞聯誼會。

中國社會科學院台灣研究所。

中國統一聯盟（台灣）。

夏潮聯合會（台灣）。

中央日報（台灣）。

勞動人權協會・林書揚（台灣）。

中國〔社會〕科學院院士陳映真（台灣）。

全球華人反獨促統聯盟（美國）。

中國駐日大使館。

兩岸關係研究中心(日本)

關於協助台灣抗擊 SARS 疫情的倡議

本文內容由 2003 年 6 月形成的三份材料所組成，標題為本文選編者所擬。

〈倡議書〉發表於同年 6 月 2 日。〈日本兩岸關係研究中心向台灣贈送非典防護服〉發表於同年 6 月 5 日，由人民日報記者劉迪所撰寫。〈有關向兩岸支援抗擊 SARS 疫情活動之報告〉發表於同年 6 月 14 日，署名兩岸關係研究中心。

倡議書

全世界的華人朋友們:

正值大好春光之際，海峽兩岸同胞——我們的親人卻受到 SARS 突襲，面對嚴峻挑戰。在這場與病魔的戰鬥中，兩岸同胞血濃於水、情重於山、相互幫助、相互聲援。我們是來自海峽兩岸的兒女，身處海外、心繫祖國，與我們的父老鄉親感同身受。我們也應人不分海內海外、地不分大陸台灣，為兩岸鄉親同胞盡快戰勝病魔盡一臂之力。因此，我們倡議:

一、結合自己所在國特點，以各種形式向兩岸人民獻出自己的愛心。最近應盡可能提供體溫計等實用物品的支援。

二、發揮我們身處海外的優勢，總結各國衛生管理，疾病防治、公共危機對應等方面的好經驗，借「他山之石」，為兩岸同胞獻計獻策。

三、向自己身邊的外國朋友如實介紹海峽兩岸奮勇抗擊SARS，并已經明顯好轉的情況，帶動他們到兩岸去旅遊、去投資，消除海外對兩岸抗疫的誤解，有利於兩岸疫後的經濟恢復和發展。

朋友們！兩岸人民是骨肉兄弟。這次疫情使我們兄弟同病相憐，更使我們兄弟之間凝聚同舟共濟的親情。外敵不能使我們分離，病魔也不能讓我們低頭！只要我們大家齊心協力，就一定能夠戰勝 SARS，實現更大的合作與發展！

（日本）兩岸關係研究中心
2003 年 6 月 2 日

日本兩岸關係研究中心向台灣贈送非典防護服

人民網東京 6 月 5 日電　今天，日本「兩岸關係研究中心」主任劉進慶先生在接受記者採訪時說，該中心向高雄市寄送的 100 套非典防護服已運抵台灣，他表示，這是該會成員向台灣人民的一點心意。

該中心主任劉進慶先生係台灣雲林縣人，台灣大學經濟系後赴日本留學，現任東京經濟大學名譽教授。他告訴記者說，兩岸關係研究中心成立於去年 12 月 15 日，其宗旨是「和平統一、振興中華、造福台灣」，成員多為旅日的兩岸學者。

據悉，該中心在 5 月下旬，曾為支援大陸同胞抗擊非典捐款。

有關向兩岸支援抗擊 SARS 疫情活動之報告

這一次未曾有的疫病 SARS 突襲海峽兩岸，給兩岸同胞帶來嚴重的災難。吾人身處海外，心繫祖國，作為旅日華人同胞，非常心痛不安。本研究中心，在 5 至 6 月份，為響應支援兩岸抗擊 SARS 疫情，承蒙篤志僑胞個人資助，作出以下兩項支援活動，聊以表示一點心意。特此，併向捐助的僑胞長者，表示衷心的感謝。

1.向大陸方面樂捐款項

5 月 25 日，參加日本中華總商會主辦的支援大陸同胞抗擊非典募捐音樂會，以本中心名義捐款。

2.向台灣方面郵送醫療物資

6 月 2 日和 6 月 6 日，分別向台灣方面，以航空郵件發送防護衣和眼罩各一箱（各 100 件）、委託台北的兩岸人民服務中心代為轉達南部高雄市政府領收，統一分配應用。

兩岸關係研究中心(日本)
2003 年度活動報告

本文是 2003 年 12 月 22 日劉進慶為兩岸關係研究中心所撰寫的內部文稿。署名：兩岸關係研究中心執行委員會：劉進慶、朱建榮、陳仁端、凌星光、王智新、趙軍、張紀潯、庚欣、段躍中。

一、研究中心成立大會

2002 年 12 月 15 日　於早稻田大學國際會議場。

@來賓：

陳焜旺 · 留日華僑聯合總會會長等各界僑領以及來自台灣的梁電敏 · 夏潮聯合會會長與陳福裕秘書。

@賀信　海內外共計 12 件。

@紀念講演：

講師：許介鱗　博士。

台灣大學名譽教授，東京大學法學博士，台灣日本綜合研究所所長。

講題：如何看待兩岸關係問題。

@出席人數：52 名。

二、第一次研究會
——陳焜旺先生榮獲華僑大學名譽博士學位紀念講演
—2003 年 3 月 15 日　於東京華僑會館 7F 會議場

@記念講演:

講師: 陳焜旺　先生。

講題: 戰後日本僑史的回顧與展望。

@專題研究報告:

講師: 劉進慶　教授。

題目: 一年來的台灣民情調查之研究報告—從兩岸關係的觀點。

@出席人數: 56 名。

三、第二次研究會

2003 年 6 月 14 日　於早稻田大學 14 號館 10F、1060 號室（共同研究室）。

@研究報告:

講師: 朱炎先生　富士通總研首席主任研究員。

題目: 台灣企業對大陸投資和對兩岸關係的影響。

@座談:

議題: 汪辜會談 10 周年的現實意義與兩岸關係。

評論人: 凌星光、劉進慶教授。

@出席人數: 23 名。

四、第三次研究會

2003 年 9 月 13 日　於東京華僑會館 7F 會議場。

@報告:

講師: 林清涼　博士　台灣大學理學院物理系兼任教授。

題目: 台灣的現狀與問題之管見。

@座談:

議題: 台灣的近況與選情。

主講人: 林清涼　女士。

提供話題人: 劉進慶　先生。

@出席人數: 30 名。

五、為支援兩岸抗擊非典病疫（SARS）的活動

@向大陸方面捐獻款項:

2003 年 5 月 25 日。

參加日本中華總商會主辦的支援大陸同胞抗擊非典募捐音樂會，以本中心名義捐款。

@向台灣方面郵送醫療物資:

2003 年 6 月 2 日與 6 月 6 日。

分別兩次以航空郵件發送防護衣和眼罩各一箱（各 100 件），委託台北的兩岸人民服務中心代為轉達南部高雄市政府領收，統一分配應用。

台灣民意與選情的調查研究

2002年2月28日至
3月7日間的調研

本文原標題為〈台灣民意實地調查報告：2002年2月28日至3月7日〉，由劉進慶、林清讚、陳仁端、洪詩鴻等四人共同撰寫。定稿日期標記為2002年4月20日。這四位學者以「在日華人學者赴台學術交流訪問團」的名義，在劉進慶的率領下前往台灣訪問。林清讚，台南市人，芝浦工業大學工學部教授；陳仁端，花蓮縣人，日本大學生物資源科學部教授；洪詩鴻，廈門市人，阪南大學流通學部助教授。

本文所附錄的〈台灣民意實地調查面談人名單〉由劉進慶所撰寫。

一、背景

1. 改善兩岸關係，解決台灣問題的要害在於台灣民意之動向。因此，需要徹底瞭解和掌握台灣民意的主流。
2. 從事廣泛的台灣民意實地調查工作之必要性。
3. 這次受邀參加成功大學社會科學研究院主辦的「台灣的未來」學術研討會，3月2日。

二、目標

1. 針對台灣中南部地區的知識分子和一般民眾，作面談聽取調查，加深了解台灣人對兩岸關係真正的想法，看法和意願。
2. 覓求往後在台學術交流的對口單位和學者。

三、觀點（見概念圖）

1. 多層次的角度：年齡別、地區別、階層別、省籍別。
2. 多方面的因素：政治、經濟、社會、歷史文化。
   * 以在日台籍學者身分訪問、面談、聽取意見。

四、訪問日程，名單和概要（略）

五、要害問題

1. 祖國情之「風化」問題：淡化、喪失、迷茫，「台灣人也是中國人？」問題「台灣人長期沒有『父母』習慣了！」
2. 「本土化」問題：
   - ○ 福佬民粹猖獗，「愛台灣」信仰的狹隘性，排斥異己去中國化教育，彷佛 30 年代的「皇民化」教育。
   - ○ 一部既得利益知識分子淪為美日霸權利益的買辦階級。
3. 省籍矛盾加大問題：籍群對立的歷史性積怨和泛政治化，90 年代前後為轉折外省人的危機感和「外省人可惡」成為煽動選情之材料——民主化的副作用。
4. 信心和心態問題：
   - ○ 對大陸極端的不信感，信心不足，「十三億的外省人，好可怕」。

○ 多元化社會：統獨無共識。

獨不了，也不願統→消極的共識：維持現狀、得過且過

＊「忍耐半個世紀才入手的自由民主，怕統一後喪失。」

＊「統一有何好處？共產黨和國民黨有何不一樣？」

六、建議

- 獨氣猖獗，挾美日洋天子自大，有恃無恐，已到不能容認，不可坐視不管的程度對應方法：提高綜合國力、堅持原則、抵美、消獨（毒）、反獨要硬、不可放鬆。
- 抵美消獨（毒），尚難早日統一，收攬台灣民心（攻心）為上策。作法如下：

1. 為要回復台灣人的祖國情，就要培養台灣人和大陸人的同胞情。為要培養兩岸人民的同胞情，就應先從回復和加強台灣人和閩南人的同族（本族）意識作起，作為一個突破口。理由：

○ 台灣人不善於講大道理，也不喜歡講大道理（民族大義等），又聽不進去。於是從講小道理（情分、義氣、眼前利等）來說服，來得有效。

○ 台灣中南部地區民眾，民風氣質酷似閩南泉州、晉江人（素樸、厚意、情義、口語「三字經」等）。促進閩南人和台灣中南部人多接觸、多交情，則以便回復和加強台灣人和閩南人的同族（本族）意識。

2. 攻心力點應放在年輕一代人和底層人。理由：

○ 年輕一代人對政治冷漠不關心，重視眼前利，這表示少有歷史包袱，反而具有自由思維。理解其心態和氣質，

多接觸善加鼓勵，則反可成為改善兩岸關係的主力。

- ○ 底層人處於經濟弱者地位，在一般情況下最受經濟搾取的階層，在兩岸經貿交流中，台商大量赴大陸投資，台灣關廠失業增加，受其害最深。對大陸投資有不滿，對兩岸統一存疑。特別是南部地區經濟發展較差，更容易贊成「戒急用忍」政策和懷疑統一之好處的說法。如何收攬中下階層人的民心和培養兩岸情，是一個很大的難題。
- ○ 至於老一輩人，對蔣政權 = 外來政權 = 外省人 = 大陸人的反感非常強烈，這種單線思維根深柢固，很難改變。

3. 大陸對台工作人員要對台灣具有感情，中心人物應該按排台籍、閩籍人士。基於以上認識，有必要改善刷新大陸對台工作的人事安排，應該多採用熟習台灣人的民風氣質，會說閩南話的工作人員，特別是中心人物一定要安排台灣人和閩南人。讓台灣人看得到大陸寄希望於台灣人民的具體表現。鄭成功時代，清政府登用施琅（晉江人）收台之歷史教訓，值為借鑑。
4. 留意促進大陸廉優商品，日用品大量銷台，讓一般民眾在日常生活中，能夠體會到大陸的發展和進步，改善對大陸的印象。

2002年7月28日至
8月9日間的調研

本文原標題為〈返台參加各種集會以及造訪財經單位等活動的觀感：2002年7月28日至8月9日〉。未註明寫作日期。

一、新民主論壇的集會

○ 7月28日於：師範大學綜合大樓國際會議室。
○ 主辦單位：勞動人權協會、林書揚。
○ 報告題目：從兩岸經貿十年交流，看三通政策與台灣經濟——兼談世貿、三通對勞工的衝擊。
○ 參加人數：百餘名、統派系統的人居多。
○ 主要與會人物：石滋宜、林惠官、林明賢、曾健民、嚴秀峰等。

二、新竹縣產業總工會的報告會

○ 7月29日於：新竹縣政府工商總合大樓。
○ 主辦單位：新竹縣產業總工會、羅美文。
○ 報告題目：從兩岸經貿十年交流加入世貿大環境下看台灣勞工的境遇和出路。

○ 參加人數: 30餘名、地方大企業（公營企業）工會幹部為主。
○ 主要與會人物: 林書揚、高偉凱、陳國梁、王文祥等。

三、台灣反帝學生組織討論會

○ 7月31日於: 勞動黨本部會議室。
○ 召集人: 林書揚。
○ 參加人數: 16名、大學生、研究生為主。

四、南方世界研究會的集會

○ 8月1日於: 高雄市中信飯店會議廳。
○ 主辦單位: 中山大學全球化轉型學術研究中心、李清潭。
○ 報告題目: 從兩岸經貿十年交流，看三通政策和高雄轉型。
○ 參加人數: 百餘名、統派系統的人和企業界人士為主。
○ 主要與會人物: 施明德、張緒中、淩林煌、羅文正、郭清寶、吳榮元、林書揚等。

五、造訪財經單位（收集資料）

○ 行政院工業局:
周能傳（組長）、林喬英（專案經理） * 兩兆雙星戰略。[1]
○ 中小企業處
梁東波（專員、組長代理）。

---

[1] 劉進慶在「兩兆雙星」旁以手寫釋義:「半導體、影像顯示（液晶顯示）」以及「數位內容（digital contents）、生物技術（biotech）」。——編者按。

- 中華經濟研究院：
  蘇顯揚、楊雅惠研究員。
- 台灣區機器工業同業公會：
  陳半滄理事長、鄭祺耀常務理事。
- 台灣區電機電子工業同業公會：
  羅懷家（執行長）、龍英男（室長）。

＊行政院，《國家發展重點計畫 2002-2007：挑戰 2008》，2002 年 5 月；經濟部，《中小企業白書》，2001 年版。

六、一般民情

- 支持民進黨·陳水扁政權的一股「激情」，明顯冷卻下來，理由是「差不了多少」。
- 高雄市長選情、謝長廷優勢；台北市、馬英九連任問題不大。
- 陳水扁的「一邊一國」論、南部地方支持者多、但不少人認為「挑釁大陸之舉極為不智」，基層民眾關心經濟下沉問題大於這一次陳水扁的「政治秀」。
- 陳水扁極力喧嘩大陸對台灣在國際活動空間的「無理打壓」，此一欺騙性煽動言論相當收效、讓民眾對大陸抱有反感、如何對待這一問題而加予消除，需要著力研究。
- 政經相左、腳步亂、人心不安。

七、晤談李遠哲

- 8 月 6 日於：南港中央研究院院長室。
- 話題：個人關係、台灣問題、兩岸關係、陳水扁政權等。

八、其他

- 嚴秀峰（李友邦夫人）。
- 林聖芬（《中國時報》社長）。

2003 年 1 月 16 日至 1 月 23 日間的調研

本文原標題為〈台灣民意調查（5）——參加成功大學台灣與日本評比國際學術研討會等：2003 年 1 月 16 日至 1 月 19 日至 1 月 23 日〉。寫作日期標記為 2003 年 2 月 8 日。

1. 1/16 高雄 翁嘉禧・中山大學副教授

○ 楊日旭，80 歲，國民黨評議員，留美，中山大退休，曾任胡適秘書

○ 強調國民黨的重要貢獻，「軍隊國家化」，反共而求統

2. 1/16 台南 林燧生，72 歲，台南人，國民黨員 50 年，曾任省財政廳副廳長，自我出版《歴史に生きる純粋な台湾人》、《明日を夢に託して》，親李親獨，關心台灣前途

* 研究南部知識分子心情之材料。

3. 1/17 成功大學 主催者薛天棟・社會科學院長，王駿發・工學院長。

○ 特約報告者，林華生（早稻田大），中島嶺雄←招請者邱輝煌（成大客員）。

林介紹大陸經濟正面發展、中島的台獨言論被內部操作而淡化。

←葉光毅・成大（葉盛吉之子）、王駿發。

○ 在日台獨「學者」蔡秋雄取消行程，由黃文雄代替，會

場冷清清少人聽。

- 宋鎮照．成大、交流對象，《台海兩岸與東南亞—三角政經關係之解析》。
- 敝著在台研究工作者中有一定的市場。
  年輕學者和老一輩本地人對「日本回來統派老教授劉」的態度都很不錯。

4. 1/18
   - 江丙坤報告，午餐懇談，相約不斷交流。
   - 陳文源．高雄市工業會理事長、研討會之資助者，預備軍官5期同隊老朋友，一見如故。
   - 張源章．成大OB〔畢業生〕，同鄉長輩，曾任奇美公司（許文龍）總經理，副董事認為陳水扁有危機，「台灣人、中國人」？「台灣人之幸福為重」。
5. 1/19　阿里山之遊，途中在番路休憩站梅園樓之見聞，大連留日「大陸妹」老板娘。
6. 1/20　造訪雲林縣古坑鄉農會總幹事，袁靖雄，台灣農漁會「自救會」副會長。
   聽取有關「台北農民大示威遊行」經過與始末。
   - 陳水扁政權內傷很深。
   - 大陸農產品大量走私進來，打擊農業，向多角化轉形，種植Coffee。
7. 1/21　斗六市扶輪社例會演講，「兩岸關係與台灣前途」，約30名
   提問十六大胡錦濤領班的看法；「中華聯邦」的可能性。
8. 1/22　蘇聖傑醫師（沈富雄之親友）來訪懇談，有關本土化問題，既「獨」不得，兩岸何時談有利。
9. 1/23　重逢王津平於高雄機場，送來《統訊》。

結語：

1. 社會失去往昔的一股衝勁，欲振乏力。
2. 大陸經濟對台灣的影響，逐步見形於市面。
3. 年輕一輩研究工作者思惟開朗、對自已的前途、自求多福、即對大陸比較有理性認識、不會一味動感情敵視。
4. 透過一年來的觀察、台獨氣氛顯有下降，走低之趨勢。

一年來的台灣民情調查之

研究報告（序論）

從兩岸關係的觀點

本文是2003年3月15日劉進慶在「兩岸關係研究中心第一次研究會」(2003年3月15日，東京華僑會館7樓會議廳）所宣讀的論文。

一、問題所在

1. 核心問題：兩岸經貿交流與人員往來不斷發展，但是政治敵對關係始終難緩，時有倒退，為何?
2. 中美關係：中美關係形緩實緊、美日為要圍堵中國崛起、利用「台灣牌」反華的戰略價值提升、令台灣當局處以挑釁拒統。
3. 台灣政治生態變質：
   - ○ 解嚴、後兩蔣、台灣民眾對兩蔣專制統治之內心不滿結合歷史悲情的爆發性發泄，表露在過度本土化，「去中國化」的激情反彈。
   - ○ 李、陳兩領導人見機暴露「台獨」本質，否定一中，提升兩岸敵對關係。

4. 台灣對大陸互信不足、存疑不前的因素：
    - 長期反共思維、對文革、六四、飛彈演習，「不放棄武力」等心有餘悸。
    - 大陸發展而腐敗、政治改革遲緩。
5. 如何落實「寄希望於台灣人民」？
    調查研究台灣民情之重要性。[1]

二、民情之含意與理解方法

1. 左派政治經濟理論的理解方法：經濟的物質基礎規定思想、政治等上層結構。[2]
2. 從物質與精神兩面的利害關係來總合對行為的理解方法。
    韋伯（Max Weber）的理解方法（行為科學）：
    - 社會「行為」有別於「舉動」。
    - 人的行為範疇，從其動機與目的的關聯來分成成四種類型：
        - 合目的性合理行為：經濟學、法學、社會學作為社會科學（可預測）的依據。
        - 價值指向行為：硬性目的指向，如信念、教條、信仰行為。
        - 情緒性行為：動機強烈、目的不合理。
        - 傳統性行為：動機與目的，依慣例、慣習、歷史文化而有選擇性。
3. 民情之概念。

---

[1] 劉進慶手寫補充：「台灣人的根本利益」、「三個代表」。——編者按。
[2] 劉進慶手寫補充：「研究」、「理性」、「客觀」。——編者按。

民情＝民心＋民意，民之「心」與「意」有別（圖 1）：

- ○ 民意：屬於 A 範疇行為，即具有政治、經濟、社會的動機與目的性合理行為。
- ○ 民心：屬於 B、C、D 範疇的混合行為，即動機與目的之間必合理（預測性低）。

民情：四種範疇類型的總合表態。

三、一年來五次返台作民情調查的經過概況

1. 2/28-3/7：參加台南成功大學「台灣的未來」學術研討會、高雄中山大學經濟研究所研究生班座談會。訪問高雄原住民婦女協會。在台北參加東大同窗會等。
2. 5/24-5/29：訪問台北和中部親朋交流意見。5/25.中華班機在台海空難。
3. 7/27-8/9：出席台北「新民主論壇」、新竹產業工會以及高雄「南方世界研究會」作報告。訪問行政院工業局、機械、電子工業企業公會、調查數家企業。8/5 陳水扁「一邊一國論」。
4. 10/21-10/26: 在台北、台中兩地訪問 10 家電子和機械（模具）企業。出席「光復紀念演講會」作報告。
5. 1/16-1/23：出席成功大學「台灣和日本的評比」國際學術研討會作報告。在斗六扶輪社作報告。訪問地方農會聽取農漁會自救會幹部的「台北大遊行」始末。

四、民情動態之初步看法

1. 基本問題：
   - ○ 祖國情之「風化」問題：淡泊、喪失、迷茫、「台灣人

也是中國人？」問題「台灣人長期沒有『父母』習慣了」——特別是老年一代知識分子。

＊D 型之風化，C 和 B 型範疇的行為。

- 「本土化」問題：福洛民粹、「愛台灣」信仰的狹隘性、排他性。

  「去中國化」運動，彷彿 1930 年代皇民化運動之極端離譜

  ＊D 型之消去，C 結合 B 範疇的行為。

- 省籍矛盾問題：籍群對立的歷史性累積和政治化的惡性循環。90 年代前後為轉折、外省人失去權力加深危機感、各本省人之間反而提升緊張關係。

  ＊C 結合 A 型範疇的政經指向行為。

- 對大陸互信不足和存疑點：
  - 對大陸極端的不信感，信心不足，「13 億的外省人、真可怕」——老齡人。

    ＊在 B 與 D 型範疇之間徘徊。
  - 多元化社會→統獨難有共識：

    獨不了，也不願意早日統一→消極的共識＝維持現狀，得過且過。

    ＊A 型範疇的行為、有它一定的合理性、條件變化可成積極因素。
  - 忍耐半個世紀才入手的自由民主，怕統一後失去？對一黨專政下的「一國兩制」存疑。
  - 統一有何好處？共產黨和國民黨有何不一樣？

2. 最近一般民情：
   - 社會失去往昔的一股衝勁、欲振乏力。
   - 大陸經濟對台灣的影響、逐步見形於市面、民眾肯定大

陸的經濟發展。

- ○ 民情依年齡、階層、地域、籍群而異。（圖 2）
  - ■ 年輕一代：思維開朗，對自己的前途，自求多福、即對大陸比較有理性認識，不會一味動感情敵視。
  - ■ 年老一代：認為蔣政權 = 外來政權 = 外省人 = 大陸人，具有非常強烈的反感，這種單線思維、很難改變。
  - ■ 底層：屬於經濟弱者，在兩岸經貿交流過程中，台商赴大陸投資、台灣關廠失業增加，受其害最深。於是對兩岸經貿交流的利益、兩岸統一的好處存疑。
- ○ 透過一年來的觀察，台獨氣氛顯有下降、走低之趨勢。
  - ■ 支持民進黨，陳水扁政權的一股「激情」，明顯冷卻下來、理由是治理能力不成熟。南部地方支持者雖多、但基層民眾關心經濟下沉問題大於「政治秀」。由農漁會自救會的「台北大遊行」所受內傷甚大。
  - ■ 陳水扁極力喧嘩大陸對台灣在國際活動空間的「無理打壓」，此一煽動性說法相當效效，讓民眾對大陸的反感難消。
- ○ 政經走向相左越來越大，腳步凌亂，民眾抓不準方向，人心安不下來。

圖 1: 行為範疇的四種類型與民心民意的定位

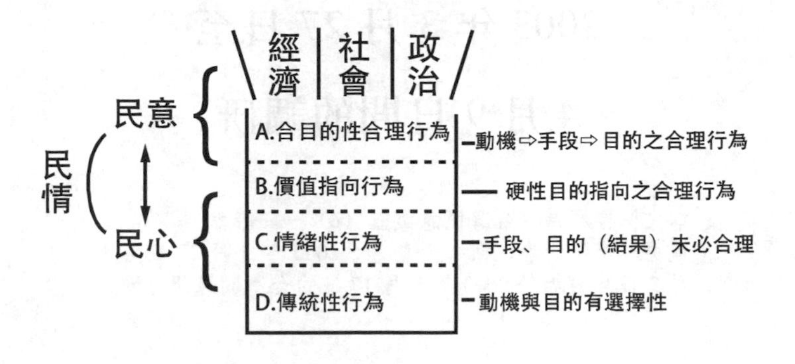

圖 2: 台灣民意動向概念圖

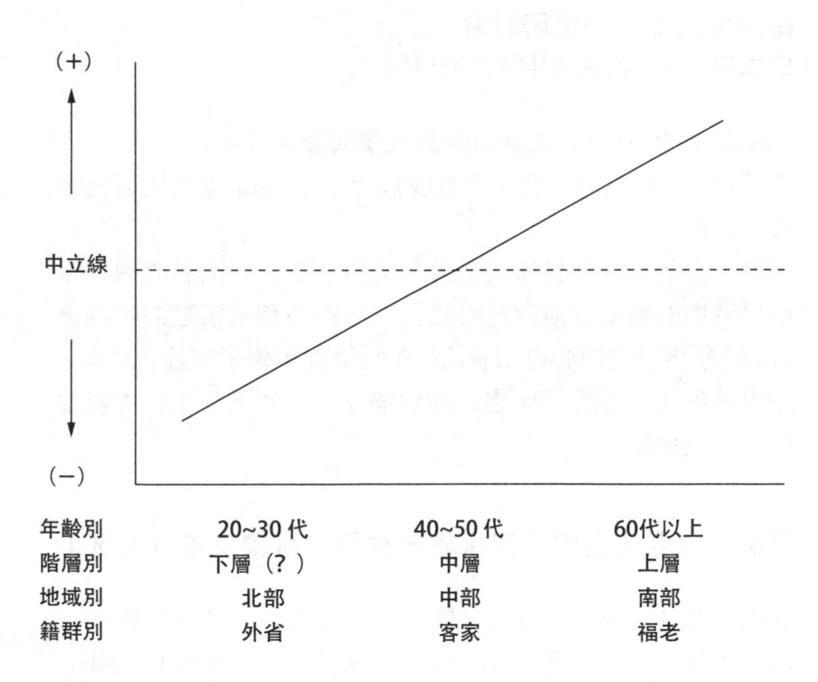

2003年3月27日至
4月9日間的調研

本文原標題為〈台灣民意調查（6）——參加台灣殖民地史學術研討會、回鄉掃墓等：2003年3月27日至4月9日〉。宣讀於2003年5月17日的台灣問題懇話會。

一、台灣殖民地史學術研討會
（日本殖民統治時期1895-1945）

1. 3月29日至30日，於台灣師範大學國際會議室。
   主辦單位：夏潮聯合會（梁電敏）、台灣大學東亞文明研究中心（黃俊傑）。
2. 宗旨：由於島內外各種政治力量的角力下，台灣各界對日本殖民時期的歷史評價意見紛雜。為要澄清和更清楚的認識史實，將學界研究的心得和看法、介紹給青年學子和社會大眾。
3. 結果：參加人數約200名，始終滿座，多數大學生，內容獨到，盛況熱絡。

二、與黨外大老高玉樹及其家族一夕談：統獨交差（3/30）

1. 高氏（及其家族）的政治背景：黨外當權、長男的悲劇。
2. 高氏與蔣家，國民黨的政略關係：恩怨離合、好壞七三開。
3. 高氏對大陸的看法和立場：兩岸是兄弟。

＊評陳水扁：視野和度量狹隘，沒有國際觀。

三、建國黨員王〇〇的意識形態：「李登輝第二」之類型（4/4）

1. 「三腳」家庭出身：1934 年出生，南投人，父親為日據期下級警察。
   就讀於日本人的小學校，光復時不會說台語，小學晚一年畢業。
   台中一中，台大政治系畢業（與連戰同期）。
2. 斗六國中（國民中學）教員，擔任政治、歷史課，課堂上使用台語，受警告而死不改，問題「教員」。
3. 日常操用日語，說「台灣人不是中國人」，口口聲聲說中國人為「支那人」。

自認建國黨的想法作法難得人心，其理由是台灣人受騙，責怪國民黨長期的奴化教育，毒化台灣人。

＊與「李登輝之友會」會長黃崑虎的想法之類似點。

四、對陳水扁政權的巷間怨言

1. 謝〇〇先生：缺乏行政、統治能力（3/27）。
2. 陳〇〇教授：不會用人，三年前的期待落空、很失望（4/8）。
3. 張〇〇老板：「民進黨只會吃不會作，國民黨會吃也會作」（時值高雄議會議員大量贈賄事件當頭）（4/3）。

五、其他

1. 造訪江丙坤先生（立法院副院）（3/31）。
2. 林書揚先生對明年大選的看法（4/8）。

3. 聽劉煥雲教授（雲林科技大學）報告的感受：反映地方民情、即維持現狀、模稜兩可（4/2）。

六、台灣人複雜的統獨情結之體會：「同根異果論」假說——代結語

○ 同根通底的情操：被割讓、被殖民、被抑壓的「悲情」。

○ 現實統獨的對立：僅在一念之差，「一紙之隔」之間：

- ■ 事例 1：蔡坤霖、蔡坤燦（獨派大企業家）兄弟。
- ■ 事例 2：吳澍培（政治受難者統派幹部）、吳澧培（萬通銀行董事長）兄弟。
- ■ 事例 3：黃英武（政治受難者統派幹部）與王○○（建國黨黨員）。
- ■ 事例 4：高玉樹及其家族。
- ■ 事例 5：吳三連及其家族。

  吳三連：日據期赴大陸、追隨國民黨、戰後返台、首任台北市長長男吳逸民：台灣大學四六（共產黨）事件（1949 年）、投獄十餘年末子吳樹民：民進黨幹部、台北市和平病院長（因 SARS 問題辭職）。

  ＊《朝日新聞》記事，5/17.2003。

@台灣人對中國大陸的台灣意識：

政治認同的分岐。

文化認同的共性。

黃俊傑《台灣意識與台灣文化》正中書局，2000 年。

關於台灣公投問題的看法和對策之管見

本文是劉進慶為兩岸關係研究中心所寫的分析資料。
寫作日期標記為2003年7月29日以及8月2日。

台灣領導人陳水扁為明年大選造勢，開始打出各種花招，爭取選票，企圖連任。繼去夏的一邊一國論、台灣正名運動、李登輝訪日等事端之後，今春以來利用非典災難，炒起加入WHO問題，製造麻煩。最近又冒出有備而來的「公民投票」，往後預料還有一連串的動作。其中，這次「公民投票」問題，可謂是陳水扁選戰的核心戰略，應加予深入探討，慎重對待。以下，即將針對台灣公投問題的看法和對策，表述管見如下。

一、公民投票的涵義

所謂「公民投票」，在政治學上的涵義，可分為兩方面的概念範疇。一種是英文稱呼 referendum 指除選舉代議員，上層公務員等的投票之外的，有關重大行政，政務治理事項之類的民意投票。這裡暫且翻作住民投票。例如，日本的地方行政區域的合併、分割，或者水庫、原子力發電廠建設的住民投票，台灣的核四建設問題之民意投票也屬於此一類。再一種是 plebiscite，是針對領土、主權的變更事項之民意投票，這裡可譯成公民投票或者國民投票。例如，二戰後舊殖民地獨立的公民投票，或者幾年前東帝汶獨立的公民投票。當代公民投票概在聯合國決議和監視之下舉辦。不過，一般往往不分這兩種概念，把它統稱廣義的公民投票。

再說，公民投票的法律定位也有兩種。一種是經過一定程序立法，具有法律依據的；再一種是不經立法，依據行政法令舉辦的。前者則具有法律約束效果，後者則類似民意測驗，僅作當局參考意見。

二、公投與台獨的歷史背景

公投與台獨的關係由來已久。早在戰後 1947 年，二二八事件後不久的 7 月，美國魏德邁將軍來華訪蔣，路經上海時，廖文毅向他提出〈處理台灣歸屬問題意見書〉，建議台灣經由聯合國托管後實施公民投票決定台灣歸屬的主張。1970 年代，聯合國第 2758 號決議中國代表權問題，中華民國喪失席位後，美國台獨分子蔡同榮為主再發動以公投決定台灣地位之主張，作為台獨運動的基本戰略。1990 年代，海外台獨分子全面返台，仍然以蔡同榮為中心，重起爐灶，喧嘩公投運動，把公投條款插進民進黨黨綱。

三、陳水扁的「公民投票」之意圖

這次陳水扁所提的公民投票，表面上說「四不一沒有」，只是核四公投、世衛公投，不涉及領土、主權的問題，但是，從民進黨黨綱領以及台獨背景來看，其意圖為漸進台獨，最後旨在涉及分裂中國領土和主權的公民投票。同時，立法之前，先用行政法令來強行實施，積累既成事實，而後立法、修憲、公投，達成分裂祖國的陰謀。

從短期來說，陳水扁的造勢目標，在爭取選票連任。今天，對台灣來說，人民最期待的是拼經濟。然而陳水扁上台之後迄今，治理能力薄弱，經濟一再下滑，拼不起經濟，於是違背人民的需求，唯有拼政治而以公投這一張牌來造勢。現在又看到多數民眾不希望作領土主權公投，他就退而求核四之類的住民投票，但是又把參加投票範圍擴大到全島，讓反對核四的地方住民也感到莫名其妙。陳水扁的腳步在亂。

四、一概反對「公民投票」不是辦法

公民投票如果限定於住民投票（referendum），它有補充和完善民主政治運作的機制，本來並無可厚非。但是意在公民投票（plebiscite），則就跨出一個區域社會的民主動作範疇，踏進分裂領土和主權事項的政治「禁區」，絕不能容認，要以最嚴厲的姿勢對付。

陳水扁明知這個利害關係，所以他先以住民投票的糖衣來包裝，採取漸進台獨。即使這樣，我們對「公民投票」表示一概反對，也未必妥當。其理由如下。

因為「公民投票」透過十餘年來台獨勢力的宣傳耕耘，在台灣有一定的民意基礎，形成民進黨的「民主牌」。陳水扁的選戰造勢戰略之一貫的基本架構，是一面利用民眾的深層悲情意識為基礎，誘致大陸「打壓」形象，引發民眾對大陸反感而來爭取擴大中間層選票。再一面是以台灣的「民主」來突顯出大陸的「專制」形象。於是如果一概反對「公民投票」，則表示大陸蠻不講理，反對台灣民主政治，而容易上陳水扁的圈套，即突顯出大陸的「打壓」和「專制」形象，煽動民眾的反大陸情緒，一舉兩得。我們千萬要避開上陳水扁的這個圈套。

五、妥當的對策

我們的對策，應該把住民投票和公民投票兩種分開，對前者表示理解，而對後者即採取嚴重警告的態度。柔硬之間分明，而來爭取台灣擴大民意。同時，也應該懇切說明大陸的改革和進步，正在往先進文明和民主文化改革努力前進。但是兩岸的實情情況尚有一段差異，因此，才有必要兩岸一國兩制。這個說明，一面向台灣人民，再一面則該讓美國和國際社會瞭解。特別是美國的國會，它往往與美國政府採取不同態度，公然干涉他國內政，對台灣公投問題，千萬要防止他們插手。為了這個目的，我們就勿採取一概反對「公民投票」的反應與作法，而更應該明確底線，彈性對付，比較妥當。

六、擔心的問題

擔心的問題有三，第一是讓陳水扁的公投作成既成事實，累積事實，會不會屆時反而難辦？這個可能性應該有，不過，如果大陸應付得當，有效控制公投「禁區」，則久而久之讓「公民投票」也不過如此，可將台獨的公投牌化解和不胎化，消除公投效果。第二是陳水扁班底的台獨本質之危險性。他們主要都有美國背景，這次想利用公投問題，把台灣人民推在前面，與大陸直接作對，挑釁大陸兩難。這一批人故意想擦槍走火，恨不得大陸真得動武，而藉以引發中美在台海軍事衝突，實現台獨。他們有朝一日不得逞而失敗，則早有準備，一走了之，他們的想法和作法非常極端而不負責。第三是美國國會的插手，已如上述。

七、展望和附言

如果大陸沒有上陳水扁公投造勢的當，如果沒有非常意外的選情變數發生，照目前的形勢下去，明年政權輪替的可能性很大。陳水扁、民進黨不再執政，輪到泛藍執政，則兩岸政治關係勢必回到九二共識，公投「禁區」問題就自然消失。如何不讓陳水扁連任，是當前最優先課題。公投問題一切該從這個角度作考量，克服當前問題則反而能根本解決長期公投麻煩。現在應該也要準備政權輪替的局面所面臨的問題。特別是九二共識的法律定位，應該從「共識」（consensus）提升到「公約」（accord）或者「協定」（agreement）層次之安定的法律關係，進而實現三通。這個條件已經具備而成熟。

2003年8月28日至

9月6日間的調研

本文原標題為〈現階段台灣選情之管見〉。本文是劉進慶於2003年10月8日在中國社會科學院台灣研究所的報告提綱。

從8/28到9/6期間，回台處理私事，來回台北和中南部雲林（斗六）之間。借此機會，訪問親朋，就這次大選傾聽各方面意見，作些觀察。於此總結現階段台灣選情之管見如下。

一、當前選情趨勢

依據《中國時報》民調（8/28）、泛藍與泛綠候選人支持度對比42%：31%，其間落差11%。依目前形勢看，兩者之間有兩位數之落差，相當可信，不太離譜。[1]

有一位陳水扁的親信教授，向我透露，陳氏在介意兩位數落差，如果在最近期間能縮小到一位數，則靠他的選舉操盤有信心挽回劣勢。依我目前的預測，政黨輪替的可能性在50%到60%之間。有位觀察選舉的專家相告他的看法，即泛藍不是大勝就是小輸，泛綠則不是大輸就是小勝。此一看法有相當的說服力。但是離大選還有半年時間，

---

[1] 這段話之後原有「*請參閱統計資料<1>-<8>」一句，應是劉進慶從各報章雜誌剪下的總統大選民調資料。但目前未能在劉進慶遺稿中找到。——編者按。

有很多影響選舉的變數，需要在此探討。

二、今後選情變數之探討

1.泛綠和泛藍對選舉姿勢的對比

a.積極主動的泛綠

泛綠這次如果敗選，則唯一台柱陳水扁倒台，黨將面臨潰散之危機，輸不起。一方面，黑金教主李登輝「弊案」難保，無後路可退，狼狽為奸，為自保不能不為保扁賣命投入選戰。民進黨自認時間對他們不利，2008 年北京奧運後的中國大陸形象之提升，其氣勢難當。意圖陳氏連任當權，在下次四年內，繼續推動漸進「台獨」，藉機挑起大陸重視經濟和辦好奧運與對台灣動武之兩難矛盾，衝賭「台灣共和國」之路，是他們要達成「台獨」之最後一次機會。泛綠的此一共同認識，讓他們不易分化，團結一致，不擇手段，盡一切力量打這次選戰。

b.消極被動的泛藍

泛藍長於公共、經濟政策，對兩岸關係立場和定位明確，即一中各表（談判，三通）、和而不統、維持現狀（以拖待變）。中間選民樂於接受，但並無新意。如果敗選，尚有抵制泛綠「走獨」，防陳鋌而走險的角色可扮演。因此，泛藍少有危機感，具有內部人事矛盾容易分化（蕭萬長變節之例）的弱點。見江丙坤，聽他說正在準備一套泛藍「公共政策白皮書」不久將上台，若能突顯出連宋打經濟牌的優勢，則對泛綠的政治牌有相當的抵制力。

2.加入 WHO 公投問題非常重要

公投問題本身，若內政與領土主權議題分開，則問題不大，但如果將加入 WHO 問題作為公投議題，即問題就複雜而有兩難。因為 WHO 的加入涉及主權問題，大陸絕不能容認。不過，事關健康、人命問題，台灣一般百姓很樂意贊成。萬一 SARS 病疫再發，則百姓更失去理性，贊成意見必然更多。在此情況下，大陸表示反對台灣加入，則給泛綠作「大陸橫蠻、打壓」等借題發揮的材料，其左右選舉形勢的變數極大。

3.台灣正名運動未必能爭取到中間選票

台灣正名運動是漸進「台獨」運動的一環，這次 9/6 的台北行雖然有超過 10 萬人的規模，不過，依本人管見，其影響選情的效果相當有限。它確實有利於牢固「台獨」鐵票，讓中南部民粹群眾感到爽快，但未必就能爭取到中間選票。其主要理由就是李登輝的「中華民國已不存在」論與陳水扁不便否定「中華民國的總統」立場之間的矛盾。李某人是「中華民國」的虛構之最大受益人。他的「中華民國已不存在」論是自我否定的謬論，也極不道德，特別是都市知識分子以及國民黨系地方幹部一層人感到困惑不知所措。陳水扁又不敢參與 9/6 遊行，遠離台北，想兩面討好的姿態也令人置疑。此一運動只有徒增台灣的政治亂象，各人民求安定的意願背道而馳。

4.台灣經濟與景氣動態之未知數

這三年來，台灣經濟確實每況越下，明顯衰退，失業率居高不下，陳政權的治理能力不足，經濟方面拿不出良好的成績單，前景不樂觀，一般民眾憂心悶氣，這些事都是事實。這一點是泛綠的一大弱點，也是泛藍訴求的最好議題。但是台灣的經濟和一般人的生活還沒壞到底，還沒有壞到非把政權輪替不可的地步。中南部基層部分民眾具有「最壞也要選阿扁」、「再給阿扁一次機會」的想法的人乃不在少數。今後半年，如果景氣稍有浮升，則對陳政權是一陣東風。

5.大陸反應的每一句都影響選情

台灣民眾對大陸的反應非常敏感，泛綠就利用這一點，動不動就掀起事端，藉題發揮訴諸大陸「打壓」，把大陸所有事都情緒性惡魔化，爭取選票，這方面特別要小心。依本人觀察，這一次大陸方面應付得相當妥當。

6.其他變數

美國因素；今冬 SARS，WHO 問題；香港基本法 23 條法案，其他國際因素等。

三、對台灣選情的對策之幾點建議

1.基本態度

- 對泛綠，「台獨」分離主義者：咒不反口、罵不反手，靜觀寡言。
- 對民眾：多表理解，多說關懷的話。一方面，也讓台灣民眾徹底瞭解，不論誰當選，「一中原則」絕不讓步。

2.充分準備對附加入 WTO 公投問題

有關明年 3 月、陳政權將實施加入 WTO 公投問題，勢在必行，其對選情的影響非常之大。如上所述，它要挑起大陸兩難，所以大陸方面應該防患未然，要有充分的準備，提出一套先制發人之策，屆時打消泛綠的此一選戰花招之負面效果。

3.對中南部民眾的考慮點

台灣中南部為支持泛綠的基地。尤其是上層有錢人，特別是 65 歲以上受過日本教育的老人層以及底層農民，在感情上支持泛綠。其背景是這個地區人民長期受壓迫最深，經濟發展又比較落後，優秀人材外流到北部，心裡有強烈的悲情和對舊統治者的反感。由於民情比較純樸，所以對政治問題容易動感情。其中有很多是李登輝的信者。因此，小心不要把李登輝打成「英雄」，即對李登輝的個人攻擊反而有利於泛綠選票。這一點要特別留意。

4.給年輕一代人有希望和方向感

20 至 30 歲年代的年輕人，他們的想法在搖擺不定，是一層很厚的選票浮動層。他們最關心的是充滿著希望的美好的未來，安定的社會，富裕的生活。這一次大選，沒有「英雄人物」、連、宋、陳三人聲望已經都不如上一次，欠乏號召力。大陸方面要著力向年輕一代人啟示方向感，呼喚台灣的前途和希望在大陸，兩岸的攜手合作，他們才有希望。這樣自然就有利於台灣的選情格局。

2003年10月24日至
11月6日間的調研

本文原標題為〈台灣選情之管見 (2)〉，原件為未發表的打印稿。寫作日期標記為2003年11月10日。

一、泛綠快速趕超泛藍的動態

台灣明年大選的民調選民動態，最近發生很大變化，即泛綠快速超超泛藍。依據《聯合報》民調資料，10月18日階段的支持藍綠百分比，還在42%對36%。《中國時報》的民調10月26日階段之比率為41%對28%。無論如何在10月24日以前藍綠尚有一段差距。但是到了11月5日階段的《中國時報》之同樣民調表示，藍綠支持率的比率不但接近，反而逆轉為34%對35%，兩者僅差1%，兩個陣營的旗鼓相當，已經不分上下。

二、原因分析——中間選民反應泛綠政治秀的效應

1.泛綠造勢技倆之優勢

在這一段短短十天期間，變化如此之大的近因，明顯就是 10

月 25 日泛綠的公投制憲游行和 11 月初陳水扁出訪過境美國作秀的兩個造勢效應。其中，10 月 25 日晚在高雄的公投制憲大會上，陳氏面向民眾的演說，是一種街頭民粹式政治秀，好似文革紅衛兵式造勢，其煽動性的效果非常大。其次，出訪過境美國的效應，來自於台灣人依靠美國心態之重和美國的一舉一動對台灣的影響力之大。再說，比起這兩個因素，泛綠 9/6 的正名運動對台灣選情，可以說沒有起多大影響。

泛綠的選舉造勢技倆相當巧妙而高明，總體來說，即利用社會悲情和把大陸妖魔化的偏見，「挑大陸兩難，收選戰兩利」。兩難是說，大陸一說話便扭曲為「打壓」，大陸靜觀即破口放話，不理自己的「四不一沒有」承諾，闖進「台獨」禁區，為選舉造勢欺騙選民。

2.泛藍攻城無策，欲振乏力

在這一段期間，在野的泛藍唱出「拼經濟，愛台灣」，把重點放在拼經濟，但是因為台灣經濟略有復甦景象，尚未壞到底，人民生活還過得去，泛藍的拼經濟又乏有新意，炒不起聲勢。在政治方面，泛藍的傳統負面包袱太大，積重難返，時時纏身不去。例如，泛藍倡議「一中屋頂」的立場，一下就被泛綠帶上「聯共賣台」的帽子，招架不住而不得不強調「反共保台」的過去政績，態度曖昧，出擊無力。泛綠又利用它的傳統口號來把「反共（黨）反華台獨」的招牌正當化。

三、藍綠當權的兩種情況之利弊——維持現狀下的亂象不斷

從現在以及往後的形勢來看，明年政黨輪替的機會很小，而陳水扁連任的可能性加大。不過，無論泛藍或泛綠當權，其實我的基本認識是泛藍的「一中即中華民國」，等於「兩個中國」論。由是可知藍綠的「兩個中國」與「一邊一國」沒有多大差別，基本上都是分離主義，都是維持現狀。但是其維持現狀的內涵不同。

因此，我們應該注意的是在維持現狀下的不安定因素之衡量。我認為兩者之間的差別在於泛藍要穩住現狀，繼續其「和而不統」局面，拖延分離。泛綠則在於維持現狀中謀求改變政治現狀，其不安定因素極大，甚至有狗急跳牆，鋌而走險之慮。特別是陳水扁周圍的台獨死硬派有強烈意圖，想在往後四年內，挑大陸需要經濟發展和辦好奥運的弱點，作出闖試台獨動作的可能性相當大。

再說，從結束兩岸分離狀態的觀點來看，我認為寄希望於泛綠政治人物大於泛藍。也就是說，泛綠連任四年，在政治方面既獨不起來，在經濟方面又搞不好，即走頭無路而覺醒，內部一部分勢力不得不改弦易轍，模索兩岸和統之路的可能性相當大。其理由待分析台灣社會階層之後再說。

四、從政治經濟的社會階層看分離主義的物質基礎

兩岸長期分離，台灣經濟發展的結果，台灣政治經濟形成一個自我完整的社會階層，即可分成統治階層，中產階層和底層三個階層，各階層對兩岸關係的利害與認識各異，扼要說明如下。

1.統治階層：

包括從事兩岸經貿和赴大陸投資的台商在內，他們的既得利益，超越過內部族群矛盾和對大陸的民族感情，而本質上以維持兩岸分離為己利。

2.中產階層：

相當雄厚的中產階層中，一部分專業技術人員（電子資訊行業），恃兩岸僱用市場作為生存活動空間，他們是兩岸關係改善的受益者。但是大部分人對未來出路暗然無著，中產階層趨向「數據分化」（digital divide），貧富差距在擴大，中產階層對改善兩岸關係的認識在形勢急變中漂流不定。

3.農工底層：

這一層人在經濟發展過程分到的利益最少，在兩岸經貿交流發展中，迄今也沒有受到兩岸交流的好處，是最辛苦的大眾百姓。

五、兩岸和統的長期打算——寄希望於中南部底層民眾的覺醒

1.穩住中美關係，備武制獨，切勿放鬆為基本前提。

2.促進兩岸經貿、新三通，廣泛而全面的交流：

「新三通」的倡議：除經濟（三通），社會（歷史文化，藝術，體育等）之外，加上政治（民間和半官方）的全面通流，讓兩岸人民談兩岸的民主，兩岸的人權，加深兩岸人民互信。

3.台商未必是可靠的一層人：

作為改善兩岸關係的力量來看，從事兩岸經貿和赴大陸投資台商一層人未必是可靠的因素。因為兩岸分治，不統不獨的現狀，台商可以把難處留在台灣，到大陸受特別照顧，在大陸求好處，從中去弊取利，雙手逢源，是最方便而有利的經商環境。他們的利害就是不急於求結束兩岸分離的狀態。

4.中南部底層民眾的覺醒，該為最可靠的兩岸和統力量：

中南部底層民眾在歷史上受到的苦難悲情最深，在現實的社會經濟上，受到搾取和壓迫之苦也最大。就因為這樣的處境，他們才希望一樣受苦被壓迫的泛綠政治人物解決他們的苦難，相信泛綠會特別照顧他們，所以才熱誠支持泛綠。

不過，這 層人與大陸同胞最具有民族感情，最沒有反共意識。同時，過去與現在，與大陸同胞一直無故無怨，有一天，他們發覺泛綠政權不會也不能為他們解決他們的根本利益問題時，他們就會放棄支持泛綠。此時，大陸如果有望照顧他們的根本利益，即兩岸統一的內部條件就將更加成熟，水到渠成。

台灣選舉的看法和建言

本文劉進慶為兩岸關係研究中心所寫的分析資料。寫作日期標記為2004年2月10日。

一、這次台灣選舉的特色

3月20日，即將來到的這次台灣島內選舉之特色有三。第一、口水戰氾濫而少有務實的政策論爭。第二、沒有突出的英雄性候選人，令民眾難挑意中人。第三、兩岸關係政治分歧為主題，即泛綠打出台獨「公投」花招，泛藍先反後陪，一同起舞，鬧得不可開交。其中，台獨「公投」爭論為最大的特色。泛綠的意圖是藉台獨「公投」，一來挑起兩岸關係的緊張和大陸的反彈，來助長台灣民眾反感，爭取選票。二來提出制憲公投，按排台獨時間表。

不料，陳水扁的這一招改變台灣現狀的言行遭到奴主美國布希的強烈反對，而泛綠悄悄退一步改變為防禦性公投，一葉知秋，台獨勢力被奴主劃清底線，泛綠公投意圖和信譽受到嚴重損傷，這一次是祖國大陸對美外交上的一大勝利，背景有祖國大陸近年來總合國力的增強和在國際社會地位的提升，特別在解決北朝鮮問題的六方會談上，扮演極重要的角色，美國利用台灣牌的籌碼不得不相對降低。

一方面，泛藍陣營雖在人材，經濟見長，但在選舉技俩，動員民粹方面落後於泛綠一大步，顯得消極，被動。前盤到中盤危機意識又不足，11 月初民調被泛綠追上，才緊張團結起來。但是在這期間，泛藍一中立場受「公投」衝擊，為選票考慮而有所鬆動，暴露其九二共識和維護「中華民國」之立場，脫離不了「階段性兩個中國論」的本質。泛藍對經濟公共政策有較多腹案建言，但最多是過去當權時代的老案，了無新意，不過尚可維持現狀，求和平安定之用。

總而言之，這一次的台灣選舉之最大爭議點，從開始到中盤就是有關兩岸關係問題，即陳水扁的「一邊一國」對祖國大陸的「一中」之爭為核心。現在，這一議題意外被美國打退票，而泛綠在公共政策上顯然又爭不到分數，只靠口水戰和弊案的翻案。不過這一次的選民比四年前冷靜理性，泛綠以後的日子不會好過。泛藍只要一動不如一靜，就有可能獲得政黨再次輪替的機會。

二、台灣選情的基本看法

1.回顧兩岸關係的步伐

從我在日這二十餘年來所觀察的兩岸關係之步伐，扼要地說，自 1979 年葉九條向台灣方面號召平和統一，繼 1984 年鄧小平的一國兩制之倡議，1980 年代後半，台灣開放大陸探親以及祖國大陸的經濟高度成長，兩岸民間間接貿易起動，這一段時間兩岸關係明顯有所改善，內心十分欣慰。不料，1989 年六四事件發生，國際世論嘩然，反華情緒空前高漲，兩岸親和氣氛頓時消失，十年來所積累的關係改前功盡去，不無遺憾。之後十年，兩岸關係越來越離譜。

1990 年代，冷戰結束，李登輝上台，依據國統綱領於 1993 年汪辜會談達成九二共識，兩岸關係前途看來十分光明。不料，自1994 年初李登輝發表司馬遼太郎訪談的反華媚日言論，相繼藉千島湖事件惡口咒罵祖國大陸領導人，李氏態度豹變，方知事體不妙，李氏所作所為暴露其骨子裡的台獨本性，最後於 1999 年冒出「兩國論」，2000 年選舉時排斥國民黨異己，鋪路陳水扁上台。陳氏則進一步提倡「一邊一國」的台獨路線，加速台灣分離祖國的步伐越走越遠。

2.政經相左，越來越乖離

這一段期間，兩岸政治對立關係的難度，不但沒有降低，反而升高。特別是自從台灣開始大選的 1996 年，第二次的 2000 年以及這一次選舉，島內分裂勢力猖獗，台獨主張之訴求越來越強烈。然而一方面，正在 1990 年代同一時期，兩岸經貿交流越來越緊密，互補關係越來越加深。2003 年一年的兩岸貿易超過 500 億美元，台灣順差 250 億美元，台商赴大陸投資 3 萬多家，投資額超過 300 億美元，台灣的經濟發展已經脫離不了大陸市場。再說，兩岸人民往來每年達 300 萬人次。由是可見兩岸政治和經濟、社會動態背道而馳，非常畸形而不尋常。

3.分離勢力意識形態的背景

台獨分離勢力的政治意識背向兩岸經貿合作所帶來的台灣物質基礎，確實並非尋常。民眾台獨意識的根源錯綜複雜，冰凍三尺非一日之寒。扼要說，第一、台灣被割讓受殖民地統治之歷史悲情。第二、對戰後國民黨壓迫的怨恨，同一道理，對中共對台政策著重國共合作的作法反感。第三、在冷戰反共思想上接木反華感情。第四、美日反華勢力之暗中支持分離主義。於是民進黨和李登輝分離主義勢力狼狽為奸，利用上開因素，號召海外台獨分子返台，表裡勾結串通煽動民粹，逐步壯大台獨勢力。一般基層民眾在國民黨長期壓政下所積累的內心不滿情緒，在 1990 年代集中發散，從而淡化兩岸經貿務實兩利之重要性而突出台獨政治意識滿足心爽，這就是今天台獨勢力猖獗之根本原因。不過，這是一個過程，不能持久，不能長久忽視現實的物質條件。

4.物質基礎必將左右政治、意識形態的走向

依唯物史觀的歷史發展規律，物質基礎必定左右政治、意識形態的方向。但是過去十餘年來，兩岸關係的政經走向未必按照此一規律推移。依我的觀察，這十餘年來的兩岸政經相左乖離的動態，已經到頭。第一、台灣基層民眾悲情和怨恨的不滿情緒之發泄，差不多已經到底。第二、祖國大陸絕不容認台獨，美國也不同意台獨，分離勢力無論如何獨不起來，民眾也已經明白台獨是一條死胡同。第三、台灣經濟年年沈淪，企業外移、失業增加、生活趨向困苦，台灣經濟非依靠大陸市場絕無出路，已經非常明白。第四、祖國大陸經濟飛騰，社會欣欣向榮，總合國力快速增強，不但在帶動台灣經濟成長，而且對日本以及世界經濟也具有影響力。依我看法，兩岸經貿關係的重要性，已經在有形無形之中對這次台灣選舉和今後政治動態，起著關鍵性作用，難予再用意識形態來淡化兩岸合作的重要性。

三、選舉結果的預測

1.分析選民投票行為的理論框架

依韋伯（Max Weber）行為科學的觀點，人的行動可分為舉動和行為。舉動是屬於生理性行動，例如見怪就笑，肚子餓就吃，這種行動稱為舉動。行為是指具有動機和目的以及相應用手段的行動，例如經濟，法律，政治，社會，信仰等行動，都是屬於行為。依據具有動機，目的和手段三方面一貫性的行為，可分成四個類型。A.合理務實考量行為：B.情緒性行為、C.價值理念、信念性行為：D.文化習俗性行為。在現代社會生活中，人的行為因素錯綜複雜，首先要看行為在生活中的性格來套上理論框架。例如在經濟，法律方面的行為，則 A 型行為必占支配地位。在政治行為方面，則除 A 型之外，B、C、D 型都占有一份地位，依時、依地、依人，而有強弱之別。選舉行為應屬於政治經濟行為，這裡主要以 A、B、C 三個行為來分析這次支持泛藍和泛綠選民的投票行為如下。

基層民眾的台獨意識之根源來自被壓迫的悲情和怨恨之反抗心理。所以台獨運動的行為主要屬於 B 型和 C 型結合的類型，明知改變現狀不可能也要幹。支持泛藍的選民，不管內心想分離與否，總是重視現實，追求合理務實，維持現狀。因此，總的來說，支持泛藍選民的行為，偏重於 A 型和半 C 型，B 型比較少。而泛綠選民則相對偏重於 B 型和半 C 型，A 型比較少。換言之，泛藍選民比較重視經濟務實的利弊來作選舉考量，而泛綠選民則偏重情緒性意識形態的投票行為。所以泛藍與泛綠的選舉戰也可說成是務實議題和意識形態議題之爭。

2.基本票和中間票的結構

依據報章信息的報導和民調資料來觀察,目前選票對泛藍泛綠支持率動態，可歸納為以下數值結構:

a. 基本票：泛藍 37%至 40%；泛綠 33%至 35%。
中間票（不表態）：25%至 30%。

b. 南北部支持率結構：北部藍 3 對綠 2；南部藍 2 對綠 3。

上開資料表示藍綠陣營勢當力敵，旗鼓相當，但是北部人口較多，因此泛藍比泛綠占 3%至 5%優勢。

3.泛藍勝選的可能性大於泛綠

a.中間票在左右勝敗

依照上述各項資料和看法來預測選舉動向，扼要地說，藍綠雙方基本票已經固定下來，幾乎不會有多大改變，而選舉勝敗取決於尚未表示態度的 25%至 30%中間票之動向。一般來說，這一層人的選票，很難預測。因為他們對選舉的態度是消極的、被動的或者冷漠的，所以任何突發的，偶然的事件，甚至天氣因素都會影響他們的投票行為。不過，這次中間票的動向不會出現很大意外。

b.泛藍優勢不會改變

然而，台灣選民的投票行為，包括基本票和中間票在內，也包括 2000 年上次選舉，總的來說，我認為合理務實的投票行為乃占大多數選民的主流地位。例如，上次陳水扁得票率 39%，連宋兩人得票率合計乃佔 58%之多。從長期以來的選舉動態觀察，上次選舉 B 型結合 C 型選舉行為應該說比這次更加強烈，例如上次李遠哲站出來挺陳水扁，其深層動機含有反抗被壓迫的價值理念性行為。然而經過十餘年來社會悲情和怨恨心情的不斷發泄，特別是民進黨當權四年來，台灣人該說的、想說的、願說的都說出來了。據這一年來的觀察，這次情緒性 B 型行為已不如上次，而合理務實的 A 型行為應該更加增多。因為這四年來祖國大陸大好形勢更上一層樓，這一次對台應付得宜，減低民眾對大陸的情緒性反彈，讓台灣人老是訴求台獨意識形態議題，不但作不到，而且越來越沒有好處，也沒有意思。再說，台灣政治和社會經濟形勢年年往下沈，何去何從，老百姓最知道自己的處境，而自求多福，勢必更趨向合理務實的考量。這些都會影響投票行為。

依據以上分析，中間票的選舉行為也不會太離譜，出現很大的意外結果，而可預料泛藍勝選的可能性（60%）大於泛綠。

順此，有一點要留意，即在最後一個多月之間，祖國大陸對台灣島內選舉千萬要冷靜，慎重以赴，勿打亂現在的這一頭勢為宜。

四、選後對策的建言

首先，應該說，從祖國的完全統一觀點來看，現階段的台灣政治，受到歷史社會條件之制約，嚴密地說，遍地瀰漫「獨氣」，無論泛藍或泛綠的政治立場，都是分離主義，只有輕獨和重獨之分耳。即說泛綠是重獨，勿容置疑，泛藍主張未來志向一中，但現階段維護「中華民國」體制，是「階段性兩個中國」，也是廣義的分離主義。所以說，泛藍泛綠無論那一個政黨當權，都不會馬上就朝向兩岸統一跨出一步，只有對峙關係的提升或緩和，時間的快慢長短，所費資源代價的輕重之分，麻煩的大小之別。以下，假定選舉結果的兩大情況和大勝與小勝之兩小情況來探討各項利弊長短與對策。

先說大勝和小勝的定義。所謂大勝是指投票總數中，藍綠得票比率相差超過 10%，例如 55%以上與 45%以下的情況。不超過 10%的勝選，屬於小勝。

1.泛藍勝選

無論大勝或小勝，應先回復兩會機能，基於九二共識，再把九二共識成文化，修成兩岸關係的協定（Accord or Agreement）文書。

甲、小情況

a. 小勝：最低程度，兩岸要實現上開九二共識的成文化，實現三通。兩岸首腦互訪以及政治談判，恐難能盡快突現，視民意動態的情況而推動，不能勉強。

b. 大勝：將九二共識的成文內容層次，提升到正式協定（Agreement）。據此，實現三通和兩岸首腦互訪，再進一步實現兩岸政治談判。

＊至於敗選的泛綠，可預料民進黨將面對潰散，重新「洗牌」之危機。

乙、利弊

a. 利點：九二共識的成文化，讓兩岸關係趨向安定，緩和聚張關係，可提升外國介入台灣問題的門檻。實現三通，創造兩岸和平統一的大好條件。

b. 弊端：時間要拖長，夜長夢多，時刻要留意台灣內部的反動勢力和社會質量變化。

2.泛綠勝選

陳水扁會作出緩和兩岸對峙關係的措置，三通可能會逐步放寬，但依然會拒不接受一中原則。要害在一中原則，這一點絕對不能讓，既犧牲改善兩岸關係，也要堅持下去。令陳水扁走投無路。

甲、小情況

a. 小勝：維持現狀，不敢試探台獨，但小動作不斷，修改「中華民國」體制，把它更加台灣化。
b. 大勝：兩岸緊張關係提升，時刻打出花招，利用「公投法」見機試探制憲，逼大陸犧牲經濟發展和舉辦奧運的兩難，冒闖台獨紅線。
 * 至於泛藍敗選，即國民黨和親民黨領導層換代，由中年一代具有新形象的精英領導接班，四年後再向泛綠挑戰。

乙、利弊

a. 利點：有利於早日解決台灣問題。泛綠若拒不接受一中原則，不能改善兩岸關係，則往後四年的台灣社會經濟繼續下沈，泛綠走頭無路，否極泰來，即反而令台灣基層輿論逼陳水扁早解決兩岸問題，促進兩岸統一的機會與步伐，比泛藍當權來得快。
b. 弊端：台灣問題容易被外國反華勢力揮手利用，為要反獨、防獨，祖國大陸要花費更多內外資源和代價。

五、長期打算

1.第三勢力產生的條件

泛藍或者泛綠小勝的情況，如果台灣政局繼續動蕩不安，泛藍或泛綠內部矛盾擴大不可收束，經濟情況嚴重受損，則有可能由既有政黨內的進步分子的聯合為中心之第三勢力應運而生。但要具有以下兩個條件，第一、社會輿論的要求和廣泛的支持。第二、要有社會公正民主，德高望重人士的參與和支持。第三勢力的首要任務，在於圓滿解決兩岸關係問題，追求和平、安定、繁榮的台灣前途。選後第三勢力的產生，目前可能性不大，但是從長期來看，要有所準備。

2.落實寄希望於台灣人民

要完成祖國完全統一大業的對台工作之根本，只有一句話，即落實寄希望於台灣人民。台灣選舉不管是泛藍或泛綠的選舉運動，都在反映著相當程度的台灣民情。從長期打算，祖國大陸對台工作的重點，與其說對各個政黨的輪替一喜一憂，倒不如說，來個釜底抽薪，對基層民眾的工作下工夫來得基本而重要。如何耕耘條件，鼓勵台灣民眾站出來，追求自求統一之路，這才是今後對台工作長期的根本課題。

2004 年 2 月 29 日至

3 月 7 日間的調研

本文原標題為〈台灣大選考察報告（概要）：2004 年 2 月 29 日至 3 月 7 日〉。本文以及附錄均由劉進慶與陳仁端共同撰寫。寫作日期不早於 2004 年 3 月 7 日。

一、選舉預測與選後對策

1. 藍綠旗鼓相當，平分秋色。但公投不過半。
   - 統派人士：泛綠小勝。{4}{10}{18}{20}{21}
     二二八造勢成功，體現認同台灣≒台獨意識已占主流，事體非常嚴重。
   - 國親人士：泛藍小勝。{7}{16}{17}
     二二八氣勢將會消減，陳由豪效應和 313 反攻造勢將會挽回劣勢。
   - 應從嚴看待，著重泛綠選勝的預測來對待為宜。
2. 泛綠選勝的對策——對台強硬嚴制，讓人民實際感受到抗拒大陸沒有好處。
   - 應準備〔……〕壓制台灣公投制憲，打垮台獨時間表。
   - 嚴制兩岸單行經貿交流，區隔愛國台商與非愛國台商，擴大非經貿交流。
   - 警告台灣有非和平手段解決台灣問題之可能性。

{10}{11}

3. 泛藍勝選的對策——對台鬆軟寬讓，鞏固九二共識，促進三通。{13}{14}{20}
    - ○ 作一定讓步，以便連戰北京和平之旅實現。
    - ○ 回復國統會，將九二「一中」共識成文化，寬鬆台灣在國際間的活動空間。
    - ○ 促進三通。
4. 其他。
    - ○ 局地衝突，暴動有可能，但不難控制。{5}{6}{7}{10}{17}{20}
    - ○ 第三勢力的發展，看條件，有可能。{17}

二、島內面對的嚴重問題

1. 台獨意識占主流的嚴重性。{4}{10}{18}{20}
    - ○ 不得不承認台獨勢力主導的二二八造勢非常成功，台灣人認同台灣意識札根落實，形成台獨意識的溫床和基礎。
    - ○ 去中國化、反華運動收效。
      愛台灣＝台灣人＝認同台灣＝台灣優先＝反華抗拒大陸統一＝公投＝二二八悲情→台獨＝阿扁。
    - ○ 李 12 年＋陳 4 年→陳 4 年＝20 年（一代時間）的台獨意識札根之嚴重性。
2. 族群矛盾問題。{17}
    - ○ 閩南（68%）＋客家（15%）＋外省（15%）＋原住（2%）=100%。
    - ○ 政治利害和選舉操作激化矛盾。

3. 社會階層分化問題。{8}
    - 「黑金權」掛勾的金融控股獨占資本之膨脹。
    - 農工階層的貧窮化。
4. 其他：人物評述。

三、對台工作的反省與建議

1. 過去對台工作的反省。
    - 清算以國共合作來解決台灣問題的過去負面形象。
    - 改正偏向與台灣舊權貴打交道的作法。{4}{10}{18}
    - 認清泛藍泛綠都是分離主義，只有台獨與獨台，重獨與輕獨之分。{4}{10}{18}
2. 建議
    - 落實寄希望於台灣人民的政策——老話重提。
        - ◆ 對台灣歷史，社會和台灣人意識形態多加了解。
        - ◆ 對台工作方面重用台籍人士。
        - ◆ 在中央對台工作重要窗口，按置台籍人士擔任。
    - 釜底抽薪，抓準統戰對象，重建工作架構
        - ◆ 「一國兩制」的提法，台人難予理解，有人建議改為「一國兩治」或者「一主兩治」(一主權兩治權)比較容易說明。{4}
        - ◆ 有人建議，若泛綠選勝，即招請許信良、陳文茜、高金素梅、葉耀鵬等中間第三勢力人士訪問大陸，由高層領導接見。{4}

附錄：考察台灣大選期間訪問人士名單

3月1日　台北

{1}　李遠哲　中央研究院院長

*　劉翠溶　中央研究院院長副院長

{2}　陳秋坤　中央研究院院長台灣史研究所研究員

{3}　蘇嘉宏　輔英科技大學副教授（高雄）、國民黨文宣委員會副主任（拒任民調）

*　張　勇　新華社台港澳部記者

{4}　陳明忠　夏潮聯合會創設者、政治受難者代表人物

3月2日　台中

{5}　羅明哲　中興大學退休教授

{6}　蔣憲國　中興大學退休副教授

雲林縣斗六市

{7}　袁靖雄　雲林縣古坑鄉農會總幹事，農漁會1120游行運動副總幹事

{8}　林惠慶　原斗六市長

3月3日　台南

{9}　吳讓治　成功大學退休教授

梁華璜　成功大學退休教授

3月4日　高雄

{10}　吳榮元　勞動黨高雄區黨部主席

{11}　謝天賜　中國統一聯盟高屏分會副會長

{12}　李清潭　中山大學教授

3月5日　台北

{13}　江丙坤　立法院副院長

{14} 蕭萬長　中華經濟研究院董事長, 兩岸共同市場基金會董事長

*{15} 陳添枝　中華經濟研究院院長

{16} 許介鱗　台灣日本總合研究所所長

{17} 許信良　原民進黨主席

{18} 林書揚　勞動人權協會會長，政治受難者代表人物

{19} 李鴻禧（電話）　台灣大學退休教授、陳水扁顧問

3 月 6 日　台北

{20} 林清涼　台灣大學退休教授

* 孫炳炎　台北大學退休教授

魏和祥　淡江大學教授、民進黨科技顧問

3 月 7 日　台北機港

*{21} 王杏慶（南方朔）　《新新聞週報》雜誌總主筆、發行人

〔概念圖〕台灣的政治力學——被壓抑與分裂的構造

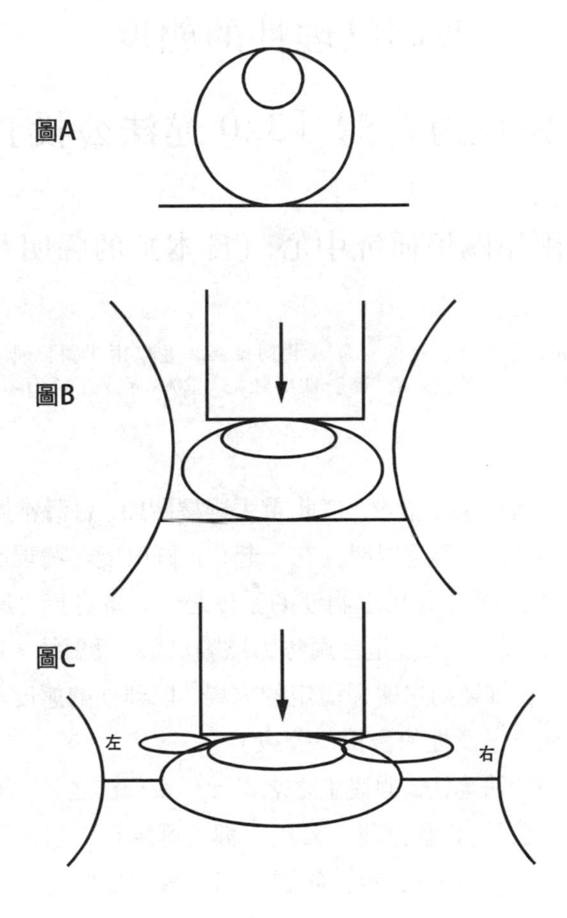

我們以理性的態度
堅決反對台灣「320 違法公投」

兩岸關係研究中心（日本）的聲明

本文由庚欣、劉進慶等人共同撰寫，並以兩岸關係研究中心的名義發表。發表日期註記為 2004 年 3 月 11 日。

當前台灣處於選舉前夕，值此重大選擇關頭，台灣當局竟執意將一項違法「公投」與選舉糾纏在一起，企圖改變台灣現狀，為台獨鋪路。「公投」本來是民主制度的手段之一，本身無可厚非。但是，台灣的「公投」從來就是台獨勢力欺騙民眾、反對統一的工具。因此，我們基於維護兩岸關係穩定的立場，以理性的態度，堅決反對台灣這一極具爭議性的台獨「公投」。

台灣當局知法違法，假民主之名，行一黨一己之私，濫用職權來發動這次「公投」，故意將「公投」與大選綁在一起，為自己的選舉造勢服務。同時，「公投」議題直指台灣主權問題，它顯然逾越了台灣地區人民的權限範圍。台灣與大陸都是中國的一部分，包括台灣在內之中國主權，當由 13 億中國人來決定。實際上，台灣當局推動「公投」，就是在為改變台灣現狀的台獨公投鋪路。不久前台灣當局宣示 2006 年「制憲」，2008 年建立「台灣國」的時間表，就是對今天「公投」實質的注明。

可見，台灣「320 違法公投」是在挑戰一個中國原則，挑戰亞太地區的和平與安定，這必將使台灣更加混亂，使台海局勢更加緊張，是非常嚴重的政治冒險。我們身在海外的中國人，衷心期盼祖國完全統一，決心為振興中華、造福台灣貢獻力量。對於台灣當局的「公投」鬧劇，必須予以堅決反對。

大陸與台灣同屬一個中國，兩岸人民是手足相連的骨肉兄弟。台灣當局的「公投」鬧劇，決不能改變一個中國的客觀事實。不能改變國際社會對一個中國的廣泛認同，也不能改變近年來兩岸關係不斷發展的基本趨勢。

中國走向完全統一和中華民族偉大復興的步伐是任何人也阻擋不了的。

台灣大選、公投結果的分析

本文是劉進慶在2004年4月17日兩岸關係研究中心第5次研究會提交的報告提綱。

一、選戰特點與選情動態的總結

1. 選戰特點:
   - ○ 意識形態（台灣認同）爭議主導選情，排擠民生務實（安定繁榮）議題。
   - ○ 口水戰，抹黑中傷話題突出。
   - ○ 公投梱綁大選。
   - ○ 朝攻（街頭民粹）野防（拿香隨拜）的轉倒形勢。
2. 過去一年的選情推移:

   國親聯盟 4/18→基本票定型 6 月間→九六正名運動 9/6→公投示威 10/27→阿扁訪美 11/4→布希發言→。[1]
3. 最後一個月的動蕩:

   股市回升→二二八護台 2/28→三一三示威 3/13→陳由豪效果

[1] 此處略去劉進慶所作的幾份剪報材料。分別是:（1）泛藍泛綠支持度之趨勢（2003.4.18-2004.3.5）。參見〈本報歷次民調總統候選人支持度趨勢表〉,《中國時報》, 2004年3月6日，第A4版。（2）各報關於陳水扁、連戰支持率的民調（2004.3.19）。參見〈両候補の支持率〉,《朝日新聞》, 2004年3月12日，第14版；以及《蘋果日報》, 2004年3月3日，第A8版。——編者按。

→槍擊事件→

二、公投和大選結果

1. 公投不過半（南部地區過半，但北部地區不過半，共計 45%）→無效。
2. 藍綠 644 萬票：647 萬票（49.9%:50.1%）的輸贏票。[2]
   - ○ 一槍衝擊選局→陳水扁輕傷，台灣民主形象卻受重傷，莫非是「槍竿子出政權」。
   - ○ 槍擊事件真相，選舉不公疑雲重重。
     - ◆ 選戰四彈：「子彈，銀彈，公投彈，廢票彈」（民進黨立委，沈富雄）。
     - ◆ 抗議活動持續不斷，台北府前抗議集會 3/27，47 萬人；4/10，32 萬人、學生絕食靜坐十數天。
   - ○ 台灣社會被撕裂成兩半：族群仇恨，意識形態，南北對立，政治經濟，階層矛盾，兩岸關係等（見圖）。
3. 大選結果的涵義：
   - ○ 台灣戰後政治史的一大轉折：
     - ◆ 所謂「外省人政權」的機會不再。
       「本土政權」札根長期化。
       （李政權 12 年 + 陳政權 8 年 = 20 年）。

---

[2] 此處略去劉進慶所作的幾份剪報材料。分別是：（1）選舉與公投結果。參見〈第十一任總統副總統選舉得票數及得票率〉，《中國時報》，2004 年 3 月 21 日，第 A1 版。（2）各縣市選票與本屆、上屆選票增減。參見〈本屆與上屆總統大選陳呂、連宋得票對照表〉，《中國時報》，2004 年 3 月 21 日，第 A2 版。（3）〈2004 總統大選：各選區候選人總得票結果〉，《中國時報》，2004 年 3 月 21 日，第 A10 版。——編者按。

- ◆ 台灣（人）意識空前高漲，成為社會主流意識，左右主流民意。
- ○ 改善兩岸關係的難度提升，祖國統一大業面臨更加艱鉅的新階段。

4. 後遺症問題：
   - ○ 當選無效訴訟待辦：驗票→預測覆水難收，公投違法之訴→爭議性大、費時。
   - ○ 槍擊案真相：「羅生門」之謎，疑雲久久不散，撕裂社會互信。
   - ○ 政治亂象，社會不安曠日持久：新政權公信力深受置疑，政務推動難行亂象環生，人心惶惶無寧日，後患堪憂。

三、陳水扁的連任與兩岸關係

1. 中美對台戰略底線的共識：「維持現狀」不會改變。
2. 「台獨時間表」可能的進程：
   - ○ 5月20日的就職文宣：新「四不一沒有」？留「一不」，即不宣布台灣獨立。
   - ○ 年底立委選舉，民進黨有可能過半，但制憲需要2/3以上的多數。
   - ○ 2006年，公投制憲勢在必行，落實「一邊一國」，「台灣是主權獨立國家」要害在國名問題：台灣共和國（改變現狀）？或者中華民國（維持現狀）！憲政體制改革：五權憲法→三權分立體制。
   - ○ 2008年，挑大陸辦奧運、興經濟的兩難，冒出宣布台灣獨立？

3. 兩岸的談判與交流走向：
   - 一中原則為談判前提或者議題之爭難解，兩岸談判暫時無望。
     兩會（海協會與海基會）機制繼續凍結不啟。
   - 「三通」半通。
     以民間交流為主，台商繼續受優惠，兩岸經貿互補和人員往來進一層擴大

四、確切落實「寄希望於台灣人民」——建言

@核心課題：正確對待台灣（人）意識。

1. 台灣意識的內涵：
   - 它的內涵有兩面，一面是生在台灣，長期住在台灣的人，認同台灣的本土意識，是屬於先天的自然情操。再一面是台灣人民由於長期一再被外來勢力壓迫所產生的當家作主之主體意識，是屬於後天的政治社會意識。所以台灣意識不等於台獨意識，台灣意識的抬頭本身對兩岸關係的改善沒有敵對不敵對的問題。
   - ∴認同台灣情操＝台灣（人）意識≠台獨意識。
2. 泛綠政治誤導將台灣意識脫胎換骨轉化為「台獨意識」：
   - 本土化＝愛台灣（泛綠獨占詮釋權，一中即不愛台）→去中國化。
   - 主體意識＝反壓迫＝反兩蔣＝反大陸→反華。
3. 正確掌握「台灣人民」的反壓迫自主意識：
   - 台灣意識，應該要從社會階層觀點來區隔上層與中下層的主體意識之差異。

- ○ 台灣上層究竟是社會的統治層，在近代史過程中，具有被壓迫者與翼贊統治者的兩面性。相形之下，中下層是全面地受政治壓迫和經濟搾取的社會底層。因此，「台灣人民」的台灣意識，嚴格地說，即指台灣廣大的中下層民眾之台灣意識。

4. 特別應留意中南部地區的底層民眾之台灣意識：
在台灣戰後經濟發展過程中，中南部比北部落後。在兩岸經貿交流方面，這一地區底層民眾不但沒有得到好處，反而受到失業增加，農業經營失利的害處。他們自然對兩岸關係的發展消極，成為台灣意識轉化為台獨意識的溫床。

圖：藍綠選戰撕裂台灣社會概念圖

		泛藍	泛綠
意識形態、公共議題之對立	歷史悲情	壓迫 戒嚴、威權統治	被壓迫 二二八、白色恐怖
	本土化異己	兩蔣、外來、一中 賣台	李陳、本土、去中 愛台
	政經分離	拚經濟 促三通	拚政治 限三通
	兩岸關係	和解	對抗
族群、階層、地區之分裂	族群仇恨	外省人（15%） 客家人（13%） 原住民（2%）	本省福洛人（70%）
	階層矛盾	城市中層、知識層	農村上層、底層
	南北對立	北部地區	南部地區
	兩岸經濟互補	親台商	反台商

兩岸關係與台灣民意之研究(1)

本文是 2004 年 8 月 3 日劉進慶在「第 13 屆海峽兩岸關係學術研討會」(2004 年 8 月 3 日至 5 日) 宣讀的論文。

一、問題癥結

本文的研究課題，旨在分析和探討台灣民意。為了改善兩岸關係，需要正確理解和掌握台灣民意的動態。一般常說，台灣的主流民意是和平、穩定、發展，但是現實的兩岸關係形勢未必如此。本文的研究課題之出發點，來自以下三點問題意識。

第一、為何兩岸經貿互補合作的發展，起不了改善兩岸政治對立關係的作用？這十餘年來，兩岸經貿交流不斷在發展，兩岸經濟互補關係步步在加深，而台灣經濟依存大陸市場的程度節節在上升，這一連串的兩岸經貿合作動態，少有起到改善兩岸關係，緩和兩岸政治對立的作用。(表 1、2)

第二、台灣特別是中南部民眾，為何熱衷於政治意識形態爭議勝過經濟民生議題？為何兩岸分離敵對的主張壓倒兩岸和諧合作倡議？這一次台灣大選，姑且不談百姓熱衷於口水戰，就是泛綠的政治掛帥議題主導選戰，而泛藍的經濟優先議題不成氣候。陳水扁政權過去四年政績不彰還能選勝，而令眼前兩岸政治關係越走越遠，業已從對立層次提升到敵對關係，闖進兵戈相見的禁區邊緣。這與我們所瞭解的期望和平、安定、發展的台灣主流民意並不相符。

第三、為何祖國大陸的經濟發展和社會繁榮，吸引不了台灣民心對祖國的向心力？1990 年代，兩岸社會都在進步，各有長短。台灣的進步，主要表現在政治民主有所嶄新，而經濟發展卻趨向緩慢。祖國大陸則改革開放的成果豐碩，經濟持續快速成長，社會欣欣向榮，國家地位蒸蒸日上。兩岸相比，祖國大陸的總合表現超越台灣，並有力帶動台灣經濟成長。然而很遺憾，即使包括兩岸人民往來年年增加，台灣民眾對祖國大陸互信不足，卻一直難能改觀好轉。

總之，一般地說，經濟是物質基礎，政治思想是上層結構，兩岸經濟互補歷經十餘年，按理必然對兩岸政治關係的改善起到作用。然而，依照這十餘年來的兩岸關係之演變來看，到目前為止，兩岸政治關係的難度不但沒有得到改善，反而惡化，唯物史觀的理論假說實際上套用不上。何謂民意，其內涵又如何，關於台灣主流民意的理解，特別關聯到兩岸政治關係的民意，我們需要重視非經濟因素的影響，即應該認識到人們的行為中意識形態和感情因素之重要性。因此，本文的分析方法，即擬應用韋伯（Max Weber）的社會科學有關理解行為方法論來進一步分析探討台灣民意的問題所在。[1]

二、理解行為的方法和台灣民意

先來概觀韋伯的理解行為方法之要旨。韋伯是一位 20 世紀的偉大社會科學大師，其學術地位可與 19 世紀的馬克思相提並論，

---

[1] 本文的理解行為理論，主要依據下列一書，青山秀夫，《マックス·ウエーバーの社会理論》，東京：岩波書店，1963 年，「第一論文：關於 M.韋伯的行為、理解以及理念型」，第 17-60 頁。

是近代罕見的兩位社會科學的泰斗。與馬克思相比，韋伯的治學方法之一大特點，在於物質和精神並重的社會多元發展史觀。他兼收馬克思的唯物史觀之一面，同時重視精神思想史觀的一面。亦即社會的物質基礎規定人們的思想理念，同樣地，人們的思想理念，包括宗教在內的精神因素和力量依然可以左右歷史發展的軌道。韋伯的學問非常深淵廣博，這裡僅借用他的理解行為方法理論，來理解人們的行為之特性以資探討民意的內涵。

韋伯首先設定「行為」一辭的概念範疇。韋伯將人在生活中的一切所作所為，稱呼舉動，從舉動中區分「行為」。行為的涵意有別於舉動。所謂行為，就是指可以用科學方法來理解的人之舉動。人的行為之特質，可以由行為的動機和目的以及其手段三個要件來剖析其間的因果關係而加予論斷。韋伯的理解行為之準繩，就是合理性。所謂合理，是指依據近代社會規範的合理，其主要特點是重視形式合理，形式邏輯上的整合，它有別於前近代的實質合理。再說，近代社會的主要特質是資本主義，所以形式合理是資本主義制度通用的社會規範。

其次，據此來設定行為的各種類型。近代社會的公民之行為，依據自由意志而行，因此人的行為之動機，目的和手段的因果關係幅度很大，各種各樣非常複雜。然而，正因為公民有自由意志，其行為的動機，目的和手段之間必然存在自我自足的因果規律，這個行為規律包括動機，目的，手段三者一貫的合理行為以及到情緒性或者條件反射性毫無意願思考的非合理行為。行為規律的類型化方法，只能用抽象的理念類型來分門別類。韋伯依其獨特的類型學方法，將行為分成以下四個類型，即（1）目的合理行為；（2）價值合理行為；（3）情緒性行為；（4）傳統性行為。

首先，關於「目的合理行為」的涵意，它是指行為的動機，目的和手段之間，合理一貫的行為。行為的動機由主觀意願的思考而定，動機和目的明確，為要達到其目的所採取的手段前後具有一貫的合理性，行為規律具有高度合理性和科學性。這種目的合理行為在資本主義社會各種行為中的典型就是經濟行為，即為理財營利斤斤計較的行為，一般來說，是最有形式合理性的。但是這並不意味著每一樣經濟行為都是目的合理，好比股市的狂熱和冷落，衝動性購物都是毫無合理的情緒性行為，再說購買骨董之類的物品，雖有市場行情，但難免有偏向於主觀價值判斷的行為。這裡要說的是經濟行為的主要部分是目的合理行為。其他有法律行為，許多社會行為均屬於目的合理行為的範疇。但是，關於對政治行為即有所保留，因為政治行為的手段具有暴力性格，其合理性的定位偏低。總而言之，目的合理行為含蓋著最廣泛的近代社會行為，因此，許多現代社會現象可以用科學方法來分析，目的合理行為的概念範疇之成立莫不是社會科學的存在基礎。

其次，談到價值合理行為的內涵，它是指行為的動機由主觀價值的思考而定，具有目的意識，然而正因為動機是價值志向，所採取的手段幅度大，常有不顧結果的手段，因此喪失目的合理，而是侷限於動機價值的形式合理。在現代社會生活中，政治行為，宗教行為以及社會運動，戰爭行為均屬於價值合理行為。這些行為的目的往往是美麗堂皇，而為達到目的所採取的手段則往往不顧結果，乖離目的而為。所以價值合理行為的形式合理性受限，是「半合理」行為。

再說，情緒性行為的概念，它是指行為的動機依據條件反射不具有意識思考，目的意識也未必明白，所以手段與動機，目的之間並不存在合理性。此一行為的特點，是在手段本身覓求行為的意義，而行為的動機，目的和手段前後不合理或者非合理。情緒性行為與目的合理行為在形式合理的準繩上正好成為兩端的對比。這中間存在著無數的混合性行為類型。

最後的傳統性行為之涵意，它是指動機並不出自主觀意念而難與說明，目的也含糊不清楚，手段的選擇幅度狹隘，這種行為當然沒有合理性。在現代社會生活中的歷史文化繼承下來的慣習行為、自然行為、遺傳行為等屬於此一範疇。

以上四種行為的類型，是抽象的理念型類型，人們的實際行為是這些類型的混合形態，因此，我們的理解方法是針對行為的主要部分來論斷其性格。為分析本文主要課題之方便，以下暫時擱置傳統性行為一項，而以目的合理行為，價值合理行為以及情緒性行為三項目行為類型來探討台灣民意問題。

再說民意的內涵，應該要與民心，或者民情有所區別。依據上開韋伯理解行為理論來說，所謂民心，就是指人民共同的心意，心願，亦即大多數人的主觀意願和目的意識，而尚不具有相應的手段和舉動。再說民情，它與民心是同一層次的含意，是指一般人的心情、心意，可以說是狹義的民心。

至於民意的概念，一般的含意是指公民共同的意思、意志。依照上述的觀點來說，是指具有行為要件的人們之意思，亦即有動機，目的和相應手段的意思表示，有條件則付諸於行為的公意。所以民意與社會公共政策之間有直接關係，它將直接影響，左右公共政策的形成，同時，公共政策也特反映民意的走向。相形之下，民心、民情與公共政策之關係是間接的。

再談台灣民意。台灣自從 1987 年解除戒嚴令以來，開放言論自由，1990 年代的政治民主改革，促進言論更加自由開放，媒體發達，民意暢通，反映民意的社會輿論對公共政策的影響更加密接。民意對公共政策的表達方式，除透過社會與論之外，最直接的方式就是政治選舉。由選舉產生民意代表和行政首長，左右公共政策的制定。所以選舉是民意表達的重要場面，其中，政府最高領導的選舉該是民意集中表達的最重要機會。

三、台灣民意與台灣大選

選舉行為是候選人和選民互動的政治行為。一般來說，候選人（政黨）提出政見，讓選民對候選人的政見和候選人作評估，依自己的主觀意願動機和目的來考量投票（或者不投票）選擇候選人，投票是選舉行為的手段。選舉行為從候選人來說，在政黨政治下，候選人和他的政見不僅是代表個人，也代表他所屬的政黨政治主張，這裡把候選人和他所屬的政黨一同當作主體人格來考量其選舉行為。選民方面就是具有自由意志的個人。選舉行為雖是一種政治行為，不過政見議題選項不限於政治問題，也包括經濟民生，社會保障，人民保安等問題。所以選民的實際投票行為之性格是包括價值合理，目的合理以及情緒性的混合類型之行為。

這次台灣「總統」大選，不消說，由兩大政黨陣營參與競選爭取政權。一個是國民黨和親民黨兩黨聯盟，推出連戰，宋楚瑜兩位連宋配候選人，這一陣營通稱「泛藍」。再一個是民進黨，推出陳水扁，呂秀蓮兩位陳呂配候選人，這一陣營稱呼「泛綠」。再說這次台灣大選的選戰特點有三，第一是兩岸關係問題的突出，第二是公投梱住選舉，第三是口水戰的氾濫。特別是關於兩岸政治關係問題，針對泛藍的「一中屋頂」說，泛綠提出「一邊一國」論來對抗，成為兩陣營候選人選戰的最重要議題。其次，執政黨陳水扁強行制定「公民投票法案」，將公投梱住在大選的同一時同一日舉辦，完全是選戰策略的公投，其手段受質疑，很不尋常。再說競選口水戰，候選人排開日常民生務實議題於一邊，著力暴露個人弊案，作人身攻擊，台灣選民又熱衷於這種是非混沌的漫罵口水論爭。

至於藍綠兩陣營的政見訴求，把它當作一個政黨人格的政治行為，依據上述的行為理論所設定的動機、手段、目的之因果關係觀點來探討政黨選舉行為的性格。總觀選戰，扼要地說，泛藍是以維護「中華民國」現狀作為意願動機，倡議兩岸和諧，經貿三通的手段，來維持「一中屋頂」下台灣的繁榮和未來統一目標。

相對地，泛綠是以台灣意識為基礎來落實改變現狀為主觀意願的動機，倡議兩岸對抗，推動公投制憲的手段，來達成「一邊一國」，台灣獨立的目標。

換句話說，泛藍著重於經濟務實議題，泛綠則偏重於政治意識形態議題。泛藍的議題著力訴求選民作出目的合理的選舉行為，泛綠則訴求選民作出價值合理的選舉行為。已如上述行為理論所說，目的合理行為的動機、手段和目的三者之間，具有一貫的合理性，而價值合理行為則動機和目的有合理性連貫，但是因為價值意願動機強烈，所以在手段上常有不顧結果的作法。這裡如果把合理與非合理換成理性與非理性的涵意來瞭解，則選舉行為包括候選人和選民在內，必然有非理性行為。要理解選舉行為，這一點的認識非常重要。蓋因一般所瞭解的台灣主流民意，即說人民期望和平、穩定、發展的台灣民意，是一項合理、理性的人民意願，但是未必能照實反映在選舉行為或者選舉結果上。

果然，在選戰的過程中，泛綠的價值合理之意識形態訴求和花招一直主導選情，而泛藍的目的合理之民生務實訴求則表面上被動站邊。泛綠的選戰手段多端花招多彩，從去秋「台灣正名運動」開始，接著公投法案運動，到年初的「二二八手牽手守護台灣」運動之一連串民粹大動員，節節在喚起民眾的歷史悲情，本土意識，台灣（人）意識，甚至挑起社會族群矛盾，唆使南北部（人）的對立意識。只要為選勝幾乎不顧這些選戰花招手段可能帶來的後患。泛綠選戰確實是訴求意識形態的「半非理性」之選舉行為。然而即使這樣，泛藍的民生務實議題的訴求必竟符合希望和平、穩定、發展的台灣主流民意，選情終盤的民調乃預測泛藍優勢。而意外的轉折就在於投票前日突發的槍擊案。很不幸，選戰竟出現暴力手段，引發情緒性投票行為。

陳呂槍擊案衝擊了部分選民的情緒性投票，亦即中間選民條件反射地對「受害」候選人寄與同情為動機，而前往投票，他們未必期待「受害」候選人一定當選的明確目的，而關心選舉去投票本身感到意義。第二天選舉結果，以 0.2%之微差泛綠取勝。這一數字本身就可傍證，若無該槍擊案的發生，則選舉的勝敗大有可能得出相反的結果。民調預測並沒錯，只是兩個子彈改變了選舉結果。雖然是意外，但把選舉作為「半非合理」的政治行為之範疇來理解，也是意中事。

總而言之，台灣意識掛帥鼓吹兩岸對抗的泛綠選勝，民生務實優先倡議兩岸合作的泛藍選敗。這難道台灣意識就是台獨分離意識？難道表示台灣半數民意支持台海戰爭，不安定，不求發展的台獨路線？如果不是，即這次台灣大選結果，沒有照實反映希望平和、穩定、發展的台灣主流民意。這裡可看出作為台灣民意的精神面貌之台灣意識有問題，它在阻礙兩岸關係的正常發展。何謂台灣意識？其真實內涵值得探討。

四、台灣意識與兩岸關係

這次台灣大選中，不可否認所謂的台灣（人）意識披蓋了台灣社會，它已成為台灣社會的主流意識。很遺憾的是這個台灣意識有偏差。本來，本人所認識的台灣意識之根源來自台灣的歷史悲情。這百年來，台灣人被滿清政府割讓給日本受殖民地統治，戰後又被國民黨政府的恐怖統治，飽嘗二等公民被差別壓迫的悲情至深，心底抱有「出頭天」，當家作主的強烈願望。所以說，台灣意識就是被壓迫的台灣人期求作主人翁的主體意識。這是非常當然的，正當的意識形態，而台灣意識本身不等於台獨意識。戰後，蔣政權欺視台灣意識，一部分人為了反對蔣政權的壓迫，便特意強調台灣意識作為台獨運動的精神支柱，這一段期間台灣人的這種心情應該是可以理解的。歸根到底，台灣意識就是台灣人追求當家作主的意識形態。

然而 1990 年代，台灣社會的民主化、本土化過程中，台灣意識附加了台灣本土意識，台灣認同的一些新內容。其間有人就提出「新台灣人」概念，定義愛台灣才是「台灣人」，「不愛台灣」就不是台灣人。何謂愛台灣？愛中國（大陸）的就是「賣台」，就是不愛台灣。但是「愛日本，愛美國」的就不算，反而受鼓勵。有位領導人「非常愛日本」，為獻媚日本公開宣稱「釣魚台為日本領土」，出賣台灣，但這不算賣台。有一批分離主義者明目張膽主張「將台灣合併為美國的第五十一州」。「台灣主權在美」，台灣當權者甘願依人籬下，把台灣淪落為美日的保護地，挾美帝洋天子自重，奴性依舊，安有主人翁意識可談。

現在的所謂「台灣意識」包括「去中國化」文化運動，不承認自己是中國人的意識教育操作在內，以強烈的反華醜華敵對感情來挑起台灣分離意識，台灣當權者和分離主義勢力作法極端偏狹，事體非常嚴重。不過，兩岸社會的地緣、血緣以及歷史文化的關係是切不斷、割不開的。即使利用政治手段阻礙兩岸關係正常發展於一時，也不會持久，終究是不得逞的。

從台灣近代史發展過程來看，本人認為這十餘年來，台灣社會正在處於發泄百年來歷史悲情，清算自我奴性精神面貌的過程中，健全的台灣意識之確立形成，還需要一段自我省思模索的過程。台灣人當家作主之台灣意識，與中國革命和祖國大陸人民期求當家作主的意識是一致的，真正的台灣意識是有利於兩岸關係的正常發展，也是促進祖國的完全統一的精神基礎。

五、兩岸統一的好處——代結語

依本人的觀察，台灣大多數人未必贊成台獨。台灣的主流民意，依然是希望和平、穩定和發展。這次台灣大選，台灣主流民意沒有照實反映出來的理由，除槍擊案意外事件之外，還有兩點因素。第一點是台灣民眾，特別是中南部百姓對兩蔣專制恐怖統治的怨氣未消，心有餘悸，想投票給泛藍連宋，心理上實在投不下去。第二點是兩岸經貿交流沒有給台灣勞農階層的民眾得到好處，反而帶來失業增加，農業衰退，底層勞工農民對兩岸的經貿交流置疑不前。因此「阿扁實在不行，也要投給他」。

台灣一般民眾由於兩岸長期的社會隔絕，在感情上對中國大陸的祖國情日益風化，情況相當嚴重。今後兩岸關係的最重要課題就是要讓台灣人民認識到兩岸統一的好處，尤其是在社會經濟方面的好處為何。特別讓年輕一代的人，理解體會兩岸合作的光明前景。同時也要從社會經濟結構的觀點，來分析台灣社會階層在兩岸經貿交流中的利害得失，探討台灣民意的真實形態，推動兩岸關係的改善和發展，這是本文所遺留下來的研究課題。

表 1：1981-2003 台灣對大陸進出口貿易與出超之動態統計

(單位：百萬美圓)

年份	出口	進口	進出口合計	出超	出超總額
1981	384	75	459	309	1412
1982	195	84	279	111	3316
1983	158	90	248	68	4836
1984	426	128	554	298	8497
1985	987	116	1103	871	10624
1986	811	144	955	667	15680
1987	1227	289	1516	938	18695
1988	2242	479	2721	1763	10995
1989	3332	587	3919	2745	14039
1990	4395	765	5160	3630	12495
1991	7494	1126	8620	6368	13299
1992	10548	1119	11667	9429	9479
1993	13993	1104	15097	12889	8030
1994	16023	1859	17881	14165	7870
1995	19434	3091	22525	16343	7697
1996	20727	3060	23787	17667	8116
1997	22455	3915	26370	18540	14704
1998	19841	4111	23951	15730	7639
1999	21317	4522	25839	16795	5917
2000	25494	5039	30533	20455	10901
2001	27339	5000	32339	22339	15629
2002	38061	6586	44647	31475	18067
2003 對總額 (%)	49362 (34.2)	9005 (7.1)	58369 (21.5)	40357 (238.4)	16931

資料：(1)台灣經濟研究院編、行政院大陸委員會發行，《兩岸經濟統計月報》，第 91 號，2000 年 3 月，第 6 表，第 20 頁。(2)CEPD, *Taiwan Statistical Data Book, 2000*, Table 1-1b, p.14. (3)2000 年數值，依據《中國統計年鑑》，2001 年，第 591 頁。2001-2003 年依據《中國統計年鑑》，2003 年，第 659 頁。

註：1994-1997 年台灣從大陸之進口，依據上開 *Taiwan Statistical Data Book* 資料。

〔編者按〕

劉進慶於 2001 年 7 月發表於全球華僑華人推動中國和平統一大會的〈中國和平統一的物質基礎——兩岸經貿一體化動態〉一文，引用 JETRO《中国経済》，第 425 号，第 65 頁，第 1 表的資料，進而在 1999 年該列數據之下接續了兩列不同於上表的數據。即以下粗黑框部分：

年份	出口	進口	進出口合計	出超	出超總額
1999	21317	4522	25839	16795	5917
2000	26162	6223	323885	19939	8310
1981 ｜ 2000 合計	192151	32887	225037	1592641	

另外，劉進慶於 2002 年 7 月發表在新民主論壇的〈從兩岸經貿十年交流、看三通政策與台灣經濟——兼談世貿、三通對勞工的衝擊〉報告提綱，則在 2001 年該列數據之下，接續了一列數據。該數據引自《人民日報》，2002 年 2 月 11 日，第 1 版。即以下粗黑框部分：

年份	出口	進口	進出口合計	出超	出超總額
2001	27339	5000	32339	22339	15629
1981 ｜ 2001 合計	218822	36703	255525	182119	

表 2：台灣對大陸投資的動態統計

(按主要行業別、件數別、金額別區分。單位：件/百萬美圓)

	合計		電子		食品		金屬		塑膠		其他	
	件數	金額	件數	金額	件數	金額	件數	金額	件數	金額	件數	金額
1991	237	174	42	32	19	19	13	9	40	22	123	92
1992	264	247	31	35	27	47	21	11	42	45	143	109
1993	9329	3168	1190	445	791	325	776	257	1008	376	5564	1765
1994	934	962	148	157	73	146	79	90	82	73	552	496
1995	490	1093	84	215	32	117	50	117	27	63	297	581
1996	383	1229	69	277	30	122	37	128	25	64	222	638
1997	8725	4335	1214	875	1151	333	754	396	706	349	4900	2382
1998	1284	2034	300	759	57	70	118	127	69	64	740	1064
1999	488	1253	190	538	19	58	28	104	25	99	226	454
2000	840	2607	343	1465	10	43	97	184	48	185	252	730
2001	1186	2784	383	1255	26	58	120	194	63	156	594	1121
2002	3116	6723	789	2619	93	153	257	631	197	399	1780	2921
2003	3875	7699	795	2330	105	353	348	715	271	413	2356	3888
1991 | 2003 合計	31151 (100.0)	34309 (100.0)	5578 (17.9)	1100 (32.1)	2433 (7.8)	1844 (5.4)	2698 (8.7)	2963 (8.6)	2603 (8.4)	2308 (6.7)	17839 (57.2)	16194 (47.2)

資料：台灣經濟部投資審議委員會，《中華民國歷年核准大陸間接投資統計年報》，1998 年 12 月，第 17 表，第 74-75 頁以及同《年報》，2003 年 12 月，第 65 頁，第 14 表。

注：1997-98 年投資案件和金額猛增的理由，為當局修訂《兩岸人民關係條例》，依據修訂條例，督促未申請的台商投資者補辦登記而增加之結果。

〔編者按〕

劉進慶於 2001 年 7 月發表於全球華僑華人推動中國和平統一大會的〈中國和平統一的物質基礎——兩岸經貿一體化動態〉一文，在 2000 年該列數據之下接續一列不同於上表的數據。即以下粗黑框部分：

2000	840	2607	343	1465	10	43	97	184	48	185	252	730
1991 ｜ 2000 合計	22974 (100.0)	17103 (100.0)	3611 (15.7)	4796 (28.0)	2209 (9.6)	1280 (7.5)	1973 (8.6)	1423 (8.3)	2072 (9.0)	1340 (7.8)	13109 (57.1)	8264 (48.3)

資料：台灣經濟部投資審議委員會，《中華民國歷年核准大陸間接投資統計年報》，1998 年 12 月，第 17 表，第 74-75 頁以及同《年報》，2001 年 3 月，第 80 頁，第 15 表。

另外，劉進慶於 2002 年 7 月發表在新民主論壇的〈從兩岸經貿十年交流、看三通政策與台灣經濟——兼談世貿、三通對勞工的衝擊〉報告提綱，則在 2000 年該列數據之下，接續兩列數據。即以下粗黑框部分：

2000	840	2607	343	1465	10	43	97	184	48	185	252	730
2001	1186	2784	383	1255	26	58	120	194	63	156	594	1121
1991 ｜ 2001 合計	24160 (100.0)	19887 (100.0)	3994 (16.5)	6051 (30.4)	2235 (9.3)	1338 (6.7)	2093 (8.7)	1617 (8.1)	2135 (8.8)	1496 (7.5)	13703 (56.7)	9385 (47.3)

資料：台灣經濟部投資審議委員會，《中華民國歷年核准大陸間接投資統計年報》，1998 年 12 月，第 17 表，第 74-75 頁以及同《年報》，2001 年 12 月，第 65 頁，第 14 表。

台灣史與台灣人

敬祈平反之日來到

本文是劉進慶為台灣地區政治受難人互助會所主辦的「50年代政治案件受審者春季追悼大會」(春祭) 而撰寫的悼念詞。原載於1995年5月發行的《海峽評論》第53期。寫作時間註記為1995年3月27日。

1995年3月25日，際此日本戰敗，台灣「光復」五十年之春，拜聞貴會將於4月2日在台北舉辦「50年代政治案件受審者春季追悼大會」，誠是感慨萬千。

五十年前台灣從日本殖民地統治解放，回歸祖國說是「光復」，其實接下來的戰後期到五十年代的台灣，人民完全在政權白色恐怖、黑暗統治下呻吟，我個人親歷其境，豈有「光復」之實。

當時許許多多為政治案件受難的同胞，無論省籍，不分左右，都是為台灣真正光復，為人民出頭天挺身奮鬥而受難、受害者。

他（她）們的遭遇，一日不平反，則不但個人英靈不瞑，歷史交代不清，而且社會公義也不明，台灣民主化運動不算到底。我們今天要追悼受害者的意義，莫不在此，撫心追思先人流下的血淚，隔洋相望，敬祈徹底平反之日早日來到。

東京經濟大學教授

劉進慶

1995、3、27表示深深的哀悼

歷史悲情與歷史認識的自我檢討

剖析台灣媚日反華分離主義者的奴性史觀

本文是劉進慶針對呂秀蓮參拜馬關條約簽約處（春帆樓）等事件而撰寫的評論。原載於 1997 年 12 月發行的《海峽評論》第 84 期。

一、媚日奴性洋相，是可忍，孰不可忍

今年 2 月，在東京一次日韓學者和社會人士的國際研討會上，本人被一位韓國老學者問到「為何台灣於馬關百年之際，組團來日做致謝活動？台灣人到底在想什麼？」面露公憤。本人被問了，一時茫然自失，無言以對，非常痛苦，只能承認台灣尚有人未克服被殖民之遺毒。致謝團一批人都是有勢有學，但其所做所為奴隸不如，自欺欺人，不僅糟蹋台灣先代英勇抗日犧牲的先烈史蹟，加深台灣人悲情和悲劇，而且侮辱了所有亞洲鄰邦和世界被壓迫人民的尊嚴。本人深知日本底細，實際上連日本有識之士也都啼笑皆非，內心更加瞧不起這些台灣人之如此奴性。何為奴性，即喪失自主，供人使用，依人自卑的性格和作法、想法。這些台灣人不自主奮發圖強，一味媚日取歡於老奴主，認賊作父、認盜作主，這才是台灣人真正的悲情。是可忍，孰不可忍？有感於此，選此一文序論管見。

二、從歷史悲情到媚日反華的自我奴化

本人生於日本殖民統治下的台灣，受過皇民化教育，親歷日帝侵華二次大戰、台灣光復、二二八事件、白色恐怖等等歷史場合，切身體會台灣人被奴化為二等公民的歷史悲情之苦，深抱早日「出頭天」，當家作主的願望。我所認識的台灣人之歷史悲情，主要來自馬關割台、日據殖民、二二八以及白色恐怖等被壓迫歷史經驗之精神創傷。然而從這些歷史悲情，何來致謝馬關？何來「告別中國」遊行等一系列媚日反華的自我奴化表態？實在值以探討。

這幾年來，台灣一股媚日反華勢力猖獗，一小撮分離主義分子蠢動頻仍，乃利用民眾歷史悲情，歪曲歷史事實，誤導歷史認識，開倒車自我奴化而愚弄人民之精神創傷。依據文章資料以及本人親歷之範圍內，便可舉證共一二。頭一個事例是李登輝與司馬遼太郎的對談（1994 年 5 月 6 至 13 日《週刊朝日》）一篇文章（以下略稱〈對談〉）。其次是本人受邀參加的「《馬關條約》一百年——台灣命運的回顧與展望國際學術研討會」（1995 年 4 月 15 至 17 日，《自由時報》主辦，以下略稱「研討會」）以及親睹的「告別中國」遊行（1995 年 4 月 17 日）之事例。

首先說李某人的〈對談〉，在〈對談〉中李某人明目張膽地披露其媚日反華之想法和心態，內容含有很多問題，這裡僅提有關本文部分的三點：一點是台灣為化外無主地說（《週刊》44 頁），另一點是「中國」辭意模糊說（45 頁），再一點是國民黨外來政權說（46 頁）。其中前兩點是美日殖民主義者對台灣問題常用的看法，

[1]李某人在〈對談〉中公開肯定其論調。姑不論美日帝國主義對台戰略陰謀如何，且說李某人做為一個中華民國（Republic of China）在台灣的最高領導人，卻同意台灣國際法地位未定說，又不明白中國（China）一辭之含義，這是什麼見識，什麼體統，連一點職業道德也沒有，莫非在愚弄人民，欺侮百姓，於公於私都不能容忍，通篇獻媚日人歷史認識表現媚日反華心態和史觀無遺。台灣最高領導人的歷史認識如此卑鄙，與其說是個人品格問題，不如說是台灣的悲劇，這才是台灣人真正的悲情所在。

第三點外來政權說有新鮮味，說出了台灣人不敢說的心底話，給許多台灣人，尤其是包括本人在內的年紀大的操日語年代感到痛快、欣慰。不過冷靜一想，這句話由一般台灣人來說則理直氣壯，但是由李某人來說，意思就差。因為李某人是國民黨主席，過去迄今長期為國民黨政權的核心人物，是外來政權的當事者，是「共犯」。人在當權，批評當權的「外來政權」，那麼李某人自己怎麼交代？其實李某人真正用意不在批評包括自己在內的外來政權，而是在爭取票，討好選民，說說百姓喜歡聽的話。對自己立場的矛盾，過後再來順風轉舵，愚弄民意，這一點，在下述「研討會」上本人親歷其境。

因朋友推薦，本人受邀參加「研討會」。頭一天午餐會上某學者專題演講的要旨略為外來政權包括戰前日據和戰後國民黨政權在內，對台灣沒有什麼不好，反而有好處云。這一個「外來政權有用說」之論調就是整個「研討會」的基本立場和認識。「研討會」也邀請日本一批新右翼反華學者參加，整個會議都在全面擁護和發

---

[1] 日本於 1951 年《舊金山對日和約》，放棄台澎主權（和約第二項）而美國慫恿日本不言明歸還對象，1952 年「中日和約」沿用舊金山和約條文，有意留下「台灣地位未定論」的禍根。美日狼狽為奸，對台灣領土暗藏野心。

揮李某人的上述三點基本認識。特別是為李某人所說國民黨是外來政權的自我矛盾改變說法，贊許外來政權有好處，為李某人解圍，為他的說法正當化。如此一來，則台灣人前不久為這句話感痛快是錯了，受騙了。台灣人的歷史悲情就是在長期被外來政權當二等公民看待，被外來政權壓迫，痛恨外來政權。現在李某人的代言人改弦轉舵說外來政權沒有不好，甚至說有好處，那麼台灣人歷史悲情的立場何在。這明明白白在愚弄人民，欺騙百姓，是一件極不痛快的事，本質上是自我奴化，加深了台灣人的悲情和悲哀。

在研討會上，針對上述的詭辯，本人在另一場合發言批評日本殖民統治表明台灣人要當家作主，一定要有主體性與自主性，日據外來政權壓迫、搾取和歧視台灣人，殺戮上千上萬抗日先烈，對殖民統治者而言，不該說沒有什麼不好。對此，一位有學有勢的某人站出來反論說，「日據比蔣政權還好」，理由是日本抓人判刑都依法公開，蔣政權則秘密逮捕，暗中處刑，比日據更壞。總之，一股媚日反華反動逆流瀰漫整個研討會，認賊為父，認盜作主，自我奴化，可悲可哀。在此我應該附加一句，籌備「研討會」成員之中，也有高見良識人士，推薦我這樣想法的人與會，讓我有機會學習體會當前台灣的另一面，對此順表謝意。

綜上所述，一小撮分離主義者一心一意為自己政治意圖，不惜藉台灣民眾的歷史悲情，百般歪曲史實，不惜藐視和侮辱先代抗日犧牲光榮史蹟，愚弄人民悲情傷痕，自我奴化，冒瀆台灣人自尊，親睹其景，深感義憤。

本人這一年代是日帝殖民統治台灣時期的當事者，本人雖不是歷史專業，尚可翻閱身邊資料闡明有關上述史實真相，就教於有識之士。上述媚日反華分離主義之歷史認識的主要問題大致有四：即曲解馬關割台遺棄「化外之民」的悲情；美化日據總督府現代化建設；塑造皇民化政策為台灣意識形成的基礎；強調蔣政權恐怖統治不如總督府殖民統治等。這些歷史認識，節節充滿著媚日反華，自我奴化的劣根史觀。後面兩段時期本人有親歷之痛，因此本文含有自我檢討之意義。以下分成四段來論述史實。

三、馬關割台遺棄「化外之民」的悲情之史實真相

甲午中日戰爭的結果，簽訂《馬關條約》，台灣被割讓給日本，台灣人民不甘異民族統治當亡國奴，紛紛起義反抗日本侵佔台灣，進行了英勇不屈，前仆後繼的長期抵抗，犧牲了上千上萬的生命財產是歷史的事實。台灣被滿清割讓，令台灣人感覺到好比兒女被父母遺棄、出賣給他家之悲情。自問為什麼是台灣，是不是台灣特別不受重視，甚至被歧視？這種感覺是可以理解的，也是近代台灣歷史悲情的出發點。

然而，分離主義者就利用這一個悲情，捏造史實說清廷把台灣看做「化外之地」，把台灣人看做「化外之民」，原來就不重視台灣，漠不關心台灣，隨便把台灣割讓給日本，同是中國人而特別歧視台灣人這種論調。其實這是完全錯誤，有意曲解史實的說法。這裡要澄清兩點，一點是「化外之民」的真正用詞含意，另一點是全體中國同胞對滿清割台掀起激憤，時刻重視台灣問題、關懷台灣，經過長期反帝反封建鬥爭，終於光復台灣。

史冊記載，「化外之民」一辭出現在 1873 年 6 月 21 日清朝總理衙門——中日雙方為牡丹社事件的談判席上。之前的 1871 年，琉球漂流民被琅嶠（恆春）原住民（「生番」，容後照引原文）殺害。當時日本明治政府有意合併琉球，便藉此機會替琉球人出面向清廷追究責任。當天，日本外務大丞柳原前光和外務少丞鄭永寧兩人登訪清廷總署大臣毛昶熙、董恂兩位要員，進行對事件的意見交換。交談中柳原問「貴國已知恤琉人，而不懲台番者何？」，毛答「殺

人者皆生番，故且置之化外」……「生番乃我化外之民，伐與不伐，亦惟貴國所命，貴國自裁之」。[2]此地所謂「化外之民」係指原住民少數民族，日方記載說「清廷大臣答說，生番之地係政教禁令相不及之化外之民」。[3]據此問答，日本於翌 1874 年 5 月出兵侵攻牡丹社。其背後有美國駐廈門領事李仙得（Charles W. Le Gendre）慫恿日本主張「番地無主」論，占領台灣「番地」之舉動。[4]至此清廷察覺茲事體大，涉及領土主權問題，經雙方談判，於同年 10 月中旬達成協議，清廷賠款五十萬兩保全領土主權，日本則取款補損之外，另獲與清廷對等交涉的外交地位，取得合併琉球之合法性而撤兵了事。

綜上所述，「化外之民」並非指所有台灣同胞，是出在外交談判的意見交換之場合上的一句話。清廷之後發覺不對，以五十萬兩賠款贖回這一句外交上的失言。歷史事實非常清楚，分離主義斷章取義，故意曲解擴大解釋「化外之民」一句話，做為台灣人悲情與「分離」主張的歷史依據，到處鼓吹。其居心何在，若不是自卑劣等，就是另有意圖。

再說，馬關割台，激起了包括台灣同胞在內的中國人民之強烈反抗，也加深了中華民族存亡的危機，掀起了一連串民族革命運動。例如，甲午戰爭中的 1894 年 11 月，孫中山先生領導的興中會

---

[2] 姚錫光《東方兵事紀略》，卷上，錄自楊碧川編著，《台灣歷史年表》，台北：台灣文藝雜誌社，1983 年，第 88 頁。

[3] 毛利敏彥，《台湾出兵：大日本帝国の開幕劇》，東京：中公新書，1996 年，第 57 頁。

[4] 同上，第 21-25 頁以及第 124-133 頁。「番地無主」論為西歐列強要擴張領土之一般理論依據，源於 Westphalia 會議（1644-48）以後的萬國公法（國際法）。從近代國家的概念來看，凡是原住民居住「未開發地」，亦即「番地」均可當做「無主之地」。西歐占領非洲殖民地，美國侵佔西部印地安人之地，均以此論為據，日本據此於 1874 年向台灣「番地」出兵。

於檀香山成立, 1897 年戊戌維新變法, 1900 年義和團起義以及 1911 年辛亥革命等等。日本占取台灣之後的台灣同胞之抗日運動是不孤立而與大陸同胞的民族革命運動緊緊相連。可知台灣人沒有被遺棄、沒有被漠視，與大陸同胞所受的苦難走在一條線上，為反抗帝國主義列強侵略，爭取中華民族的獨立、自主、統一而同步奮鬥走到今天。

四、洋務派現代化奠基，總督府現代化搾台

近年分離主義者有意美化日本對台灣的殖民地統治, 贊許日據時期現代化建設, 而故意忽視清末期洋務派在台推行的現代化事業之貢獻，偏好史事，實在不公平，也不應該。從目的意圖以及內容性格來看, 洋務派在台的現代化事業比總督府殖民地現代化事務宏偉而可貴。

先說總督府殖民地現代化事業。當然我們應該承認日本帝國主義之所以有力量侵略中國，占取台灣為殖民地，一定有它的一套。比如說發展科學技術，建立合理的現代社會經濟制度，提升生產力，富國強兵，有它獨到的一面。日本帝國主義占領台灣之後，在台灣創建一些現代社會經濟制度，推動基礎建設，引進新式糖業和稻作改善農業等現代產業，這是事實，有人說是推動台灣的資本主義化。可是它的政策意圖，始終脫離不出改造台灣為日本資本主義服務，為日本帝國主義效勞，也就是說台灣的殖民地現代化，殖民地資本主義化。實際上在政治、經濟、社會以及教育等各方面，對台灣人都具有壓迫、搾取、差別等殖民奴化統治，這一面才重要，才是歷史悲情的根源。

比如說，在經濟方面，限制台人資本發展，振興糖米農業，抑制工業發展，建構台日貿易垂直附庸關係等政策，使台灣形成殖民

地經濟，搾取台灣富源，全面為日本帝國主義服務。此地特別要指出者，即日本占領台灣當時，台商糖業資本雄厚，日本資本為要排除台人糖商資本，便採取「糖業區域取締規則」，「原料採取區域制度」等保護日資措施。[5]這樣還不能抵制台灣糖商力量，而再發佈總督府令16號（1912年），制限台資單獨開設股份有限公司組織，強制設限台資活動空間，採取如此經濟霸道排斥台商，日資才得稱霸台灣糖業。[6]這才是日帝在台之殖民地資本主義化之真面目。

日據時台灣的現代化建設，可以用酒與瓶的關係來說明。就是說用現代化的瓶，裝殖民地的酒，瓶的外觀是現代化、資本主義化，酒的品質是殖民地化，剝削經濟。由是光復後的台灣一下就回到落後經濟而重新起步，以此事實可知殖民地剝削經濟的悲哀，何來贊許日據現代化的貢獻。其實台灣現代化事業，早已奠基於日據前的劉銘傳新政。

清末洋務派積極經營台灣，始於沈葆楨主台（1874至85年）。由於牡丹社事件之經驗，清廷察覺台灣海防洋務與「撫番」之重要性，便派遣福建總理船政大臣沈葆楨來台，開山「撫番」，改革地方區劃，完整台灣全境行政組織，舊貌從此一新，以立富強之基。[7]繼沈葆楨後的首任台灣巡撫劉銘傳，進一步推行新政改革（1885至91年），開台灣現代化事業之先驅，成果輝煌。茲列舉一二，概述如下。

劉銘傳新政，重點就在於社會經濟現代化改革，大約有清賦撫

---

[5] 凃照彥，《日本帝國主義下的台灣》，台北：人間出版社，第56-62頁。
[6] 黃紹恆，《近代日本製糖業の成立と日本の台湾統治政策との関係に関する研究》，富士小林節太郎紀念基金，1992年度研究助成論文，第53-59頁。
[7] 連橫，《台灣通史》，下冊，台北：眾文圖書公司，1979年，第908-912頁，以及周憲文編著，《台灣經濟史》，台北：台灣開明書店，1980年，第198-199頁。

墾、規劃設施、開發近代產業三方面。清賦係土地調查和地制改革，把大租戶和小租戶一地兩主的紊亂不合理地制改為現代單一所有制，乃是台灣開發史上的一大改革。基建以建設鐵路（基隆—新竹間），通信設施（例如鋪設台灣—福州海底電報線、台北—台南陸路電報線等），郵政事業（台灣島內以及歐洲之間）等為主要。振興實業方面則有開發樟腦、硫黃、茶葉、糖業、煤礦、鹽業等，其方式有專賣、買辦、官督商辦、商辦等諸多形形的現代產業。[8]總之，日據初期領導兒玉源太郎、後藤新平的現代化事業沒有一項不是繼承劉銘傳新政項目，而劉銘傳的現代化事業業之宏大計畫遠遠超過日據現代化。台灣殖民地經濟研究的代表性學者矢內原忠雄贊稱「劉銘傳為台灣資本主義開發的先驅」。[9]清末沈、劉兩代改革的結果，1870 至 92 年期間，台灣社會經濟欣欣向榮，對外貿易快速發展，當時台灣的茶、糖、樟腦原料之出口成為著名國際商品，來台外商洋行林立於淡水、打狗（高雄）港都。此一期間的經濟發展足可與本世紀 20 至 30 年代以及 60 年代以後的成長步伐相提並論。[10]日人著名學者根岸勉治承認：「領台當時，日本資本主義尚在低度發達階段，而台灣業已形成相當進步的農業社會，在一定程度上商業也發達，日台之間的產業發達階段差距很小，台灣據此基礎進入發展過程」。[11]這些史實，日本當局的臨時台灣舊慣調查會之一系列大規模調查資料《調查經濟資料報告》（1905 年），《台灣

---

[8] 姚永森，《劉銘傳傳——首任台灣巡撫》，北京：時事出版社，1985 年，第 158-190 頁。

[9] 矢內原忠雄，《帝国主義下の台湾》，《矢內原忠雄全集》，第 2 卷，東京：岩波書店，1963 年，第 204 頁。

[10] 拙文〈台灣經濟成長的商榷〉，郭煥圭、趙復三編，《台灣之將來——學術討論會論文集之二》，中國友誼出版社公司，1985 年，第 20-26 頁。

[11] 根岸勉治，《南方農業問題》，東京：日本評論社，1944 年，第 6-7 頁。

私法》（1910 年）以及大維遜（James W. Davidson）著作都有詳細記載。[12]這是一個值得自傲的歷史事實，不能抹殺，做為台灣人更不該輕易忽視，而應正確認識，把它發揚光大，自勉自強。一小撮分離主義者何來刻意突出美化日據殖民地現代化而自我貶低洋務新政，莫非是奴性史觀的另一個醜惡表態。

五、冒藉皇民化軍國意識充當台灣意識的奴性心態

日據後期 1930 年代，日本軍國主義猖獗，對外膨脹，製造九一八、挑起蘆溝橋事件，大肆侵華，導致太平洋全面戰爭。日帝為要推動侵略戰爭，有必要動員殖民地的人力和人心，便改變原來的殖民地統治政策，從 1936 年開始在台灣實施皇民化、工業化與南進化三大政策。其中工業化政策係軍需與自給導向的工業開發。南進化政策是指日帝侵略華南以及東南亞地區的南進基地之建設。皇民化政策就是針對台灣人的人心和人力、人命之精神總動員措施，為三大政策中的核心部分。

台人抗日民族運動以 1915 年西來庵事件為轉折點，從前期的武力抗日轉向中期 1920 年代的自治（議會設置）運動。日帝對前者則採取徹底武斷鎮壓和屠殺，對後者則懷柔、分化而設限抵制。然而到後期 1930 年代以後，則將原有「一視同仁」口號提升而改倡皇民化，亦即台灣人的「日本人化」之教化，其意圖非常明顯，

---

[12] James W. Davidson, *The Island of Formosa Past and Present: History, People, Resources, and Commercial Prospects*, Taipei: SMC Publishing Inc / Oxford / New York: Oxford Uneversity Press, 1988, 1903。大維遜係日本占取台灣時（1895 年）的從軍記者，後來就任美國駐台灣領事，本書中對領土問題，仍站在「番地無主」論的立場，此乃美國對台灣領土問題的一貫立場，順筆提醒，應予留意。

即為要推動侵華、擴張戰爭，非要動員殖民地人之人力和人命不可。為要徹底動員殖民地人之人力，就非要爭取人心，爭取台灣人對皇國之忠貞不可。為要獲得對皇國的忠貞，就非要台灣人信仰神社皇道，非要改變台灣人的意識形態與精神面貌不可。其目的在於動員台灣人的人力和人命，為日本軍國主義效勞，為日帝侵華戰爭服務，根柢是以華反華的毒計。

皇民化政策之教化措施大約可分為四個方面。第一是強制使用日語。即推廣日語之普及，禁止使用台語，獎勵「國語常用家庭」，在升學、就職方面提供利誘。第二是改變台人生活習俗。即輔導著用日式服裝、日式家具用品以及日式禮節、婚禮等。另一方面，廢止台灣傳統的婚葬節禮、農曆過年、鞭炮、歌仔戲、音樂等習俗。第三是教化皇國意識、皇道精神和神社信仰。指導各家庭設置「天照大御神」神位，勵行參拜和奉捐神社活動。進而整頓和毀廢寺廟，集中管理和燒毀神像。第四是改姓名。採取許可制審批更改日式姓名，尤其對公務要職以及富商上層家庭輔導利誘，對一般家庭則未必都准予改姓名，僅對新生子女輔導取日式名字。[13]

這一連串的皇民化措施對台灣社會的影響不能說不大，如何評估很複雜，不一而足。依各項措施來看，第一，日語教育的普及，應該說績效最大而影響長遠。不過，做為語言本身來看，並無可厚非。這裡應順便指出，六年制義務教育制度遲迄 1943 年才實施於台灣，可知日據對基礎教育之貢獻，非如一般人所想像那樣大。第二，改變台灣習俗，基本上未得逞，尤其是對人民信仰的強制改宗，

[13] 關於皇民化政策，請參閱近藤正己，《総力戦と台湾——日本植民地崩壊の研究》，東京：刀水書房，1996，第 3 章第 3-7 節。本書為日據末期台灣研究的學術大作，資料豐富，論述客觀，有獨到之見解，本文有關皇民化之論述主要參考本書。

毀壞寺廟燒卻神像一事，民間的不滿與反感極大而深。比如光復後廟宇的興建與媽祖信仰之榮盛以及傳統習俗的快速回復，可見民族歷史文化習俗之不可侵犯性。不過，部分合理的日式生活方式則自然承受而遺留下來，是一種生活智慧的進步。第三，皇國意識和皇道精神，客觀上隨日帝軍國主義之潰滅而消失，連日本天皇本身自我否定神格，日人本身也自我批評皇國意識之害，何來遺留在台灣。若有死灰復燃，則是另一個層次的問題。第四，改姓名，這也是隨時代的變遷消失，因為改姓名的家庭僅占總戶口的 2%至 3%，多侷限於上層特定家庭，應該不成氣候。不過現在中壯年以上的人名中，許多「阿雄」「阿子」之類的日式名字，可以說是僅有的改姓名之歷史遺影。

其次，當時民間對皇民化政策的反應，則應視社會階層與工作崗位而異。一部分台灣自治運動的領導人，為了考慮藉此來消除社會差別，提高殖民地人民的政治、社會被差別地位，而贊成合作，少數上層受惠家庭順勢妥協，一般中下層社會則為形勢所逼，不得不唯命是從。然而總體來說，不管是上下層都有不少人對日帝皇民化，以面從腹背態度來應付。[14]因此日本統治者到最後基本上還是不相信，也沒有相信過有華人血統的台灣人，這一點與朝鮮的皇民化相比較，便可察知事體內情之一端。

日本軍國主義下台灣與朝鮮的皇民化政策之比較，總體上很相

---

[14] 容本人披露親歷之經驗來證實。一則我家為斗六地方富商，家父任壯丁團長、保正，戰時為米穀配給組合理事長，有錢有勢。然而，家父對毀廢寺廟、燒卻神像極表不滿，暗地痛哭流涕、悶不進食。二則，本人家境佳、體格壯、品學兼優為模範「軍國少年」，小學六年級時，校長推薦本人報考「陸軍少年飛行兵」學校，全學年近三百學生中只選拔三名，極為光榮。得意洋洋，回家提示文件，面告家父，沒有想到當場被痛罵一頓「真傻」，本人恍然大悟，此景終生難忘。

似，但是在民族血統之不同的考慮上，有兩個作法上的差異。第一點，在創氏改名方面，朝鮮實施於 1938 年，採取全體一律方式，而台灣則始於 1940 年，採取有條件許可制。結果，台灣在一九四三年底的改姓比率僅占全戶數之 1.7%，比諸朝鮮在 1938 年底已占 83%，則屬僅少。[15]可知日帝當局對台人改姓名政策未必積極，台人本身也不踴躍，有所保留。第二點，徵兵動員方面，日帝陸軍對朝鮮徵召志願兵始於 1938 年，對台灣則遲迄 1942 年才實施。其間，對台灣僅徵召軍夫，亦即非武裝軍隊勞力。至於台灣志願兵的徵召也以「高砂族」（原住民）之「義勇軍」具多，主要派遣南方戰場，不使用在中國大陸。[16]正規徵兵制的實施，朝鮮始於 1942 年 5 月，台灣則拖到 1944 年 11 月才發佈，而其意圖又不派「外征」，主要用於台灣的防衛。這些種種之不同點，主要的考慮就在於台灣人與朝鮮人不同，台灣人有「支那人」血統，「支那」為台灣人的「舊祖國」，用在侵華戰爭之風險大，即使是大力推動皇民化政策，也不能相信到底。[17]

總而言之，皇民化主要目的為台灣人的「日本人化」，以期動員台灣人的人力、人命和人心，但是從以上的考察來看未必得逞。同樣是殖民地人民的皇民化政策，日帝重朝輕台或者容朝疑台。不過，即使如此，當今朝鮮人卻極反日而台灣人則極端親日，對此兩個極端分化意識形態如何理解？一般而言，姑不論日人作法，且說朝人反日順理成章，而受到日人重視，而台人親日令日人莫名其妙，外表是親熱而實質輕視，這才是台人奴性的悲哀。所以說，客觀上皇民化未得逞，但是一部分台人心中的媚日反華遺毒乃不可輕

---

[15] 上揭近藤一書，第 181 頁。
[16] 同上，第 381-398 頁。
[17] 同上，第 44 頁。

視，所有關鍵仍在於台灣人本身的奴性心態和史觀迄今尚未克服。這與光復後蔣政權的恐怖統治又有深切關係，令歷史悲情更加曲折複雜。

六、蔣政權恐怖統治不如總督府殖民統治的錯覺與錯誤

「狗去豬來，狗會看家，豬只會吃，豬不如狗」，這句話是台灣光復後長期流行於民間的一句代表性時評。就是說，不滿日帝殖民統治，罵日人為狗，一方面又看不慣新來的蔣集團，腐敗無能，只會欺壓百姓，罵蔣集團為豬，兩者相衡比較，豬不如狗，暗嘆「光復」後，歷史悲情「出頭天」之日依然遙遙無期。本人親歷其境，民情傷處，可以體諒，萬分值得同情。

然而，本文的基本看法，是狗與豬都不行，沒有好的，兩個比較只能說那一個更壞，實質上兩個都不能容忍，在台灣近代史中千萬不要美化它，都要加予批評超克，這樣台灣人才有自主的立場，才能克服歷史悲情，克服奴性心態和史觀。否則，一不小心又要美化日據，在不知不覺中自我奴化而不能自拔，歷史悲情的消除可真又要遙遙無期。

蔣集團來台，胡作非為，逢二二八民變，竟派兵武力鎮壓，到處屠殺民眾，繼流亡台灣後的 1950 年代，又重來白色恐怖統治，逮捕上萬人，處死大約四千人政治犯。[18]特務警察橫行，軍警隨便抓人，秘密裁判，暗中處刑，受難者何去何從，行蹤不明，公權力草菅人命。台灣社會在長達三十八年的戒嚴下，籠罩著軍事獨裁白色恐怖的氣氛中。在這種情況下，人民內心埋怨蔣集團之封建黑暗

[18] 二二八受難者數目迄今很難說定，現在據國家賠償的申報數，則僅止於一千多，再加數倍，也不到一萬，故暫且說上千這個數目。

統治，自然而然地比較日據總督府統治，認為總督府的殖民統治雖然一樣專制，但是它還是依據法律規章，按照法定程序公開抓人判刑，人民對法律行為可有預測性，比較起來「還好」。在人的感性上，一般而言，骨肉之恨往往深於他家之仇而難消。蔣集團以同胞之名，欺壓屠殺台胞，比日帝堂堂以異族之名歧視慘殺台人還可恨。所以「豬不如狗」的想法和史觀，在台灣人的心目中拂拭不去。這種認識是可以理解的，也是台灣人難予拂拭的歷史悲情之根源。

然而，如上所述，這裡要區分感性認識與理性認識之別，留意思維邏輯的偏差，千萬勿淪落於感性認識的陷阱，因為如果據此來美化日據殖民統治，則只能加深台灣人自我奴化的悲情。日帝據台對台人的壓迫、歧視、屠殺之非人道史實，慘絕人寰，鐵證如山。玆舉出其一、二，以供省思之材料。

1895 年，馬關割台，日本占領台灣之際，各地台民組織抗日戰爭，前仆後繼、非常激烈，業已為世人所周知。史冊記載，在日帝軍事占領的攻防戰鬥中台灣軍民死難者，一說約有 14000 名。[19]其實，民間確實傷亡犧牲人數不止此數。考慮到當時台灣總人口大約為 260 萬人，則可知 14000 名之數目相當驚人，比率上比二二八民變犧牲之規模還要大。

---

[19] 上揭楊碧川一書《年表》，第 106 頁。另日軍死亡 278 名，受傷 931 名，此一數目有低估之嫌。另外周佗、魏大業編著《台灣大事紀要》（北京：時事出版社，1982 年）記載，自 1895 年 5 月至 10 月，日軍投入 50000 餘人，傷亡及患病者達 30000 餘人（同書 41 頁）。再者，檜山幸夫《日清戰争：秘藏寫真が明かす真實》（東京：講談社，1997 年）一書中（第 246-258 頁），將此一戰鬥規定為日台戰爭，把台民抗日組織稱為抗日軍。日本投入士兵 49835 名，軍夫軍工 26214 名，死者大約 3000 名，多半死於風土病。抗日軍大約 33000 名，戰死者依戰場屍體數目計算，不下 6000 名。書中描述各地抗日軍有組織性，正面英勇抗戰，強敵難當，日軍屢淪困境，一部地區戰役，軍民難分，將村落燒光，殺死。台民抗日史蹟可歌可泣。

日帝台灣總督府成立之後，各地抗日民族鬥爭不斷，總督府三年之間無所是措。

1898 年，兒玉源太郎總督和後藤新平民政長官主台，發佈「匪徒刑罰令」對抗日義士施加武力鎮壓與招降屠殺。後者又稱「臨機處分」，為招降政策之一環 就是說以歸順式之名目將抗日義士（「土匪」）騙來參加儀式，設酒宴款待，趁吃飽喝醉包圍集體屠殺之方法。據後藤新平親自統計，從 1897 年到 1901 年之間，逮捕抗日分子 8030 名，戮殺 3473 名。另外在 1902 年一年的大規模「討伐」裡，逮捕後經裁判處死者有 539 名，以臨機處分屠殺者竟達 4043 名之多。在後藤手下被刑殺抗日分子一共 8055 名。這是有紀錄的確實數目。[20]

之後，抗日運動雖然漸趨平息，實則地下化，依然斷斷續續此起彼落。1911 年，辛亥革命成功，對台灣的民族運動引起強烈示範效應，其中最著名者有 1913 年羅福星領導的苗栗事件，921 名被捕，200 餘名被判死刑。[21]接踵 1915 年余清芳領導的西來庵（又稱噍吧哖）事件，是一次規模最大而最有組織的抗日事件，1957 名（一說 2500 餘名）被捕，886 名（一說 903 名）判死刑，453 名有期徒刑，217 名行政處分，303 名不起訴，96 名無罪。事件於 7 月發覺，10 月就匆促判刑，被判死刑人數之多非比尋常，在執行過程中，國際輿論嘩然，結果，實際處死者 96 名，其餘特赦為無

---

[20] 鶴見祐輔，《後藤新平伝》，東京：太平洋協会出版部，1943 年，第 159-160 頁。據王曉波教授調查數目則達 12000 名之多。至於鎮壓和招降以及臨機處分的詳細情況，則記載於台湾憲兵隊編，《台湾憲兵隊志》，龍溪書舍，1978 年一書。其中，關於 1902 年 5 月 25 日中午，在斗六廳的歸順式上，集體屠殺張大猷以下 60 名抗日分子之記載（同書第 282 頁），我家離斗六廳不到百米處，這一段與家父當天親睹其景的口述史實一致。

[21] 上揭周佗一書《紀要》，第 41 頁。

期徒刑。[22]除此之外，1929 年的霧社事件以及次年的第二次霧社事件，為原住民的大規模抗日民變。日帝據台三十四年竟發生此一抗日起義事件，暴露其殖民統治之惡劣形象，日帝當局驚慌失措，遂投入將近 4000 名軍警鎮壓，同時動用飛機，投下毒氣瓦斯彈殺戮。在整個事件中，日人被殺 134 名，起義原住民 1236 名中近千名犧牲，鎮壓手段慘無人道，轟動世界視聽。[23]總督府專制，殺人如麻，慘絕人寰，完全是殖民地恐怖統治，怎麼可以說「豬不如狗」「日據比戰後還好」。

我輩光復後親歷蔣政權白色恐怖統治之苦，眼前事有切身之痛。父輩祖輩過去飽嘗日帝殖民地恐怖統治之苦，我們這一代人是不是時易境遷也就無關痛養，這樣就說「狗比豬還好」？果真據此來美化日據，則無異侮辱先代，也等於在侮辱自己，這是錯覺，也是錯誤的認識，淪陷於自我奴化，萬世不能「出頭天」。

七、把歷史還給人民，超脫奴性史觀——代結語

綜上所述，分離主義者常指說的台灣人歷史悲情之出發點為「化外」、「無主」之說，原為美日對台灣領土歷史性野心的理論依據。他們如果不是對史實無知，就是有意歪曲史實，為自己的政治意圖鋪路，實則為美日野心服務，是一個自我奴化的心態與史觀。

此一心態史觀，一事通萬事，進而來美化日據殖民地現代化，而遮蓋洋務派現代化的宏大建樹，把台灣人最值以自傲的近代史跡

---

[22] 上揭楊碧川一書《年表》，第 126 頁。本書另記載處死 200 人，703 人無期。其他說法參考宇野俊一等編，《日本全史：ジャパン·クロニック》，東京：講談社，1994 年，第 1013 頁。

[23] 戴国煇編著，《台湾霧社蜂起事件——研究と資料》，東京：社会思想社，1981 年，第 20-27 頁。

拋開不談，甘願美化日本殖民資本主義化的搾台機制，著實極無見識，安有自主、自強可言。一片奴性心態，才是台灣人歷史悲情所在。

再說，日帝想動用台灣人參與侵華戰爭而策劃的皇民化教化，分離主義者把它充當台灣意識形成的基礎。這無異於把皇國意識、皇道精神、神社信仰、忠貞天皇等一連串日本軍國主義意識當做台灣意識看待，連日本軍國主義也不敢相信的虛構，這是自我上當以華反華的毒計。這已不是無知而是有意出賣台灣人的靈魂，侮辱台灣社會文化，劣根性奴性至極，奴隸不如。

至於總督府的殖民地恐怖比蔣政權的白色恐怖「還好」之說，「豬不如狗」的偏差史觀，一般來自對歷史認識與感性認識的偏差，部分來自有意領導戰後悲情成為反華分離情緒。我們不能容忍的是這一個歷史認識的偏差，不知不覺侮辱上千上萬的日據偉大抗日先代的鮮血犧牲，蔑視受盡日帝殖民地壓迫的父輩祖輩之苦難。結果，無意中也加深了這一代台灣人的自我奴化之歷史悲情。

由於歷史關係，台灣社會裡有一股濃厚的日本情結。我們應該說，親日的感情是可以理解的，但是媚日就差了，在本文稱之為自我奴化。進而媚日反華就成問題，因為這關聯到日帝侵華的問題，牽涉到整個中國人的感情，我們是不能容忍的，台灣同胞應該要體會到這一個問題。

在台灣，不只是媚日反華，還有另一個親美反華的心態史觀，本人稱之為美日史觀，即「美日好比是台灣的太陽，地球好似以美日為軸在轉動，歷史好像由美日來帶動」，台灣的未來全賴美日的氣息來左右，據此迴避兩岸問題的自我解決，求援於美日保護而來對抗中國大陸的「威脅」。這種美日史觀對台灣的未來只有加添不安因素，是有害無益的。

台灣長久與大陸隔絕往來，長期教化反共思想，台灣與大陸，台灣同胞與大陸同胞之間有意識形態上的隔閡，有生活方式上的差距，一時難於相融是可以理解的。我們應該說反共，反對中共政權不是問題，這不是反華。而違背中華民族，違背包括台灣人民在內所有中國人民的利益之舉動和作法，這才是反華。進而勾結美日勢力對抗中國，分割兩岸，抵制中國的統一和發展，這種媚日親美反華是絕不能容忍的。

在中國近代史過程中所積累下來的台灣人之歷史悲情與歷史認識問題，反覆深思認識到其關鍵在於台灣人飽嘗的苦難與大陸同胞以及整個中華民族所受的苦難，到底是異形還是同根同質這一點認識上的差距。本人從 1960 年代初長年客居東瀛，回顧人生六十餘年來的學習見聞，瞭解近代中國和日本以及世界歷史的諸多真假虛實，著實體認到台灣人的歷史悲情與大陸同胞，整個中國人的受辱苦難，是異地同根，同步走在一條線上的。這是結合自己感性與理性認識所獲得的結論。然而在台灣，由於種種因素，台灣人往往尚難達到這一個宏觀的歷史認識，需要有一段時間，有一段大陸與台灣雙方加強交往和加深認識的過程，才能達到共識。

本人提案，為了克服台灣歷史悲情，加深歷史認識，我們應該把歷史還給人民。從民眾史觀點來重新認識台灣和中國近代史，就可認識到台灣不是「無主」，不是「化外」，台灣人是中國人，皇民化不得逞，日據不能比蔣政權「還好」等史實真相。由是正確掌握歷史認識，走出歷史悲情，超克自我奴化，與大陸同胞共有近代苦難的歷史認識，這就是當前台灣人的一個重要課題。

現在的中國，已經不是二十年前的中國，也不是五十年前的中國，更不是一百年前的中國。中國人民已經站起來了，中國已經走出發展繁榮的一條路，從鴉片戰爭以來節節往下衰退的底谷走上來，往上爬，欣欣向榮，在國際間扮演的角色越來越重要。我們要切實認識到這一圍繞著中國的世界形勢和歷史潮流。

做為一個台灣人，本人希望台灣人眼光要遠，氣度要大，胸懷要寬，要為二千一百萬台灣人利益著想的同時，也要為十二億全體中國人利益考慮，共同為中華民族當家作主，為中國的統一、富強以及亞太和世界的和平、繁榮作出貢獻。這樣台灣人才能真正克服歷史悲情，在台灣當家作主，有安全感、持續走向自由、民主、富裕的光明大道。

序論台灣近代化問題

晚清洋務近代化與日據殖民近代化之評比

本文是2003年3月29日劉進慶在夏潮聯合會與台灣大學東亞文明研究中心共同主辦之「夏潮台灣史學術研討會——台灣殖民地史（1895-1945）」(2003年3月29日至30日）宣讀的論文。文章經修改後，收錄於《台灣殖民地史學術研討會：日本殖民統治時期（1895-1945）》，台北：海峽學術出版社，2004年。

摘要

台灣近代化始於天津條約（1858年），開放四處岸口為歷史起點。到1945年日本敗仗，結束台灣殖民地統治為止這九十年間的台灣近代化進程，可分晚清洋務期（1858至1895）與日據殖民期（1895至1945）兩大段。在這期間，台灣近代化之先驅者為劉銘傳。洋務期後段劉銘傳的新政改革，非常宏偉而富有前瞻性。特別在清賦、建設鐵道和振興新式產業三方面，留下了台灣近代化的光輝史蹟。日本代表性學者史家均給予高度評價。

日本的台灣殖民地經營，踏襲了劉銘傳近代化基礎。產業開發非工唯農，初期，動用差別政策壓制本地糖商，護航日資獨占糖業市場。中期，開發稻作，特化於糖米兩項農業，來服務日本帝國主義本國。末期，為日本軍國主義需要，引進財閥推動投資軍需工業化，而置台籍資本於圈外。日本敗仗，工業化告中斷，這一段期間，台灣經濟在戰時統制下，人民貧困受苦。

總之，洋務近代化是由外而內，是自主近代化，是農工全面的產業化，經濟整體近代化。相比之下，殖民近代化是外在的，從屬近代化，是非工唯農的產業化，是差別、跛行的近代化。日本軍國主義下的軍需工業化是非台灣主體的近代化，乃不可取。

在一百多年來的台灣近代化進程中，晚清劉銘傳新政改革是台灣近代化的原點和典範。我們應該珍重此一近代化的光輝史蹟為原點，來超克被扭曲的歷史認識，才不迷失台灣近代化建設未來的正確方向。

一、近代化的含意

所謂近代化（Modernization）一辭，淵源於西歐近代史，譯成漢字有兩種用法，即近代化與現代化。由於中國史與西歐史有關傳統社會與封建制的內涵不同，中國的近代與現代的時期劃分爭議性又多，中國大陸使用現代化一辭而有別於近代化，當然自有其理，這裡容不深入涉及。台灣的近代史有它獨特的一面，本文暫且使用近代化的用詞。再說近代化一辭，通常泛用但是定義卻依人而異，莫衷一是。本文將它扼要定義為傳統社會的體制（制度）與時趨向解體崩壞，而轉移到當代社會新體制的演變動態。[1]所謂的傳統體制，是指前近代或者前現代的社會體制，一般來說，其特點就是封建制。但是每一個社會的封建制都有其自我歷史文化的背景，

[1] 大塚久雄，〈近代化と産業化の歴史的関連について——とくに比較経済史の視点から〉，《経済学論集》（東京大学経済学会），第32巻第1号，1966年4月，第2頁。

其特點很難一概而論。不過，依據西歐先進國家的歷史經驗，除思想意識形態不談，特從政治、經濟、社會三方面來看，一般即可歸納為君權統治、農本經濟、身分制社會之普遍共性。

再說，在近代史上，政治、經濟、社會這三個方面的近代化動態，主要以經濟工業化（Industrialization，又稱產業化）為基礎動力，來帶動整個社會的近代化。西歐先進國家工業化的本質為資本主義化，所以近代化又被稱為資本主義化。[2]再說，世界最早實現資本主義近代化的社會，就是英國為首的西歐國家，所以後進國家的近代化俱多模仿西歐模式，因此近代化也就被理解為西歐化(Westernization)。日本的近代化動態為其典型案例。

然而，傳統體制崩壞之後所指向的近代化社會或者未來社會，基本上是取決於一個國家社會的價值理念，未必一定是西歐化，可以容有多樣的理念形態。例如，近代中國的現代化道路搖擺不定，迂迴曲折一直爭論不休。戰後大陸解體傳統體制改造社會，走社會主義革命道路，這也是一種廣義的現代化動態。從 1980 年代以來，大陸的經濟發展和社會變遷，社會主義市場經濟方式的現代化有一定的落實。羅榮渠教授稱它為「一元多樣的歷史發展史觀」。[3]這裡所謂的「一元」之含意，就是指近代化的普遍共性。依世界各國的實際情況與經驗規律，一言以譬之，幾可概括為政治的民主化，經濟的工業化以及社會的平等化為近代化共同追求的目標。至於民主化、工業化、平等化的具體形態，由於各國地區歷史文化背景的不同，可以有各樣的不同形態和類型。

---

[2] 有關資本主義的概念，本文概略定義為以私有財產制為基礎，資本計算以追求利潤為目的，合理利用科學技術等機制的經濟體制。

[3] 羅榮渠，《現代化新論——世界與中國的現代化進程》，北京：北京大學出版社，1993 年，第 3 頁。

本人對歷史研究不是專業，在此班門弄斧，敢為拋磚引玉，專從經濟工業化 · 產業化觀點，來探討晚清和日據兩個時期的台灣近代化問題。

二、台灣近代化之先驅者——劉銘傳

戰後台灣經濟是繼承戰前殖民地經濟的遺制，加予改編，形成龐大的公有經濟為出發點。經過農地改革以及私有經濟的振興，掀起工業化，促進對外貿易帶動整個經濟的資本主義化發展，是乃一種經濟近代化之表現與成就。再說，戰前日本統治下的台灣殖民地經濟之起點，是建立在晚清洋務運動時期台灣近代化・資本主義化的良好歷史基礎上而開展的，這一點史實，今日我們有必要特別強調。

蓋因近年，台灣近代化論盛行，許多論者偏重著墨於日據殖民地開發對台灣近代化的貢獻，美化殖民近代化。我應該指出，台灣殖民地經濟研究的泰斗矢內原忠雄教授在他的名著《帝国主義下の台湾》一書中，開門見山地，一句道破「台灣的資本主義開發之先驅，即劉銘傳此人也」。[4]可見上開美化殖民近代化的論調大有偏差與偏見，對台灣近代史欠缺正確認識所致，並且自我貶低我們得以自傲的晚清台灣洋務近代化之光輝史蹟。

眾所周知，台灣近代史與中國大陸近代史同步啟開，以鴉片戰爭之轉折為起點。從此歐美資本主義東漸頻仍，洋商出入台灣搜貨經商之史實屢見。1850 年代末，依據第二次鴉片戰爭所締定的天

---

[4] 矢內原忠雄，《帝国主義下の台湾》，收錄於《矢內原忠雄全集》，第 2 卷，東京：岩波書店，1963 年，第 204 頁。以及東嘉生，《台湾経済史研究》，台北：東都書籍株式会社，1944 年，第 95-96 頁。

津條約（1858 年）和繼後的北京條約（1860 年），台灣前後開放安平、淡水、打狗（高雄）、基隆四處口岸。台灣近代化動態的歷史劃分，可謂以此期為起點。從此，洋商全面進出台灣南北部，台灣對外貿易商機增加，刺激糖茶業等商業性農業和農產加工業的發達。1874 年，日本藉口「琅嶠事件」，出兵侵犯台灣，暴露了清廷理台不力之漏洞，顯示列強虎視眈眈台灣的野心與時俱增，引起國內朝野對台灣形勢的重視。時值同（治）光（緒）新政方興未艾，洋務派大員沈葆楨便著手探討聯繫福建開發台灣。1885 年，中法戰爭勃發，法軍侵攻台灣北部，劉銘傳自告奮勇，赴台帶兵領導抗法保台，立功有成。接踵台灣建省，劉銘傳首任台省巡撫，在任 6 年期間，極力推動自強求富的洋務新政改革，建設台灣，使台灣社會經濟制度與結構發生巨大變化，亦即資本主義化，奠定台灣近代化的歷史基礎。

自從 19 世紀天津條約、台灣門戶開放，到 1945 年日本敗仗、結束台灣殖民地統治為止這大約九十年間的台灣近代化進程，依政治經濟觀點，特別從資本主義化角度來看，大致可分為晚清洋務期（1858 至 1895 年）與日據殖民期（1895 至 1945 年）兩大段時期，這一個時期劃分幾乎不容置疑。茲將各期特點略述如下。

三、晚清洋務近代化的特點

所謂洋務近代化，與近代化一般有區別。洋務運動以「中體西用」為指導理念，即在護持封建王朝體制之下，引進西歐艦砲軍器和工礦產業來厚植國力。所以洋務近代化雖然是一種產業經濟的資本主義化，但不涉及政治、社會的近代化，故自有其侷限。晚清台灣洋務近代化的進程，又可劃分成前期（1858 至 1870 年代）與後期（1880 年代至 1895 年）兩段來說明其特點。

1.洋務前期近代化——外商經貿的衝擊

清廷向來對台灣情況和戰略地位認識不足，對治理台灣一直持消極態度。1860 年代掀起的洋務運動一時尚波及不到邊緣社會的台灣。所以洋務前期的台灣近代化主要以外商東漸的衝擊為契機，洋商進出台灣帶動外國貿易和出口農產加工業的發展為特點。此期洋商全面進出南北部台灣，例如，1862 年，英國 Jardine Matheson & Co.和 Dent & Co.兩公司在淡水開設洋行，為洋商進出台灣的先聲，其主要意圖在出口茶葉和樟腦以及進口鴉片。[5]繼後德國 James Milisch & Co.，美國 Fild Hastus & Co.等也陸續前來淡水。南部台灣則有 Tait & Co., Lessler & Co., The South Formaosa Trading Co. 等洋商在高雄（打狗）開設洋行，其主要業務在搜購砂糖輸出海外。[6]這些洋行以英，德，美三國的外商為主，集中在 1860 年代到 1870 年代初來台，一時台灣南北部洋行林立，歐美大商社群星雲集，繁榮景象非常。與此同時，英國為徵收鴉片戰爭賠款，1962 年，總稅司 Robert Heart 進駐淡水海關，稅關歸於英國管轄，基隆稅關則於 1863 年，高雄和安平稅關於 1864 年前後歸於英國統一管轄。這正象徵著歐美資本主義的官與商雙管齊下東漸的大潮流，直衝台灣，逼使台灣產業起動走向近代化。

此一外商進出台灣的動態，當然刺激和鼓勵台灣農業，除稻米之外，特別是茶葉、砂糖、採樟農林業和農產加工業的發展，令台灣內部社會經濟結構發生變化。主要在地主、農民為主體多種形式的糖廍手工業（Manufacture）進一層發達，提高製糖生產力，增

---

[5] James W. Davidson, *The Island of Formosa Past and Present: History, People, Resources, and Commercial Prospects*, Taipei: SMC Publishing Inc / Oxford / New York: Oxford Uneversity Press, 1988, p.402.

[6] 矢內原上開一書，第 222 頁。

加出口，促進糖業的產業化。一方面，傳統的行郊對岸貿易依然，與洋行外國貿易平行發展，形成對外貿易的雙重結構，使台灣對外貿易的質量和層面更加多角化。

2.洋務後期近代化——劉銘傳新政改革

洋務後期近代化的一大特點，為劉銘傳的洋務新政改革，它促進台灣資本主義化，使政治、經濟、軍事、文化教育各方面獲得空前的發展，是乃內在改革為動力的自主近代化。劉銘傳自 1885 年 10 月撫台至 1891 年 6 月離職的六年期間，所開展的新政構想與政策內容，非常宏偉而富有前瞻性。茲依據姚永森《劉銘傳——首任台灣巡撫》一書記載，[7]僅將要點分門別類，概略列舉如下：

(1) 國防建軍：劉銘傳是一位軍事戰略家，在撫台任內，特別意識到未來日法侵台的外患，便著手興築炮台，興辦軍器局和軍械所，添置兵輪，創設官醫局、官藥局和養兵院等來加強海防，整頓軍制。

(2) 行政區劃：為提高治理績效，在原有的基礎上，策劃新行政區劃改革方案，將全台劃分為北、中、南及後山四路，完成全台 3 府 1 州 11 縣 5 廳的行政區劃，奠定了今日台灣地方行政區劃的基礎。

(3) 撫墾事業：關於原住民政策，建立嚴密的撫墾組織，增設撫墾局，慎選撫墾官員，基於「不以異類」一視同仁的理念，重視教化工作，教育農業知識。同時，積極闢路墾荒，開闢自南投到花蓮的橫貫中央山脈道路。

---

[7] 參閱姚永森，《劉銘傳——首任台灣巡撫》，北京：時事出版社，1985，第 5 章，第 130-214 頁。

(4) 清賦改革：這是一項對封建地制的土地改革。台灣耕地經過漢人移民兩百餘年的開墾，地制形成大租戶、小租戶及現耕佃人的三級權利關係。致使土地權責關係混亂，隱田多，租額輕重多失公平而不合理。因此，劉撫著力加予清丈，調查地籍，實施地制改革，即將業主權和納稅義務歸屬於小租戶，而廢止大租戶制。據以增收地租，充實財政，並鼓勵業主用心經營農地，以收地盡其用之效。

(5) 基礎建設：仿照歐洲郵政制度，創設郵政總局，打通上海、福州、廈門郵信網路。敷設從滬尾（淡水）到福州的海底電報線路以及從台北到台南的陸路電報線路。建設從基隆到台北，延伸到新竹的鐵道，全長 100 公里。不依賴清廷中央的資助，為自行集資，特別派員到新加坡招商，調動華僑資金，招募鐵道股票等事業。

(6) 振興近代產業：經營方式分官辦、官商合辦、官督商辦三種不同方式，彈性運用，積極鼓勵興辦新式產業。將樟腦從外商手中收回專賣，增加財政收入。興辦電報、鐵道、招商、通商、煤礦、硫磺、食鹽及伐木等事業。獎勵茶郊設置茶行，管理品質，統一經營，除烏龍茶之外，開發包種茶。在糖業方面，鼓勵糖商從德國購入先進製糖機器，採用新製糖法，促成糖廍擬訂廍規，合理經營。勸募華僑資金，開辦輪船公司，經營台灣海運。

(7) 人才開發：就地樹人，積極開設官辦府縣儒學（學校）13 所，開設私立書院 37 所，聘請外國人教師開辦西學堂、日學堂等。聘用華僑和歐美各國的技術專家來台當顧問和參與建設。

以上的各項政策中，最值得注目的是清賦改革、基礎建設和振興近代產業三方面事業。清賦改革雖然受到南部大租戶地主階層的封建勢力之大力反對而未果，但是其指向資本主義土地單一所有制改革的意義深遠。當日本殖民地統治台灣，後藤新平隨即踏襲劉銘傳清賦改革的設想，藉強大的國家專制權力，實施地制改革，廢除大租戶制，實現土地單一所有制。再說，鐵道建設是一項非常艱難的事業。台灣山高嶺峻、路險石堅、多處開闢隧道的工事，在技術上難關重重。自行調度所需巨額資金，為此派員到南洋集資，招商募股，策劃調動國際資金，劉撫一一自主辦理，克服難題完成台灣鐵道建設事業，是乃中國近代產業經營史上的一大創舉。至於振興近代產業，尤其是獎勵茶業，糖業的近代經營，厚植台灣民間產業的發展潛力，其功不可沒。劉銘傳為台灣資本主義開發的先驅者，上述矢內原教授的論斷，誠是毫無過分。

四、日據殖民近代化的特點

日本帝國主義殖民統治台灣 50 年，雖然投入菁英人材，勵圖經營台灣。但是從台灣近代化觀點來看，其一大特點是主從有別，是日主台從的差別開發，亦即非工唯農的產業化、跛行的近代化，是從屬的近代化。在這一段期間，前段與後段有別，分成前期（1895 至 1910 年代）與後期（1920 年代至 1945 年）兩段來看為便。

1.殖民前期近代化——壓制台商護航日資獨占台糖

日本治台頭十年的首要任務是為日本資本主義進出台灣奠定基礎，而有平定抗日勢力，改制接軌日日本體制以及平衡財政收支三方面的重點政策。首先，日軍進駐台灣，受到官民上下一致的強烈抵抗，經過半年之久的一場台日戰爭才把台人的反抗初步平定。之後，各地抗日勢力與日本軍警衝突事件不斷，最後用後藤新平的招降、「臨機處分」（騙殺）政策才勉強平息反抗（1902 年）。[8]因此，日本資本的進出台灣，推遲至 1900 年之後。

其次，即改編台灣既有體制與日本資本主義制度接軌的有關政策，大約可分四項措施。第一是確立關稅主權：即從英國手中收回海關的關稅權，進而將日本關稅法規適用於台灣（1896 年）；第二是土地調查和土地制度的改革（1899 至 1904 年），廢除大租戶所有制：內涵與劉銘傳的清丈、清賦事業並無兩樣，已如上述；第三是統一貨幣、金融制度：將在台流通的多種貨幣統一於日幣，開設台灣銀行（1899 年），辦理融資貸款，準備發行台灣銀行券（1904 年）在台通用；第四是整頓財政和專賣：將鴉片、樟腦、食鹽、煙草統歸專賣，與土地改革的效果，雙管齊下，使財政收入猛增，達成總督府財政收支平衡（1905 年）。[9]在改制接軌政策的這一段期間，對外貿易和輪船航運的商權，逐步轉移到日本商社手裡，從台灣徹底驅逐外商之支配權。一方面，台灣郊行的傳統對岸貿易關係逐步疏遠，使台灣茶業以及本地產業的地位，與時俱退。

經過 10 年的奠基政策之後，總督府開始積極引進日本資本來台投資糖業。但是本地糖商備有新式製糖設備和海外市場以及原料來源，實力十分雄厚，日資參與糖業市場的障礙不低。[10]日本糖業

---

[8] 鶴見佑輔，《後藤新平伝》，第 2 卷，東京：勁草書房，1965 年，第 149 頁。後藤自稱在招降政策之下，加予臨機處分（槍殺）的人數共有 8405 名。拙文〈日本の台湾領有と民衆虐殺——日本の対中侵略戦争における民衆抗日，三光作戦および民衆虐殺の原点〉，王新智等共編著《「つくる會」の歴史教科書を斬る——在日中国人学者の視点から》，東京：日本僑報社，2001 年，第 40-47 頁。

[9] 矢內原上開一書，第 272-277 頁。

[10] 黄紹恒，〈近代日本制糖業の成立と日本の台湾統治政策との関係に関する研究〉，《小林節太郎記念基金 1992 年度研究助成論文》，東京：富士ゼロックス，1994 年，第 30-33 頁。

資本雖引進大型機械製糖，大部分（80%）甘蔗原料來源掌握在本地地主、小農手中，台灣農地價格昂貴，日資尚無資力確保十足農地自行經營大型農場，所以日資未必具有優勢。於是總督府便採取種種強制性差別政策壓制本地糖商，護航日資參與糖業市場。例如，採取糖廠開設地點的限制，原料供給區域分配製等政策來護航日資糖業。即使這樣，本地糖商的改良糖廍仍然累年增加。總督府見勢不利，最後發布府令 16 號（1912 年），禁止台灣人資本獨自組織公司（「會社」），務必與日本人合資才能成立「會社」組織。[11] 據此，日資糖業資本才能壓制本地糖商而獲得獨占地位。其結果，本地地主和農民，被逼退一步侷限於經營甘蔗農業和在來稻米農業。台灣經濟非工唯農，差別產業開發，從此陷於殖民地型單項經濟（Monoculture economy）結構。

在這一段期間，應該指出，總督府為便於提高統治經營績效，實施臨時台灣舊慣調查（1901-1911 年）和第一次戶籍調查（1905 年）。並有幾項基礎建設，例如，完成從台灣到高雄的南北縱貫鐵路建設（1907 年）。又如為伐採高山森林資源，開築阿里山登山鐵路（1911 年）。總之，殖民前期，除日資糖業的前來台灣，發展近代糖業之外，台灣本地產業動態乏善可陳。

2.殖民後期近代化——改良稻作與日資工業化

1910 年代後半，以第一世界大戰為契機，日本資本主義進一層工業化，日本農村勞動力大量移到城市，農業糧食生產發生供給不足，因此甚至發生「米騷動」（1918 年）。日本有必要調動台灣殖民地農業生產糧食，供給本國市場。於是 1920 年代，台灣殖民

---

[11] 渉共著《台湾の経済——典型 NIES の光と影》，東京：東京大学出版会，1992 年，第 16 頁。

地經營的主要任務轉移到糧食增產。總督府當局從事稻米的品種改良，開發新品種蓬萊米（1922 年），它具有適合日本消費市場，又能增加生產的優點。為要配合推廣蓬萊米，就有必要充實水利灌溉，增投肥料，達到增產目的。因是，當局著手中南部平原嘉南大圳的建設，花十年時間完成（1920-1930 年）。蓬萊米稻作的上台，令日本的台灣殖民地經營改觀。即從糖業單項農業的發展轉移到糖米二大商品作物的競爭性發展結構。從中地主農民階層也得到一定的好處。

原來台灣傳統稻作農業的農法相當高度，以各地豪族地主為中心的陂圳水利設施非常發達。[12]上開 1920 年代的總督府嘉南大圳的水利灌溉建設，在農業政策上，意味著「以水治農」戰略，來克服日本資本的糖米相剋矛盾，同時，在糖米農業經營上，強化當局對本地地主・農民的支配手段。[13]

1930 年代初，九一八事變發生，日本帝國主義對外膨脹政策的趨勢有增無減，一味走向軍國主義化。接著 1937 年中日戰爭勃發，東亞形勢風雲告急，台灣殖民地經營的任務又再轉折提升，成為日帝侵略華南、南洋地區的「南進」基地。日本軍部全面促成本國財閥資本，在台灣推動軍需工業化。以糖米為中心的台灣經濟，快速地轉移到軍需工業化的新局面，在短期內添置了鋁、金、造紙、化肥、酒精等新興工業（1935 年），不久再追加投資鋼鐵、機械、造船、石化、油脂等重型工業（1937 年）。[14]對這些新興工業的投資，都由日資一手包辦，台資的參與極少。同時，台灣整個經濟也

---

[12] 請參閱連橫，《台灣通史》，下冊，台北：中華書店，1962 年，台灣各屬陂圳表，第 671-686 頁。

[13] 凃照彥，《日本帝国主義下の台湾》，東京：東京大学出版会，1975 年，第 114-115 頁。

[14] 高橋亀吉，《現代台湾経済論》，東京：千倉書房，1937 年，第 443 頁。

進入戰時統制經濟，包括糖米在內的所有農工產品、勞動力市場都在嚴格的戰時統制之下。當然，在這期間，工業勞動力的僱用有所增加。但是以地主、農民為中心的農業經營受到限制，物質欠乏，大眾生活日益困苦，社會經濟失去正常發展。

軍需工業化的時間很短暫，1945 年，隨著日本的敗仗而告中斷。所以這些新工業一部分未完成，大部分受到盟軍轟炸而損壞。不可否認，戰後修復後還有利用價值。然而，軍國主義下的軍需工業化，算不算是資本主義化、近代化？在形式上，乃是一種「資本主義化」，但是本質上是日本帝國主義外延化，是外在的近代化。台灣本地資本根本沒有承擔這個軍需工業化的主體，而被差別在圈外。這裡有一個數據可作參考，即台灣的「株式會社」實收資本總額中，台籍資本僅占全部的 8.2%（1941 年）。[15]從近代化觀點來看，這一段殖民工業化沒有根本改變台灣非工唯農的單項經濟結構，如果加上同一時期皇民化運動對台灣人精神上的負面傷害，則其毒害實不可計量。

五、洋務近代化與殖民近代化的評比

台灣為彈丸之島，曾被稱為瘴癘之地，為何英國在《天津條約》和《北京條約》中執意要求開放台灣四處岸口？其原因除台灣為地政戰略上的要衝之外，實則台灣是一個土地肥沃、農產豐多、一年三熟的寶島，是通商經貿的良好地區。不管清廷理台消極不力，而人民百姓卻勤勞進取，糖米農業發達，社會經濟具有極大的發展潛

---

15 依據下列資料算出：大藏省管理局，《日本人の海外活動に関する歴史的調查》，通卷第 15 冊，台湾篇，第 4 分冊，第 5 部《台湾の経済（其の二）》，東京：ゆまに書房，第 90 頁。

力，外商東漸不久的 1860-70 年代之經貿動態，就可見其內發動力之一端。到劉銘傳撫台新政，在既有發展潛力的基礎上，開展了劉撫的革新理念和洋務政策，從事台灣近代化建設，獲得了空前的發展，是乃自明之理。

總觀以上所述洋務近代化與殖民近代化的特點，特別站在台灣主體立場來看，兩者的評比已經很清楚。即洋務近代化是由外而內，基本是自主近代化，是農工全面的產業化，經濟整體的近代化。相比之下，殖民近代化是外在的、從屬的近代化，是非工唯農的產業化，是差別、跛行的近代化。日本軍國主義下的軍需工業化在台灣近代化進程上是非常的、一時的，好比曇花一現而消失，又如盆栽扎根不落地，基本上沒有改變台灣社會經濟的低度開發狀態，令台灣戰後從頭開始工業化和近代化建設。

本文特別要強調，在一百多年來的台灣近代化進程中，晚清洋務近代化，尤其是劉銘傳新政改革是台灣近代化的原點和典範。劉銘傳不僅是台灣近代化的先驅者，而是台灣近代化典範的創始者。我們應該珍重劉銘傳洋務近代化的光輝史蹟，來超克台灣近代化被扭曲的歷史認識，才不迷失台灣近代化建設未來的正確方向。

李登輝先生的價值觀與政績之功過

本文寫作日期註記為 2003 年 10 月 25 日。中文版曾以〈論李登輝——李登輝的價值觀與政績之功過〉為題，登載於許介鱗編《評比兩岸最高領導》。台北：台灣日本綜合研究所，2004。本文日文版另以〈李登輝——価値観と政治的功罪〉為題，登載於許介鱗、村田忠禧合編的《現代中国治国論：蒋介石から胡錦涛まで》。東京：勉誠出版，2004 年 07 月。本文選據劉進慶原始打印稿收入此文，文字與《評比兩岸最高領導》所收版本略有出入。

一、前言

李登輝先生（以下稱李氏）人到中年（47 歲），才由王作榮先生推薦加入國民黨[1]，得到蔣經國的提拔而入閣擔任行政院政務委員，之後就任台北市長，再接台灣省主席，副總統等要職。1988 年蔣經國急逝，李氏依法接任總統要職，無意中繼承蔣父子威權體制後的政權，登上台灣最高領導的寶座[2]，到 2000 年為止當權長達

---

[1] 請參照王作榮，《與登輝老友話家常》，台北：天下文化出版，2003 年，第 34-36 頁。

[2] 李氏自己說，「經國先生提拔我為副總統，我想他並不是要我擔任接班人」，又說「我不是政治家，更從未想過會出任總統」，這句話表示李氏無意中當上總統寶座。請參照李登輝《台灣之主張》，台北：遠流出版事業股分有限公司，1999 年，第 62 頁和 288 頁。以下，略稱該著為《台灣之主張》。

十二年之久。在這期間，其政績之功過，人品之長短，依人依立場觀點而異，從「民主之父」到「歷史罪人」，從「教主」到「騙師」之間幅度大而兩極化，極富於爭議性。筆者長住海外，對李氏的為人與執政之感性認識不多，容此專憑有關李氏著作文獻的解說，分成以下各節來作一番評比。

首先應該指出，通覽李氏本人著作，可發現李氏的言行和為人以及作事，對日本情結特別重，而重得並非尋常。考其原因，顯然來自李氏身世家境和教育背景的特殊性。因此，從這一個側面作為分析的切入點，來理解李氏言行特性，該是比較穩妥。

二、身世——「三腳仔」家庭

李氏係台灣省淡水三芝鄉人，生於 1923 年，是日本殖民地統治下一位台籍刑警（警察補）家庭的老二。先說日據時期，殖民地台灣的警察對台灣人（當時叫「本島人」）的權限特別大，警察掌握百姓的生死與奪之大權於一身。所以當時的本島人把日本警察叫作「大人」，一般本島人對「大人」都非常害怕。比如說，孩子哭不休，父母要孩子不哭，即大聲叫「大人來了！」，這句話好比「老虎來了」的可怕，孩子就害怕不敢再哭，可見當時在台灣的日本警察之「押霸」程度。再說，本島人去當日本警察的極少，其職業地位低而特殊。因為他們的工作是特工，是替日本殖民地統治當局監視本島人的思想言行，所以本島人的警察被一般百姓視為日本統治者的走狗，把它叫作「三腳仔」。「三腳仔」的意思是說本島人是人，人有兩腳，日本人是狗，狗有四腳，本島人作日本人的走狗，這種人既不是兩腳，也不是四腳，而是「三腳仔」。這句話是對本島人作日本走狗的人之侮蔑用詞。所以說，「三腳仔」家庭未必是值以自傲的精英家庭或者社會的上流階層。李氏的家庭就是這個「三腳仔」家庭。

李家又是小地主，在鄉下家境算是富有，但是「家裡從事豬肉買賣」，[3]看來算不上是上流家庭。「三腳仔」家族一般在家裡說日語，所謂的「國語家庭」，具有濃厚的皇民意識。日據統治末期的1940 年 2 月，台灣總督府開始實施台灣人的「改姓名」政策，李家這一年率先改名為日本姓名，李登輝先生改名為岩里政男，他從小到老一直使用日語的「多桑」（とうさん=Papa），來稱呼他父親，[4]從他家庭環境來看，是很自然的。再說，「三腳仔」家庭的子女之教育機會有受到特別照顧，享有與日本人同等待遇。李氏念小學，進中學，再上進最難關的舊制高等學校，在這過程中是否有受到特別照顧，不得而知。[5]這裡再次強調，「三腳仔」家庭子女的皇民意識和日本情節比較重而台灣人意識則相對薄弱。李氏往後的強烈日本情結和精神面貌，很大來自上述他特殊的出身家庭以及教育背景之影響，是顯而易見的。以下來探討李氏的教育背景和學問。

---

[3] 《台灣之主張》，第 38 頁。

[4] 《台灣之主張》，第 37 頁和附錄二年表，第 317 頁。關於日據期台灣人「改姓名」政策，依據 1940 年 2 月 11 日的台灣總督府「府令 19 號」開始實施，採取許可制，審查的主要許可方針是具有「國語常用家庭」和「皇國民之素質和涵養」兩點為條件。實施第一年的 1940 年申請件數為 1356 件，大約總戶數的 0.1%，到 1943 年 11 月，也僅占 1.69%。請參照近藤正己，《総力戦と台湾——日本植民地崩壊の研究》，東京：刀水書房，1996 年，第 173-174、177、179 頁。

[5] 在「兩岸最高領導評比大賽」國際研討會當天（2003 年 10 月 25 日），大會結束後，有位頭髮半白的老紳士前來向本人致意，並說有位李登輝先生的同窗曾告訴他，「李先生少年時代身材高大，學習『劍道』特別優秀，因此受推薦進高校（中學？）」一段話，表示贊同本人看法。

三、學識與學問——博覽雜學、農經博士、不求甚解

李登輝先生從政以前，是一位專業人員，也是學者。1949 年台灣大學畢業後，留校任教，1952 年獲中美基金獎學金，赴美留學。一年後返台在農林廳任職，1957 年轉進農復會工作。1965 年，再次獲獎學金赴美康乃爾大學留學，三年後獲農經博士返台，繼續回農復會從事研究工作。在這一段期間，李氏一直兼任台大教職，自負為學者，所以這裡有必要瞭解一番李氏的學識和學問根柢。[6]

李氏生來個性強，從小熱心看書，力爭上游的抱負十分堅強。但是從李登輝先生年表來看，李氏從小學進中學的一段過程未必如意順利。[7]不過，從淡水中學考進舊制高等學校，相當不容易，是李氏求學道路上的一項壯舉。在高校時代閱讀很多有關哲學、思想、宗教、文學等人文教養書籍，厚植他後日的學問基礎，這該是李氏值得自傲的。其實，當時舊制高校以充實基礎教養學力為教育目標，學生都是一流的精英學子，一般地說，學生在校期間不管文理科系之分，都廣讀文史有關經典教養書籍。所以李氏的博覽經典，作為一個當時的高校生來看，並不足為奇。

李登輝先生就讀台北高等學校後，赴日本京都大學深造，戰後返台再讀於台灣大學，專攻農業經濟學，這三所學校都是最高學府。本來學問的專業沒有上下貴賤之分，都有它存在的意義和價值。不過，李氏很在意他為何選讀農業經濟學的理由。首先，李氏

---

[6] 這一段經歷，請參照《台灣之主張》附錄，第 319-322 頁。

[7] 李氏畢業淡水公學校後，繼續進入高等科就讀兩年，才考進台北國民中學，一年後又轉學到淡水中學二年級。從小學進中學推遲兩年，考進私立中學後，又再轉學到別的私立中學，一般看來，這一段升學過程並不算順利如意。參照《台灣之主張》，第 317 頁。

說「其一是，孩提時期，看到佃農們為了能繼續承租農田，年中及年底都會到家裡來送禮。他們一意討好，甚至苦苦哀求的情況，每令我感到疑惑與不平——此外，高等學校的歷史老師塩見薰先生，以馬克思主義的歷史觀，來談中國的歷史，也使我深受影響」。[8]此一背景，相當動聽而有說服力。不過，李氏在他別的著作裡，又說出不同的理由，即強調受到他非常崇拜的日本近代化思潮之先驅新渡戶稻造的影響。李氏說新渡戶啟蒙他思路的偉大先覺，當遇到進大學要選擇何種科系的問題時，毫不猶豫地決定攻讀新渡戶所研究而開創的「農業經濟學」，同時，挑選新渡戶教過的京都大學農學部農林經濟學科。[9]這些理由都是在高等學校求學時為背景，而兩種理由的內容過於離譜。除此之外，李氏又說「在京都大學念書的時候，原是主修『工商經營』，後來才轉修『小農經營』」。[10]學經營與讀農經專業的內容敘述翻來復去，莫衷一是。雖然李氏攻讀農業經濟的這些理由，未必很重要，但是前後很不一致的說項，令人對他的求學治學之心路歷程，難予作一貫性的理解。

在此寧可要問，包括李氏上大學念書的過程在內，他提到的諸多經典書目之中，看不到最重要的兩本名著，即矢內原忠雄《帝國主義下の台灣》（岩波書店，1929 年）和川野重任《台灣米穀經濟論》（有斐閣，1941 年）兩本書。這兩本書都是研究台灣殖民地經濟不可或欠的經典之作，非常有名，作為志向研究台灣戰前社會經濟的學徒，不能避開也不該不知道的兩本代表性文獻。

先說矢內原一書。這一本經典，是日據期台灣人精英，尤其是

---

[8] 《台灣之主張》，第 44 頁。
[9] 請參照李登輝，《「武士道」解題：ノーブレス·オブリージュとは》，東京：小学館，2003 年，第 68，72，82 頁。以下簡稱《「武士道」解題》。
[10] 《台灣之主張》，第 117 頁。

進步派知識分子必讀的研究台灣殖民地經濟之經典。它客觀而科學地分析日本帝國主義統治之下的台灣糖業以及社會經濟，包括其正面機制和黑暗的殖民地政策之負面，不保留地加予批判，其中也包含對專制苛薄的警察制度之指責，同時，對台灣本島人的階級運動各民族運動加予理解和同情。東京大學的矢內原忠雄教授由於其言論反對當時軍國主義、反天皇制而得罪當局，遂於 1937 年被革職離校。因此，矢內原一書，被禁止移入台灣。不過，正因為如此，暗中被帶進台灣，廣為有識之士精心閱讀，為當時台灣開明知識分子必讀的名著，成為他們批日反殖，主張台灣自治運動的論據經典和精神鼓勵的「聖經」。

再說川野一書。這一本經典，是矢內原一書之後的著作，在補充矢內原一書欠落的稻米農業之考察，並把稻米與砂糖農業的相剋關係加予分析，進而論及嘉南大圳的水利灌溉政策，把對規定為殖民地農業政策之一個關節。論述精闢，有獨到一面之處，為研究台灣戰前農業經濟必讀之代表性經典。李氏在京都大學專攻農業經濟，不提此書，或者不讀這本書，令人難予理解。

李氏非常崇拜日本近代化思潮的先驅新渡戶稻造，而矢內原是新渡戶的學生，又翻讀過新渡戶的《武士道》（1938 年）一書，[11]李氏最低限度不應該不知道這一位忠於真理，兼備崇高道德力量的人道主義者矢內原忠雄教授之名著的存在。李氏在求學歷程上的閱讀書目中，欠缺了矢內原一書，更是百思匪解。這不僅是美中不足，而令人不得不解釋為李氏的思想和立場，是肯定日本對台灣的殖民地統治，而對矢內原一書有意排除。此一看法果然沒錯，李氏日後自白說，戰前「日本與台灣的關係，不能用『殖民地主義』一辭來

---

[11] 新渡戸稲造著，矢內原忠雄訳，《武士道》，東京：岩波書店，1938 年。

概括」。[12]這一段話與李氏致力美化日本殖民地統治台灣的反動言行符合。由是可知，李氏作為學者，在追求真理的治學道上觀點自始有自我約束和偏頗，其學問系譜，究根到底形左而實右，雖學識豐富，但難免有博覽而雜學不成體統之感。

話說回來，這裡應該說李氏經過長期的農業經濟研究獲得高度的成就，它主要在就職於農林廳和農復會時期的調查研究之積累以及到康乃爾大學攻說博士之成果，而終於獲得該大學博士學位（1968年），論文題目為〈農工間資本移動問題——台灣個案研究（1895-1960）〉。這一篇論文於1969年榮獲美國農業經濟學會「年度最佳論文」獎。[13]筆者早年曾經翻讀過該著作，僅憑所留下的印象來說，要旨分成戰前與戰後兩大段，戰前日據期描述台灣殖民地農業的經營與生產之發展情況，戰後期論述「以農養工」政策與農工發展機制，是套用穩妥的理論架構和運用膨大的統計資料來論述之一篇大規模論文，實值以贊許評價。但是如上所說，李氏的觀點對殖民地經濟特性和戰後的剝削農民政策之負面經濟機制，少有批判性分析，是該著作一個侷限。李氏學優而仕之，接踵登上當權龍門，得意洋洋。

不過，儘管李氏在學術上獲得農經博士，但是他的見識處處披露粗魯不密，學識不求甚解的弱點。限於經濟方面的學識，依筆者的親身體驗有三。第一，錯用國際貿易上的垂直分業與水平分業用詞。1988年2月22日，李登輝總統在就職後第一次中外記者會上，說明台日貿易不均衡問題時，說以往的台日貿易是「水平分工」關

12 李登輝，中嶋嶺雄，《アジアの知略——日本は歴史と未来に自信を持て》，2003年，第140頁。以下簡稱《アジアの知略》。

13 《台灣之主張》附錄年表，第322頁。

係，今後應向「垂直分工」關係發展云云。[14]說錯了，應該是倒反才對。第二，對中國大陸的經濟動態有偏見而無意去正面瞭解。1985年，筆者有一次與李氏見面的機會時，對我有關中國大陸經濟動態之提問，李氏回答說，世界銀行高度評價中國大陸的經濟成長，是世界銀行不願意貸款給大陸才故意作偏高的評價云云。[15]說得很不合理，令人感覺不像一位經濟學者的說辭，不願客觀認識大陸經濟動態，甚至看不起大陸，有不「知己知彼」之患。第三，對《資本論》一知半解。李氏在著作中說，「大學時期，我遍讀馬克思及恩格斯的著作，對馬克思的主要著作《資本論》也曾深加鑽研，反覆讀過好幾遍」。[16]但是看他談論《資本論》的理解，[17]很遺憾，筆者敢說是一知半解，讀而不解，等於沒有讀過，連對他作學問的誠實度都感到懷疑。[18]

---

[14] 《中央日報》(國際版) 1988年2月23日。〔編者按：李登輝說，「關於將來如何加強與日本的貿易關係，以及經濟關係，應該從大的環境下進行。所以本人認為，中華民國在台灣與日本經濟關係調整的方面，不是像過去日本來買賣、投資即可；或是是水平(Horizan)的分工合作，應該改為垂直(Vertical)的分工方法，來達成兩國的利益。將來的投資，不僅是兩個國家的貿易及投資方法。以台灣現在的技術條件，特別的條件，以及工資的條件，很多日本現在無法生產的零件，都必須在台灣發展。所以Vertical(垂直)的分工方法，在生產的過程中，大家分擔一部份，透過這種作法，我想中華民國和日本之間，經濟方面可能要調整的地方很多。中日兩國經濟合作」參見：〈李總統記者會有關政治經濟問題問答全文〉，《經濟日報》，1988年2月23日，第2版。並可參見李登輝此言所引發的質疑，比方：王麗美，〈對日貿易，垂直分工？一句話引起一個話題。李總統登輝昨天在記者會上談及如何開 發日本市場時表示，中日兩國經濟關係的調整，應由以前的水平分工，改為垂直分工，來達成兩國的利益。此話怎講？〉，《聯合晚報》，1988年2月23日，第2版。〕

[15] 1995年4月，回台出席「馬關條約100周年國際學術研討會」，於4月17日與會人在總統府與李氏會見座談。

[16] 《台灣之主張》，第45頁。

[17] 同上

[18] 馬克思《資本論》一書論稿份量非常膨大。舉例說，1928年柏林出版的德文版《資本論》大約有74萬餘語。翻成日文，新日本出版社1997年版，大

李氏不求甚解的學識和學問態度，以及治學不嚴密的弱點，從李氏的主要著作中論述之前後矛盾，語無倫次，也可以看出其一般，例證如山，不勝一一枚舉。此一欠點顯然深受他傲氣凌人的性格和媚日醜華的潛入價值觀所影響。

四、精神面貌——媚日醜華的價值觀

李登輝先生作為本省人，是最痛恨外省人、國民黨的一代人。台灣光復時剛成人的本省人知識分子，在語言和意識形態方面，受到時代的變化而最吃虧和吃苦的一代，同時又經驗二二八事件，白色恐怖之痛，所以一般都對外省人、國民黨有不滿或者沒有好感。其中，李登輝先生由於個人特殊的家庭和教育背景，該是最痛恨外省人、國民黨的一個人。這一個精神上的價值觀，儘管李氏在人生航路上後來受到不少外省人的照顧，受到國民黨的良好培養提拔，而表面善變多端，但這一點是一貫而始終沒變。李氏的強烈先入價值觀的特性就是媚日醜華。如果李氏是一位一般的老百姓，則屬於個人的自由無所謂，問題在於他作為台灣的最高領導人，內心依然持有而固執這個價值觀來執政，處處反映在政治績效上，則此事體大，緊繫於台灣全體和每個人民的悲喜哀樂和安危禍福，不能不加予進一步瞭解。

首先談到李氏的日本情結和媚日心態。台灣本省一般人由於歷史地理的因緣，多少都有親日的感情。親日感情或者知日見識都沒有關係，問題在於過分遷就，甚至是偏見。李氏的知日、親日情結已如上所述，很不尋常，已經超過程度，過於委屈自己討好對方的

約有 286 萬餘字。再說，《資本論》論稿，特別是第 1-4 卷的內容嚴謹深奧，不易讀而難解。

地步，是媚日求榮、媚日求利，甚至媚日求哀的卑劣心態，完全是一面「三腳仔」＝走狗精神的典型面貌。以下從李氏的主要近著中言論來舉例實證。

第一，李氏對日本人最喜歡說自己本來就是日本人。舉例說「我22 歲以前是日本人，名字叫岩里政男，對我影響最大的是日本時代的教育」，[19]又說「我到 22 歲，是生來的日本人」，[20]談得很得意。其口氣好似作「日本人」為榮。李氏在其著作《台灣之主張》中有一段，說「大陸早期移民後裔的我」，[21]但在日文版《台湾の主張》中同一個地方，就改口說「祖先好像從大陸來的」，[22]即對日本人不願明確地說自己是中國人。這種心態令人感覺李氏精神深層裡，有個生來就愛作日本人，以作日本人為榮的價值意識。因為對他來說，作台灣人是悲哀，有悲情。[23]他強調「愛台灣」，「愛作台灣人」是後來享受當權榮華以後的事，並不是生來就有的，也不是本意。

第二，李氏事關台灣與日本的關係，就特別崇拜日本，獻媚日本，而自卑台灣。李氏《台灣之主張》一書有中文與日文的兩種版本。這兩種版本內容基本上一樣，不過，事關台灣與日本的事情，就有兩樣的，雙重標準的表達，即特別尊上日本，獻媚日本。這裡從該兩種版本著作中舉出三例來傍證。其一，李氏在中文版一書中說，「日本曾經是台灣的啟蒙者」（100 頁），但在日文版中則說，「日本曾經是台灣重要的老師」（78 頁）。其二，「在台灣的經濟發展歷

---

[19] 李登輝、小林よしのり，《李登輝学校の教え》，東京：小学館，2001 年，65 頁。以下簡稱《李登輝学校の教え》

[20] 《「武士道」解題》，第 14 頁。

[21] 《台灣之主張》，第 35 頁。

[22] 李登輝，《台湾の主張》，東京：PHP 研究所，1999 年，第 17 頁。以下簡稱《台湾の主張》。

[23] 司馬遼太郎，《街道をゆく（四十）：台湾紀行》，東京：朝日新聞社，1994 年，第 488 頁。

程中，日本曾扮演著非常重要的角色」（中文版，116 頁）一句話。在日文版中則說，「——日本曾經是台灣偉大的老師」（82 頁）。其三，「自己受到日本的影響很多」（中文版，190 頁）一句話，在日文版中則說，「受到日本很多的恩惠」（138 頁）。從中可看出李氏心理深層的媚日心態。其他還很多，不便一一列舉。

第三，李氏的媚日求榮、媚日反華言論，同樣可在他上述兩種版本著作中看出。其一，在中文版一書中說，「台灣的存在不只是台灣本身的問題而已，而且也對中國大陸、亞洲及全世界的發展，具有重要意義」（246 頁）。但在日文版中則改說，「支配台灣者，即可支配中國，這句話在種種意義上是正確的」（192 頁），日文版這句話，是帶有利誘日本、引狼入室的口氣。其二，有關台灣史的論述，李氏說「1895 年，台灣被割讓給日本，開始日本統治的時期；1945 年，第二次世界大戰結束後，台灣回歸中國；1949 年，國民黨政府播遷來台」（中文版，265 頁），這一段話在日文版中則變成說，「1895 年，迎接日本統治時代，1949 年國民黨從中國大陸來台灣」（197 頁），日本版把「台灣被割讓給日本」和「第二次世界大戰結束後，台灣回歸中國」兩段台灣近代政治史上關鍵性史實削除，此事體大。因為李氏出書當時尚具有中華民國總統的身分，這不僅表達他的反華媚日意識，而且顯然觸犯國法，嚴重違反憲法。其實是有意的，李氏在別的著作中表明，不認為日本統治台灣是殖民地主義，也不認為開羅宣言、波茨坦宣言以及台灣光復國民黨政府接收台灣的合法性，認為戰後國民黨政府來台軍事占領台灣。[24]這些文章實質上是公然的賣國言論，出賣「中華民國」的行為，事體非常嚴重。類似這樣的問題，在該著作中比比皆是，不勝枚舉。

---

[24] 《アジアの知略》，第 42 頁。

再說，李氏的醜華意識，這與他媚日意識是一體的兩面、表裡的關係。其原因如上述，來自家庭環境，青少年時期的皇民。侵華意識教育，加上戰後二二八事件，白色恐怖的痛苦經驗以及國民黨獨裁專制下的壓迫所致，而這個反華意識根深柢固，終生不變。在此從其著作中，列舉一二事例作證。

其一，李氏的近代中國觀，一直堅信年輕時說過的一本書，則魏復古（Karl August Wittfogel）《東方專制主義》一書中的「亞細亞停滯論」，它的要旨是從歷史唯物史觀論述中國數千年來以治水事業為中心的官專制體制下之自己完整的停滯秩序之根本法則。李氏在《台灣之主張》中說，「共產革命的結果，並未脫離中國的傳統，也沒有擺脫「亞洲之停滯」的困境，反而促使霸權主義抬頭，帝制主義再度興起」（64 頁）。這句話不僅表示李氏的反華信念，同時暴露他對現代中國革命的蒙昧無知。

其二，李氏極力美化日本「武士道」的同時，處處借題發揮醜華言論。比如說，在他的《武士道》一書中，即說「我之所以不看重大陸中國人的理由，是同樣閱讀『孔子之書』，他們少有像受武士道薰陶的日本人這樣的想法，即『實踐躬行』的精神。正是『讀論語而不論語』，只靠一張嘴巴，公然說謊。中國文化為何這樣腐敗，理由很明確，就是言行不一致——總而言之『中華人民共和國』本身就是一種擬制，根本就是假的」。[25]

其三，李氏在《李登輝学校の教え》一書中，公然使用「支那」一句侮辱用詞，來批判中華思想，而說「這是支那大陸在歷史上連綿地被繼承下來的好比遺傳因子般的思想，中國還不是國民國家，只是號稱中國共產黨的皇帝支配著人民的中華世界這種觀念的社

---

[25] 《武士道》，第 54-56 頁。

會。這一點尚未被日本人或者西洋人所理解」。[26]

李登輝先生的媚日醜華言論，大多透過日文書籍發表，而內容幾成為日本極右言論的代言人。以下舉例作證，其一，已如上述，李氏不承認台灣光復，國民黨政府接收台灣的合法性，並且強調舊金山和約日本只把台灣領土權放棄，而沒有表明歸返給中國。[27]其二，在《武士道》一書中說，「昭和天皇也是體現武士道最好的存在，不然的話，就不可能立刻讓麥帥〔麥克阿瑟〕心服的。現在的日本很需要像這樣的人」。[28]這句話是討好右翼、向右求愛，對日本右派勢力拍最大的馬屁。其三，關於日本的靖國神社，李氏在書中引用蔡焜燦《台湾人と日本精神——日本人よ胸をはりなさい》一書的一段話，說「這裡想介紹靖國神社的神門其實是用台灣的阿里山檜木作的，這也幫助了結合台灣人與日本人的靈魂。現在，一到櫻花季節，有很多台灣人訪問靖國神社，參拜兩國的英靈」。[29]「三腳仔」第二代的李氏之精神面貌竟青出於藍，以台灣最高領導之尊而自卑媚日求榮，發揮走狗真相面目無遺，進而徹底出賣先代和當代台灣人的靈魂和人格。

總而言之，李登輝先生的媚日自卑，是奴性劣位的心態，向舊奴主日本出賣台灣人、中國人的自尊和心靈。李氏媚日的反面就是醜華，它的涵意是蔑視中華民族，醜視中華歷史文化，進而醜視中華人民共和國，仇視外來政權的中華民國，最後醜視海內外所有中國人，連他自己也不喜歡作中國人。「三腳仔」走狗以為唯我獨尊，實則欺人自欺。這樣一個精神面貌的李登輝先生，當權台灣最高領

---

[26] 《李登輝学校の教え》，第 27 頁。
[27] 《アジアの知略》，第 43 頁。
[28] 《武士道》，第 163 頁。
[29] 同上，第 131 頁。

導十二年，影響台灣政治生態至深，緊緊攸關台灣前途和人民來日禍福安危。其政治績效功過參半，極富於爭議性。

五、治國理念與政績——外來政權的民主化、本土化與兩國論

李登輝先生治國十二年，大致有兩大政績，就是民主化與兩國論。這裡的民主化涵意，有兩方面，一個是對外來政權國民黨威權體制的民主改革，再一個是政治本土化為內涵的民主化，這兩方面結合起來的民主化，就是意味著以本土政權替代外來政權的民主改革。這一個過程的民主改革，李氏主要利用權謀（Machiavelism）和利誘手段來推動和完成。至於兩國論，則事關兩岸關係上的領土主權問題，在現行憲法體制內無法推動，李氏便動員民粹（Populism）和善變手段來進行國家定位的脫胎換骨，尚未達成目的。以下從李氏的治國理念以及民主改革和兩國論三方面來論述。

1.治國理念——天下為公

作為一個國家領導，萬不能沒有治國理念。李氏年到 47 歲，無意中從政，也沒有想到自己會當總統。所以李氏沒有準備自己一套的治國理念，而是借用先人思想來充當，這也是可以理解的。李氏自以為他的治國理念有二，首先是德國一代文豪歌德在其名著《浮士德》中的思想精髓「愛」，即「神的大愛」。[30]其次是孫中山先生的「天下為公」思想。[31]其中，前者所謂的「愛」，是屬於基督教信仰的「愛」，是西歐基督教文化為基礎的思想理念。問題是

---

[30] 《台灣之主張》，第 52 頁。
[31] 《台灣之主張》，第 55-56 頁。

宗教信仰的「愛」，有異（教徒）己之分，把這種「愛」作成台灣或者中國的治國理念，尚有一段距離，作為政治理念，它沒有概念。至於孫中山先生的「天下為公」思想，眾所周知，是基於中華文明的政治理想「大同世界」為實踐指針，此一理念是現代中國人大家共有，容不贅述。問題在於為政者「為私」容易，而「為公」難。李氏是否能吸取蔣家把國家私有化的教訓，來落實此一理念，尚需待看以下李氏政績。

2.民主改革——平穩禮葬威權體制

李登輝先生就任總統以及國民黨主席之後，首先著手政治的民主改革。主要任務有三個方面，第一是改選第一屆國大代表，安頓資深國大退職。第二是修改憲法，廢止「動員戡亂時期臨時條款」，回復憲政常軌。第三是樹立首長直接民選制度，實施總統以及兩大直轄市長直接選舉。其他還有改革黨國軍一體體制等課題。這些改革作業主要以 1991 年為轉折，實施第二屆國大代表改選，台北高雄兩市長民選（1994 年），到 1996 年實現首屆總統直接民選而告完成。[32]

在這民主改革作業上，李氏大權在握，充分動用國民黨強大的權力和人力金錢資源，一面使用利誘手段，以優厚的退職金安撫國會「萬年議員」退休養老。再一面，動用謀略手段串連野黨民進黨，糾合國民黨改革派，多方安撫，壓制黨內反對勢力推動改革，終於將戰後台灣長期以來的威權體制平穩地轉移到民主政治制度軌道上。有人說它是一個「寧靜革命」，對李氏的貢獻和扮演的角色，一部分人稱他為「民主之父」，其理由在此。總而言之，這個民主

---

[32] 《台灣之主張》，附錄年表，第 327-331 頁。

改革的特性，是威權體制國民黨本身主導的民主改革，本質上是一種由上而下的民主改革，這一點應該說是此一改革的侷限。同時，也不應忽視改革作業外環的黨外民主勢力，他們長期以來對台灣民主運動的偉大貢獻。民主化是絕對多數國民當家作主的強烈願望，如果沒有這一股民主勢力在基層配合推動，則李氏的民主改革也不會如此平穩順利地完成。

3.兩國論——分裂「一中」國土

李氏的兩國論開始以兩岸關係的改善起步，透過精細計算，從「一中」到反面的「兩國」，深謀遠慮臨機應變，一步一步暗中推動，最後突然冒出台上來。首先於1990年籌設「國家統一委員會」，接著制訂「國統綱領」，明定國家統一目標與進程，並訂定「台灣地區與大陸地區人民關係條例」，建立兩岸交流制度。在這個過程中，李氏表面言行明確指向「一中」方向。[33]但是自從1994年初，李氏與日本作家司馬遼太郎對談中，公然指國民黨政府為「外來政權」，強調台灣人的悲哀，[34]又借浙江發生「千島湖事件」，公開咒罵大陸領導為「土匪」等激烈言論為契機，李氏政治態度豹變。接著於1996年強行訪美，採取「戒急用忍」政策，於1998年實施凍結台灣省等一連串措施，實質上改變「國統綱領」指針，抗拒「一中」原則和兩岸統一方向，加速台灣領土主權本土化的步伐。

1998年夏，美國柯林頓訪問大陸，宣布「三不政策」，李氏受到很大的衝擊。便開始動員國內外國際法學者，研議台灣領土主權

[33] 請參照中華民國僑務委員會，《中國統一是必然要走的路——李總統對中國統一問題重要談話節錄》，台北：行政院僑務委員會，1993年5月20日，以及黃昆輝，《國統綱領與兩岸關係》，台北：行政院大陸委員會，1992年6月，第1-11頁。

[34] 司馬遼太郎，《街道をゆく（四十）：台湾紀行》，第495頁。

獨立的法理。1999 年，看汪道涵訪台的動作不妙，為要阻止大陸對台工作的進一步發展，遂於突然發表「兩國論」，[35]強調「台灣是主權獨立的國家」，實質上的「一中一台」論。這個提法不但已經全面推翻原來的「國統綱領」宗旨，而且也背離國民黨一貫堅持的基本原則。李氏大權在握、驕氣凌人、善變自在，並有意挑戰大陸，將台灣安危推向到戰爭的邊緣。李氏本領端賴迎合美國壓制中國發展戰略，利用美軍強大軍事力保護台灣安全為後盾。

李氏在走向兩國論「分離主義」政策中，如上所述，脫離憲政常道，動員民粹（Populism）手段來進行國家領土主權問題的脫胎換骨。其言行特性，越來越比台獨主義者更加「台獨」。最後在 2000 年的接班大選，分裂國民黨導致敗選，卻沾沾自喜政黨的輪替，被一部人責難為「歷史罪人」之意在此。不過，李氏的善變，從其精神面貌，即最痛恨外省人、國民黨、外來政權的原本價值準繩來看，他的言行卻一貫沒變。

4.遺留的問題——政治亂象的根源

以上的李氏政績所遺留的問題不少，可分成以下三點來談。

第一，是外來政權的濫用。作為國民黨主席李氏表明國民黨政府是外來政權，先不論他身分上的妥當性，且要說李氏濫用外來政權的內涵。扼要地說，台灣確實有歷史的外來政權，卻不存在現實的外來政權。前者是戰前殖民地統治台灣的日本外來政權，後者是戰後期的國民黨外來政權，問題在後者的國民黨政權之性格。客觀地說，國民黨政府早期在台實施地方首長民選，開始地方政府的本土化，從 1970 年代以後包括中央政府加層次速本土化，李氏本身

---

[35] 《アジアの知略》，第 48-51 頁。

受提拔上任閣員就是典型之例。所以 1980 年代末的台灣政治，有國民黨威權體制而已經沒有國民黨外來政權。所以李氏提出外來政權的本土化作為台灣民主化的概念，是不正確，而有欺騙性。

李氏使用這句話，其用意在批判國民黨政權的外來統治，讓受壓迫台灣老年一代人的內心不滿得以發泄、心情爽快，爭取基層的民粹式支持。但是李氏的外來政權之真實涵意，實際上是說國民黨外來政權沒有不好，外來政權對台灣的安定和發展有很大功勞。[36]進而美化日本對台灣的殖民地統治，再而極力引進美日外來勢力介入台灣問題，保護台灣。李氏的「外來政權」論之本質是「歡迎和感謝外來政權」。李氏的本意是嚴重欺騙台灣老百姓，特別欺騙老年一代的老百姓。可見李氏沒有高度的政治理念，只有低俗的政治權謀和煽動性民粹技倆，筆者不能不置疑李氏的人格和政治道德很有問題。

第二，是本土化的狹隘性。李氏認為「台灣的民主化所追求的是「台灣本土化」。[37]這種認識有問題。在李氏推動民主化的過程中，把民主化與政治本土化劃成等號來用，同時，把本土化的含意狹隘化，倡議「新台灣人」，規定「愛台灣」為「新台灣人」內涵，進而推動「去中國化」，愛中國、愛中華的人就「不愛台灣」，從「新台灣人」範疇排除。這一個狹隘的政治本土化意識，具有深刻的危險性。

民主化與本土化的涵意有所不同，從形式來看，民主化自然帶來政治的本土化，但是民主化不等於政治本土化。由狹隘的台灣本

---

[36] 《台灣之主張》李氏對「蔣經國學校」的政治教育，非常感恩（268 頁），肯定蔣介石父子的威權政治，認定台灣有今日是以蔣氏父子的功績為基礎（270 頁），進而說，如果沒有國民黨膨大的政治資源和力量，則台灣民主化的推動，幾乎不可能做到（《アジアの知略》，第 235 頁）。
[37] 《アジアの知略》，第 38 頁。

土化意識所左右的民主化內涵，加上民粹式民主操作，有可能阻害民主化正常發展。台灣民主化的現實是趨向多數族群獨尊的「民主」，激化省籍矛盾的再生產和出現政治亂象，社會沒有安寧之日。

第三，是兩國論的危險性。兩國論的本質是將台灣的領土主權從「一中」框架分離出來，或者主張與「一中」框架不相干，台灣自可成為一個獨立國家的政治目標。然而，當今世界，事關領土主權的爭議，先由當事者雙方談判解決，談不妥，第三者的勸說又無效，則最後必引發戰爭動武、人民流血的不幸事體。李氏有關兩岸關係的政績，從國統綱領出發，最後把台灣帶到完全相反而有敵對性的兩國論政治目標，把台灣人民帶到戰爭流血的邊緣。在這個過程中，李氏運用總統大權和民粹操作，實質上是以個人獨裁的方式，突然冒出兩國論。攸關全體國民的人身財產安危以及長遠未來命運之領土主權問題，兩國論的政治責任之嚴重性不可計量，這是一項非常冒險，非常危險的重大政治決策。李氏動用獨裁大權的這一項決策之正當性，深受置疑。這不是李氏「一走國外活命」就了的事，老實說，李氏負不起這個責任，是一項非常不負責的政績。

其他，李氏在經濟建設方面，乏善可陳、少有建樹。再說，當權十二年中，台灣黑金政治猖獗，李氏所奉信的「天下為公」理念，實踐的結果是「黑金教主」、弊案纏身，即「以公濟私」也，現實與理念之間竟有天淵之隔。

六、結語——過大於功，禍多福少

綜上所述，李登輝先生出身「三腳仔」家庭，從小就有濃厚的日本情結，學優赴日深造，但治學不求甚解。體驗戰後台灣一段黑暗時代，精神上種下仇恨外省人、國民黨和媚日醜華的原始價值觀。中年之後，偶然機會從政，登上總統寶座，治理台灣十二年。

本文認為在民主改革方面，李氏有一定的貢獻，功不可沒。但在兩岸關係方面，則獨裁冒出兩國論，給台灣前途留下不可計量的禍根。其他經濟方面，無所建樹。在理台整體過程中，李氏的歷史觀和世界觀相當狹隘、影響其一廂情願的治國理念，而人格和道德操守，也受置疑。

李登輝先生治理台灣的功過，從長遠來看，李登輝時代的政治績效對台灣的將來，已經埋下了禍多福少的根源。筆者在海外專作學問，關心台灣追求理想，自認本文對李氏從嚴評比，功過評價偏低，期望後世歷史自會有更客觀的論定。

鶴望台灣完全光復

半個世紀的心路歷程

本文是 2002 年 10 月 25 日劉進慶在台北「紀念台灣光復 57 周年演講會」的演講全文。

該演講會由中國統一聯盟在台灣師範大學舉行，同場演講會還有許月里（日據時期抗日左翼活動家、50 年代白色恐怖政治受難人）、許金玉（光復後台灣郵電工人運動領導者、50 年代白色恐怖受難人）、嚴秀峰（李友邦夫人、50 年代白色恐怖受難人）、林彩美（旅日學者戴國煇教授夫人）等台灣左翼愛國主義前輩代表出席。

我所敬愛的在座各位同胞，大家好。

今天，我要報告的題目是：鶴望台灣完全光復半世紀的心路歷程。

台灣光復雖然過了半個世紀多，但還沒有真正光復。今天我要講的有兩點：第一點，是什麼是 「真光復」、「完全光復」；第二點是關於我個人對於這個主題的心路歷程。

一、從台灣民意的原點說起——《光復歡迎歌》

剛才各位唱了《台灣光復紀念歌》。在光復時，我們唱的是《六百萬民同快樂》歌——「台灣今日慶昇平、仰首青天白日晴、六百萬民同快樂、壺漿簞食表歡迎、哈哈到處表歡迎……」現在已經很少聽到這歌詞了。五十七年前，六百萬台灣同胞熱烈歡迎國軍來接收台灣，慶祝兩岸統一。歌詞中的感情，表示著從 1895 年起半個世紀來的台灣同胞對日本異族統治的不滿。這個反日感情與日本占領台灣時反抗割讓運動的民族意識是一脈相傳的；同時，也反映了那時在殖民地統治下，台灣同胞回歸祖國的強烈願望。這就是我所謂的台灣民意的「原點」，也就是台灣人民希望當家作主的強烈意願。

再說：台灣還沒「真正地完全光復」的意思，就是指台灣人民還沒有真正當家作主。比如今天美、日仍然是台灣的「老闆」。台灣一直是依靠外國的保護，仰仗美國的鼻息過活，台灣人本質上哪有什麼「主人地位」可言？我要引用 10 月 19 日李登輝在「國策研討會」上所說的一段話來證明這一點事實。他說：「這塊土地上的人民，習慣於由外來的勢力決定自己的生活方式，即使在政黨輪替後兩年的今天，也未能真正擔負起作自己主人的決心」。李登輝自己承認：台灣人還沒當家作主。他所謂的「外來的勢力」，李想指的是大陸中共，但這裡把它換上美、日，其意義則更加確切。這就可說明：台灣還沒有完全光復。

所以我們要台灣「真光復」、「完全光復」，我等待了半個多世紀了，對我來說，這是當務之急，是最迫切的。

二、生為台灣人古稀之年鶴望完全光復的心路歷程

我這一代台灣人，生處在最痛恨外省人、痛恨國民黨的年代，為什麼現在我還在堅持台灣的「完全光復」？這和我的家境與一生的經歷有很大的關係——

1931 年 9 月，我出生於雲林斗六。光復那年我是 14 歲，而今已經是古稀之年。我生為台灣人，在這七十多年的人生過程中，我對台灣社會的感受，大致可分為如下所示的幾個階段：

生死邊緣→
希望頂峰（1945 年/14 歲）→
絕望谷底（1947 年/16 歲）→
暗黑恐怖（1950 年/19 歲）→
新的希望（1962 年赴日/31 歲）→
光明前景（1982 赴大陸/51 歲）→

戰前，少年時期，我們確實被教育成「皇民化軍國少年」，在戰爭末期，隨時有充當炮灰，在生死的邊緣；光復時，我們的希望達到了頂峰；不多時，我們就被打下到絕望的谷底；接下來就是黑暗的恐怖政治的日子；中年時到了海外，看到新的希望，現在的日子，是一直朝著光明的遠景前進。

以下，我就從少年時代開始談起。

三、「皇民化軍國少年」的民族心之覺醒——生死邊緣階段

首先說起家庭環境和父母的影響。日本占領台灣的 1895 年那年，我父親九歲。他從小就從商一代致富。我在富裕的家庭長大。父親教育程度雖不高，但是很有漢學素養，熱心子女教育。我兄弟姐妹很多，個個都是受高等教育。父親事業隆盛，長期任地區的「保正」，是地方上的名士。在日本殖民統治下，我家算是屬於上層階級。但是我們家族在家庭內都說台灣話，完全依照漢人習俗生活。

與所謂的「三腳仔」家庭不同。父母為人愛鄰顧貧，十分照顧街坊貧民和鄰居。這樣的家風對我的人格和世界觀有深遠的影響。

我小時候讀書讀得不錯，正是在日本「皇民化」教育下長大的「軍國少年」菁英。

我的民族心之覺醒是從父親一段話來的：小學六年級的時候（1944 年），當時日本敗色日濃，非要動員台灣的勞動力、以及台灣的菁英不可。那時日本有一個「少年飛行兵」學校，進去非常不容易。然而，該年我們一年級二百多位學生中，被推選到該校升學的學生有三位，我是其中一個。我以為非常榮幸。但當把「推選書」帶回家給父親看時，給我的父親當面罵了一頓：「你真傻，我們和他們是不一樣的！」並把推選書扔掉。這時我才醒悟了。我父親常說：「我們的祖先是來自於廣東饒平」，那時我就認識到：「台灣人也是中國人」。戰爭末期，日本要動員台灣人民，於是開始調查每個人的省籍，拿到了調查表，我才知道我的祖籍是「閩西客屬」。在當時的社會狀態中，這種調查反而激發起了我的民族感情。

四、最痛恨外省人、痛恨國民黨的年代——希望頂峰→絕望谷底→暗黑恐怖階段

台灣光復後，這種希望的頂峰，不到二年的時間，馬上就墜落到絕望的谷底：「二二八事變」發生了，那時我是中學二年級。我可以算是當事人：我的二位同班同學在事變中犧牲了，鄰居的一位學長也行方不明，後來才知道被槍決了（50 年代白色恐怖下犧牲）。這個事件是非常痛苦的經驗，也是我十歲年代的原始體驗，它成為我反抗專制統治的出發點。那時，我就常有這種想法：「台灣的社會為什麼這樣黑暗？這樣的社會一定要改造！」，這個想法成為我一生的志願，到現在都沒變。

從這些經驗說，我應該是最痛恨外省人、痛恨國民黨的一代台灣人，然而我仍保留著我的原點——民族情感。所以當我在高中、大學時代，就十分積極地參與各項服務活動，在 1952 至 54 年間，救國團成立之前，我就已經和朋友自己組織了服務隊，到雲林海邊的貧窮村落，去做普及教育的宣傳工作。[1]

在這期間，附帶說我對祖國文化的認識。49 年國民政府撤退來台，許多學識深厚的文史教師來到了嘉義中學，高中時，經由他們的授課，使我認識到了祖國文化的偉大。

我和外省人比較有密切接觸，除高中時期的同學之外，是從軍訓時開始的。我的普通話是在部隊中用到。在軍訓時我被派到南投六十二陸軍醫院任經理少尉，有兩位部下老兵和我相處的很好，在那兒親眼看到不少老兵因為離鄉背井，思鄉思親心切，精神狀態不安，在絕望中甚至有人自殺身死，十分可憐。在過年時，我就請我的部下到我家中吃飯，我父母親切地接待他們。「我們都是一樣的」這想法，是我從小時候因為父母的為人而深植在腦海中。

在政治立場上，我一直堅持「黨外」的立場，採取和蔣政權「不合作」的態度。就職考試及格，我被分派到政府機關，但我寧願不去，即是一個明證。

---

[1] 當時《聯合報》曾有報道如下：「雲林旅北大專學生，利用寒假，回鄉組織普及教育宣傳隊，由本報供應宣傳車乙輛，深入各鄉村，積極展開掃除文盲的宣傳工作，自本月十三日出發以來，曾到過十三個鄉鎮，到處受名種熱烈歡迎，且獲得教育人士的協助，工作進行極為順利。該隊的宣傳內容，除宣傳普及教育和反共抗俄外，並特別強調設立教育，訪問地方熱心教育人士，放映電影。該隊的領隊：劉進慶（台大），隊長歐陽鐘仁（師院），隊員：吳炯泰（師院），葉懷蓁（英專），廖坤荃（台大），許金松（台大），廖錫銘（政專），陳文華（工專），高瑞華（工專）。」參見：〈雲林籍大專學生返鄉作教育宣傳；由本報供應宣傳車一輛深入鄉間呼籲掃除文盲〉，《聯合報》，1954 年 2 月 27 日，第 4 版。——編者按。

不過，出來社會工作後仍然覺得台灣很黑暗，渴望能看到更多的外面世界，所以就毅然丟下銀行的「金飯碗」而到日本去。

五、海外「惡夢初醒」與自我改造——新的希望階段

到了日本，才冷靜、理性地看到原來我有兩個祖國：「紅色祖國」和「白色祖國」。在日本這個言論、思想自由的環境中，我首次接觸到許多進步的思想理論，包括左派經濟學理論、帝國主義、殖民主義理論。同時，我也學到了如何改造台灣和自我改造的方法論。對於日本，我也有更深入翔實的認識。當然，如果說到對日本的態度，我基本是反日的。我對日本人個人友好；但是站在民族國家的立場，我是反日的。這種觀念，也是從日本老師學來的：當年在東京大學學院上課，如果你說出美化日本殖民統治台灣的言論，你鐵定不及格。我們的許多老師當年就是因為受到軍國主義之害而吃了不少苦頭，戰後才回到大學崗位。在東大學習中我也認識到：美國是帝國主義領軍者，20 世紀世界所有戰爭殺人都是由美國帶動的，這不僅是從理論，也從實際上都能看到的，有著太多的實例。所以，我的立場基本是「反日」「反美」「反戰」。

在這段時間中，圍繞著我的政治環境也有了大幅度的改變。今天，我十分地高興能在這兒見到陳鵬仁教授，雖然我們當年的立場不同（他是國民黨、我是黨外），但現在已經回到了同一條路來，坐在同一張桌前為了台灣的真光復一起奮鬥，這是我今天最大收獲。當時有數位留日學生返台時即被逮捕，他們據說是牽涉到台獨事件。但那時我主要從事反蔣民主運動。當時我的行動不分左右、不分統獨，一直著力推動「救援政治犯運動」。因為我的行為十分地積極且帶頭領導，一直自認是正正當當的，但也因此而得罪了當局。我 1973 年成立「中國統一促進會」，原先是秘密進行的，後來

被特務察覺到了，我的護照也被吊銷了。當時，「亞東關係協會」國民黨中也有一些開明人士擁護我，他告訴我：「劉先生，這我沒辦法保護你，因為這牽涉到了紅帽子。有一天，他領著我進到辦公室，拿了護照給我看，上面用紅色的簽字筆註明「附匪分子」。我說：「沒關係，我知道了，這你可不用管」。於是，有十多年的時間，我人被「關在日本」回不來，95 歲的老父臨終，也回不得見一面，民族分裂之悲劇，莫過於此。思鄉思親之苦，令我體會到當年這些來到台灣無法返鄉的老兵們的心情，這也算是我人生經驗中的成長。

六、寄希望於中華民族之復興——光明前景階段

回歸台灣不得，這使我開始思考：「紅色祖國」和「白色祖國」我該如何對待。

因為「紅色祖國」也是祖國，它關懷我，理解我，沒有什麼敵對，大陸同胞也是同胞，我也就經常地到大陸去看，多多了解大陸情況。85 年我校派遣我到北京的經貿大學和北大教書一年，親眼目睹了大陸的崛起和實際情況。1986 年春，我在廈門大學研究所也作了短期講座，課餘時在街上閒走，當時的廈門，和我離開台灣 1960 初頭的氣氛非常類似。我的心中就有了這種想法：「台灣經濟既然可以發展起來，大陸當然也會發展！」因為兩地的社會、文化、習俗，人的氣質都很相似，我的信心，是這樣來的。二十年來，我就一直往大陸做學術交流，台灣當局這時反而向我打聽大陸的相關情形，我也都一一坦白相告，因為我也樂見兩岸的關係和好。

再來另一個話題，這是我自己的一點看法：「民族統一」和「民主化」不能一時兼行時，可有先後的選擇。「民族統一」應該優先於「民主化」。台灣現在的民主雖然很寶貴，但沒有了民族統一，

哪來的「真正民主」？中國不統一，台灣在美日鼻息下過活，人民哪有真正的民主。再說我雖站在反蔣的立場，但是我十分地尊敬孫中山，我是一個不折不扣的孫文主義的信徒，他對於中國的統一和發展的眼光是非常地準確偉大的。

1982 年我第一次訪問大陸，經貿大學的老師帶我們參觀許多歷史文物。我就問他們：「你給我看的都是老祖宗留下的寶貴遺產。你們這兒不是社會主義嗎？能不能給我看看有社會主義優勢的東西？」接待的老教授回答說：「劉先生呀！這一點我們也很遺憾。但是，請你了解，要統一十三億人民，不是件容易的事。國家建設的步伐有先後，以後的經濟建設，我們一定會做到的。」我也十分尊敬他能這麼誠實地相告實話。我也要說，中共最大的貢獻是將四分五裂的國家和十三億人民統一起來，讓中國人站起來。

1991 年以後的兩年，我也到了美國等地生活，作研究。在美期間，我還是深深地感受到祖國的中華歷史文化之偉大，我親睹美國哈佛大學研究所的學者非常敬仰中華文化的精華。我也曾到大陸內地很多地方看大陸一般人和農民的生活，那種刻苦耐勞的生活動力，實在是十分地偉大，無法用幾句話來形容的。我也要奉勸台灣同胞，千萬不要看不起大陸同胞，要多了解大陸同胞的實際狀況和積極面。

現在，中國人民的力量，已經在世界上受到很大注目。中華民族的統一，也是指日可待的。對於這種形勢，美日都擔心害怕中國的統一。過去他們以「反共」為由反華，現在大陸不是共產主義，大家都是市場經濟，但美日還是反華。歸根結柢，美日就是不希望兩岸和好，害怕自由中國的統一、富強，其霸權心態，實在沒道理。

七、台灣尚未完全光復，還要繼續努力——結語

最後，我要說:「希望台灣真正的光復來到」。所謂「真正的光復」，是指兩岸的統一。現在，我們中華民族的振興已在眼前，復興中華文化，需要兩岸人民的共同努力才能達成。用經濟的角度來看，兩岸加入 WTO，就表示兩岸經濟必將一體化。中國將要真正的現代化、先進國家化，我們可能只要用一代的時間就可以趕上。台灣光明的前景在望，在座的各位同胞正擔負著台灣歷史正史的重擔，希望大家一起來努力奮鬥，爭取台灣完全光復那一天的早日來到，謝謝！

我的抵抗與學問

本文原載於2003年2月發行的《東京経大学会誌（経済学）》（東京）第233号。原文是日文，標題為〈わがレジスタンスと学問〉。

本文由曾健民漢譯之後，以〈我的抵抗與學問〉為題，發表在2005年12月發行於台北的《批判與再造》第26期。

一、七十歲的總括

人生在不知不覺中來到了古稀的大節日。一想起幼年時想像七十歲老人的樣子，就自覺到自己竟然已活到今天這樣的高壽。回顧過去自己七十年的人生之路到底是什麼？在這期間，充滿著波折發生無數的事情，真是一言難盡。而且，人一生的評價應該留給後世，自己去總結似乎有點奇怪。雖然如此，作為以研究學問為職業的人，有能力去分析別的事或別的人卻無法分析自己，這也是有點奇怪。我試著把自己當做客體，捨棄諸事的表象，歸納出貫穿自己一生的最普遍的單純的性格規定，也未必不是一件好事。這樣仔仔細細地思考後，便想出了今天的這個題目。

一直把學問當做職業的人，談談研究的事也是應該的。但是，「抵抗」到底是什麼？首先，它意味著被壓抑者對壓抑的反抗，以及被支配者對支配的抵抗。對我而言，這個最根本意涵的「抵抗」的意識形態，在無意識中溶入了我的生活，職業甚至研究的道路，以有形或無形的各種形式貫穿了我的一生，從根柢上規定著我的一生。像我這樣的生存方式，我嘗試用「抵抗」這個用語來總括它。這是使自己也感到驚訝的，七十歲的道路的性格規定。

二、戰亂時代和出生地的「命運」

我是誕生在日本開始發動侵華戰爭之年的 1931 年 9 月，日本殖民統治下的台灣中部鄉下「斗六街」。人生有所謂的「命運」，有人說「運」可以變，那麼「命」就不可能變了。說到自己誕生的時代和地方，那是 20 世紀 30 年代「戰亂的星空」下一個叫做「台灣」的殖民地社會，我是作為一個殖民地人而出生。這個人生被賦予的條件的確是要變也無法變，這也是作為「被支配者」的我的「命」。但是，以個人來說，我是生長在一個富裕的家庭，一點也沒有「被支配者」的陰影。

父親從年輕起便從事礪米、肥料和木炭的事業，在他手中賺了大錢成了斗六地方（嘉南平原北方的穀倉地帶）的大地主和豪商。我家是三代同堂的大家族，我是有八男五女的十三個兄弟姊妹的第六個男孩。母親是作為四個異母兄弟的繼母，一生在盡力維持多達三百四十人的龐大家族的和氣，是一個有大氣度且心地善良的女性。我們兄弟個個都有高學歷，是一個極為圓滿的家庭。

我家周圍也有一個極為優美的環境，眼前就是市街中心——「郡役所」（鎮公所）；沿著我家後院小道有小河流過，後門的旁側有一座木橋，橋的對岸是有山有水的美麗公園。然而，不知是幸還是不幸，我家右鄰有一個日本人經營的很大的日本和服店，老闆是日本人來台灣的第二代，他們的第一代是早期日本侵台時來台灣的，一直到日本戰敗投降為止的五十年間都是我們的鄰居。很可惜，兩鄰父母之間彼此並沒有來往，也沒有說過一句話；鄰居的小孩上的是與我們不同的只收日本人子弟的「小學校」。和服店老闆有根深柢固的支配者意識，經常以高姿態對待鄰居，十分討厭自己的孩子和當地人家的孩子一同玩耍，如果當地人小孩在他店前玩耍的話，經常會遭他大聲怒罵。而當時感受性十分強的我也在其中，大人的兇暴深深刺傷了小孩的心。

我的公（小）學時代（1938 至 1944），正是皇民化教育雷厲風行的時期。我不知不覺中被教育成一個優等的「軍國少年」。六年級的某一天，級任老師告訴我已被推薦進「少年飛行兵學校」。在兩百名的同級生中，只選了三名是相當光榮的事。我滿心喜悅地把推薦狀拿回家，得意洋洋地面交父親，以為會大受褒獎，沒想到卻被父親大罵:「傻瓜！我們跟他們不一樣！」父親是地方上的名人，也擔任家鄉的「保正」，然而心中也認為我們殖民地人到底是與他們「不同」的。我的「軍國少年」美夢也在此一舉覺醒。在這前後，有一次在學校有學生家庭原籍貫的調查，父親告訴我們，我們祖先是從中國大陸的廣東省饒平縣領腳鄉出來的。還有，我記得敦厚的父親最激動悲憤的事，就是在戰爭末期，全鎮的媽祖像被集中在公園一角焚毀的時候，父親眼中含著淚水。那是我正開始懂事的時候，這些事就成了觸發我民族感情的原點。1945 年的 8 月 15 日中午，從所謂「玉音放送」知道日本戰敗的消息時，內心覺得無比暢快，臉上露出幸好沒戰死的歡喜表情。

戰後台灣復歸中國。我打從內心高興台灣脫離了日本的殖民統治，但是，這也只是短暫的一年多的時間。1947 年 2 月，發生了震撼全島的 228 事件，由於新政權的腐敗和惡政，把台灣民眾從希望的高峰推落到絕望的深淵所引起的怒火爆發了出來。其結果是，軍隊在各地對民眾進行了鎮壓和殺害。在車站前的廣場，被處刑後的許多地方領導者的遺體，曝屍示眾好幾天的情景，真是十分悽慘。我的兩位同班同學也在事件中喪生，這期間，我逃到鄉下親戚家各處躲避危機。那是初中二年級的春天。對國民黨軍事獨裁政權的恐怖和厭惡的感情，這十幾歲的原始體驗的陰影，一生在我內心底燃燒。從殖民地解放出來的戰後台灣社會，再度出現了壓抑和被壓抑，支配和再支配的構造，我再度被迫處於被壓抑的處境，這個原初體驗正是貫穿我抵抗的一生的原點。

在中學時代，經常與友人認真地談論自己的理想和抱負，但一點也沒有談過將來要如何飛黃騰達的事；只有像要如何使黑暗社會變好這樣的改革社會的志向一直是我們談論的中心，這也是我人生最早的志向。另一方面，我也經常沉思在「我是誰」、「人生到底是什麼」這樣的自問自答中，因此也勉強算是一個「哲學」少年。高中時代，我夢想當一個物理學家，我喜歡數學和物理，這兩科目我特別強；我經常仰望晴朗夜空的滿天星星，大膽地想像著宇宙彼岸的世界。

高中三年間，我一直被指名或被選作班長，因此導師強力勸導我為了自己將來的出路最好加入國民黨，我想在老師心目中我是一個有為的青年吧！但是，我毫不考慮地婉拒了。因為我打從心底就無法原諒蔣政權和國民黨。這是我最早的抵抗。

三、恐怖政治（白色恐怖）下的青春和職場

戰後的農地改革使原本是大地主的我家家道中落，父親的事業也因為時代的巨變而歇業。在進大學方面，我放棄了原本想成為一個物理學家的浪漫理想，而選擇了容易找工作的工學院。在這時候卻碰到了意想之外的有關將來出路的大轉變；那就是，在入學註冊身體檢查時發現了有色盲，而被校方命令要轉學院，雖然我極力向教務長爭取，但礙於校方規定無法融通。這讓我痛感到人生有許多事並非事事如我願，最後不得不轉入文學院中與數理科最接近的經

濟學系，我成了台大朦朧派經濟學系的學生。

當時，台大數理經濟學愚蠢到連教凱因斯經濟學的老師也沒有，講授薩謬爾遜經濟學已經是最先進的了，然而，這種經濟學理論與當時台灣大多是公營企業，而市場經濟仍然弱小的現實有很大的落差。我對於無法說明現實問題的經濟學沒有什麼興趣，因而耽讀哲學和思想方面的書，反而經濟學方面的書少讀了，因為本來就沒有一本值得一讀的經濟學。

除此之外，我全力參加各種課外活動，譬如大二的時候，由於有力的地方政治人物的贊助，我組織了住在台北的大學生同鄉會，利用同鄉會組成了普及教育的宣傳隊，利用假日到家鄉偏遠地區進行巡迴活動，我時常被朋友推選為隊長。我一直認為良好的教育是良好社會的基礎，這是一個十分有意義的活動。到了大三，我被選為第三宿舍的學生代表人；一般學生宿舍是採自治原則，學生代表只要照顧好宿舍生的食宿和讀書環境就好了。沒想到，卻發生了軍職教官要住進學生宿舍的異常情形，實際上這是學校方面為了要監視學生動態所採取的一種露骨的權力介入，這等於使學生自治形骸化。那是 50 年代國家恐怖主義（白色恐怖）橫行的時代，如果直接反對必將招禍，於是我私底下召集宿舍生大家採取「面從腹背」的不合作態度，以表示最低限度的抵抗。

那時恐怖政治瀰漫全社會，我內心也十分擔心。大四的時候，贊助我的有力政治人物為蔣經國所疑，而遭受肅清投獄之禍，我感到身處危險狀況而採取了收斂的態度。

大學畢業後要服一年半的兵役；在受過 8 個月的基本訓練和陸軍經理學校的專門教育後，以少尉軍階被分發到中部某陸軍醫院。主要擔任除了醫藥品之外的一切食住關聯的補給業務，這職務比其他軍種更輕鬆。在這裡，我的部下中有幾位大陸來的外省老兵，他們沒親沒戚，前途茫茫，真是可憐的身世。過年過節時我招待他們到我家做客。另一方面，各種各樣的政治課卻令人討厭，特別是效忠「領袖、黨國」的軍人教條的思想學習，使我心生抵抗。對於自己身負的補給業務我盡力去做，但卻不時逃避高呼「偉大領袖」的週會和月會，經常缺席。因此受到警告且被要求寫悔過書，這反而惹出我反抗的感情，心裡已有了接受處分的準備而不理睬上級的警告。退伍的前一月，醫院院長為了維持全體的軍紀，記了我一個「小過」。這並沒有影響我的退伍，反而使我覺得痛快。今天回想起來，這也可算是我對獨裁政權明白表示的一個小小的抵抗。

但是，像這樣的處分記錄，在當公務員的場合，可能是一生跟隨你的污點。我已考慮過這個問題，因此雖然我參加了公務員考試及格且被分發到財政部，卻將它一腳踢開，改換去參加當時比公務員更熱門也最難考的銀行考試，結果進了彰化銀行。實際上，嚴格來說，這裡也是公營銀行，但它的民間色彩較濃，距離國家權力的手有一定的距離。在令人羨慕的我的就職活動中，也含有我「抵抗」的生存方式的投影。

銀行的工作在待遇上比公務員或一般企業員工的薪水高出一倍，社會形象也好。然而，這裡卻不是談社會改革或國家大事的地方；天天忙著處理世間雜務，很容易迷失自己最初的志向。1950年代的台灣社會空氣沉悶，十分陰暗。屢次有出國看看，看看廣闊世界的衝動，但是當時我已婚且有二子，母親已過世且父親已屆七十高齡，而且銀行的工作有前途，有高薪生活也十分安定。即使這樣，我仍不滿於現狀，利用夜晚遲歸的一點時間，準備挑戰留學考試。我的人生又走到了一個大的轉捩點。結束了四年的銀行工作，準備留下妻子到外國留學。美國太遠，因此選擇了比較近的日本，那時我四周的人沒有一個人贊成。

的確，在那個年代，有許多青年學生出國留學。一個有好的職業和家境的我，為什麼急著「逃出」台灣呢？向家族說明的理由是到外國去學習將來可從事貿易事業。但是，我內心的深處卻是想走到廣大的世界去，再一次審視自己與台灣的關係。還有，只要出國，應該有什麼好的機會也說不定；那時，自己還未有要走學問的道路的念頭。那是 1962 年，二十九歲的春天。

四、在日本走入學問的世界

到日本留學的第一年，我進入了神戶大學研究所經濟學研究科，跟隨藤井茂先生學習貿易理論。神戶大學是以哈樂德的外國貿易理論為中心，比台大所學的稍稍深入。對當時的神戶大學來說，我好像是戰後最早去的外國人研究生，要怎樣對待我，在學制上似乎有困惑之處，我也覺得有點不安。因此第二年便參加了東京大學經濟學研究所的入學考試，從此便開始了我往後 9 年間在東京大學本鄉校園的生活。

在東大研究所我師事隅谷三喜男教授，研究題目改為「戰後台灣經濟研究」。到日本第一年學習了貿易理論，但仍覺得不滿足，心想既然來到了日本就應該研究日本經濟；但是，這個研究題目並不能發揮我的優越性，因此隅谷先生即刻勸我，既然來自台灣就研究台灣經濟吧！我也體會到，從長遠來看，最終也應該研究台灣經濟才對。

在東大校園，最早吸引我的，是在台灣被視為洪水猛獸的馬克思經濟學的龐大學問體系的研究積累。但是這對我而言完全生疏沒有基礎知識。一開始，在研究所課堂上的討論我幾乎趕不上，這使我痛感到想要在所內與人討論問題，除了徹底讀通《資本論》之外別無他途。因此利用第一學年的春假，花了幾個月的時間，集中精神讀完了《資本論》。對原本讀慣了哲學和思想類書的我來說，研讀艱深的《資本論》並不覺得苦，反而像整個人被吸進去般地，是不斷無止境的感動; 使我深深感覺到自己更加提高了對社會經濟的辯證認識和學到認識的方法。托《資本論》之福，我第一次打開了作為社會科學的一學門的經濟學的門扉。使我感覺到，思想、言論和追求學問的自由竟然是這樣的美好; 我為留學日本帶來的成果而感到喜悅。

其次，吸引我的是韋伯的學問世界。1960 年代，爆發校園紛爭前的東大本鄉校園, 在我眼中是一個社會科學百花齊放的多彩多姿學問大花園。單單經濟所, 就有以大內力教授為中心的馬克思學派的宇野理論正迎著最盛期; 另一方面, 有韋伯學派的大塚(久雄)史學也正處於顛峰期。正是這二大社會科學的學問體系, 其肥沃的土壤孕育了我。有關韋伯的書, 我在台大時就曾經讀過，留下很深的印象, 我坐在大塚教授的課堂的末席, 品味著韋伯世界及其真髓真是一大樂事。如果馬克思是以歷史唯物論為基礎的一元論的方法，那麼，韋伯在經濟因素之外也重視思想理念的規定性的二元論, 乃至它把各種社會現象依其性格以類型學去認識的多元論的方法, 也是一個有自足性的令人嘆服的學問體系。我從韋伯的複雜的社會科學的方法論中學到了很多。但是，這些社會科學的方法，只有在以後經過多年的反覆咀嚼和研究應用後, 才真正能深刻地體會到。

除了馬克思和韋伯之外, 我也從恩師隅谷三喜男先生的學問和為人為學方式學到了很多。我深深共鳴於他不拘泥學派或學說，從原典出發並主體地築構理論架構, 在考察社會經濟時, 經常以站在社會底層的觀點為指引的作學問的態度。還有, 先生一生堅持這種態度和原則, 全心貢獻社會的豐饒的人間性和高尚的品格, 更是我人生的指標。年青時曾反抗過日本軍國主義的先生, 對於我反對蔣獨裁政權的生存方式表示了理解的態度，讓我感到有如千鈞的情誼。就這樣，我完成了碩士課程，留學的方向也已定；於是把妻子接來日本，我開始走上追求學問的道路。

在博士課程的後半段，東大開始颳起了校園鬥爭的風潮。東大經濟研究所幾乎陷入了瀕臨崩解的狀態。我作為外國留學生與風潮保持了距離，只有以總圖書館地下室的研究室為立足處埋頭研究。隅谷先生身負處理校園紛爭的大任，一方面仍繼續在東大駒場附近的公寓一角（秘密的家）指導我們的課業。同時，我也參加了亞洲經濟研究所的研究會成員，最大限度活用了研究所內收藏的有關台灣的圖書資料。就這樣，我博士論文的寫作就在東大校園紛爭中進行；題目聚焦在戰後到 1960 年代中期的台灣經濟的考察。分析理論的架構主要參考山田盛太郎的《日本資本主義分析》和隅谷三喜男的《日本勞動史論》，從這兩本書中得到不少啟示，並以此考察台灣經濟的實際情況，著手論文構思；再加上，自己不斷思考為什麼有豐富農業資源的台灣在戰後會這麼貧困呢？這種基於我的生活經驗的問題意識和課題也是論文研究的對象。

五、在海外的抵抗和冤罪

這時候，我被推選為東大中國同學會的會長，它主要是由來自台灣在東大學習的二百多名留學生所組成的團體。1960 年代的冷戰時期在亞洲有許多反共軍事政權，常常發生反體制的留學生的受難事件。我任會長期間的 1967 年 8 月，發生了同學會會員劉佳欽和顏尹謨兩位回台灣探親時遭逮捕的事件。台灣當局以他們與反體制（台獨）組織有關係為理由，秘密逮捕了他們並送軍法處法辦。劉先生的家屬把記錄了受嚴刑拷問逼供經過的手記送到我手上；還有當局也把兩位在日本時遭國民黨特務計誘犯罪的部分也當罪狀，我以會長的立場毅然出面究明真相。1970 年兩人遭判刑（十年和十五年）後，我也站在先鋒繼續進行救援政治犯的活動，當時的東大校長加藤一郎也加入了這個救援活動。[1]不久，1971 年台灣喪失聯合國的中國代表權，在日本的留學生整合全體意見，向台灣當局提出了有關台灣民主化的建議書《國是建議書》。[2]這一連串的民主化運動，得到超越政治立場的廣大台灣留學生的支持。不經意地我竟然成了在日本的反蔣民主化運動的領導者。想起來這是從我的原始體驗來的志向為原點，在海外的抵抗的實踐。

我一方面熱情於母國的民主化運動，另一方面，論文的研究作業也同時推進，兩者並立不悖同時進展。我往復於對抗專制政治的民主化運動的感性，和研究專制政治的下層構造的經濟的理性認識之間，這使台灣政治經濟的全貌和本質更加明確地浮現出來。我拋掉「奴隸的話」，全心忠實於真實和真理，盡全力寫下來。伴隨著研究作業的進展愈有充實感，深深感受到學問的滋味和喜悅。當日本的學生運動漸漸平息下來的時候，我的論文也已完成（1971 年），向學校提出。獨自的理論架構和從社會底層出發的觀點紮實地貫穿了全體論文，被教授褒獎是「優秀的論文」。[3]至少，在校園紛爭使東大經濟所的教育、研究極端荒廢的時期，有研究的成果出來，因

---

[1] 這個事件，取兩位會員劉佳欽、顏尹謨的姓名而簡稱為劉顏事件。1967 年 8 月發生事件，1970 年 8 月 13 日國防部軍法庭宣布最終判決。在這期間，劉氏對八年的一審判決不服再上訴，結果反而被加重二年而成為十年刑責。還有，劉氏十五年的刑責是僅次於死刑的重刑。這個事件的有關資料，由東大中國同學會編成了一冊《劉顏事件關係資料集》（1972 年，共 155 頁），收藏在東大東洋文化研究所圖書室。而且，當時的東大校長加藤一郎也於 1970 年 5 月 22 日致函中華民國蔣中正總統，對事件表示極大的關心，並要求讓兩位學生回日本復學。

[2] 〈國是建議書〉是以解除戒嚴令、釋放政治犯、國會議員民主選舉等為主要內容。1971 年 12 月 25 日提出。是由東大中國同學會、早稻田大學稻門會、明治大學台灣同鄉會、中華民國京都留學生同學會以及中華民國關西同學會的聯署向台灣政府提出的。資料引自《劉顏事件關係資料集》。

[3] 隅谷三喜男，《激動の時代を生きて：一社会科学者の回想》，東京：岩波書店，2000 年，第 214 頁。

而得到指導教授們的歡喜和祝福吧！論文由東大出版會贊助，以《戰後台灣經濟分析》書名出版。在書中序文的結語中我記有:「在此我謹以此書獻給現在仍遭掠奪的台灣同胞」。這是我的抵抗在學問上的實踐。然而，完成學業的喜悅只是一瞬間，嚴厲的壓迫正等著我。趁這個機會，我想把至今一直深藏內心的秘密，我一生的冤罪說出來，再來我要對這問題稍稍深入地說說。

在學業完成的 1972 年，那時正是尼克森訪問大陸中日復交正進行中的時期，我主辦了以留學生老校友的學者為中心的時事座談會（「留學生老校友會」〔留学生 OB 会〕）。同時，我也參加了有鮮明中國統一立場的雜誌《洪流》的出版，並用筆名寫文章。[4]戰後中國，由於內戰和冷戰使台灣與大陸隔離，台灣出身的我有兩個祖國。由於對「白色祖國」的絕望，有一部分台灣知識分子在海外走向台獨運動。雖然我了解他們的心情，但我堅守民族統一的原點，肯定中國革命和新中國，寄希望於「紅色祖國」。這時期，留學生之間國民黨特務的密告行為橫行，從民主化運動以來一連串的活動，雖說是基於個人信念的行動，但對台灣當局而言卻是不可原諒的「叛亂行為」。我想試試看看情況，而向在日本的台灣領事機關提出了護照延期加簽申請，結果他們卻直接沒收了我的護照（1973 年）。從內人的朋友方向得知的消息，沒收護照的理由居然是「親共分子」的標籤。[5]由於我早有覺悟，也就能以平常心看待這事。

---

[4] 當時，台灣留學生所處的政治情況十分錯綜複雜。「留學生老校友會」大約半年就中斷，而《洪流》總共出版到第六期便停刊（1974 年 9 月）。記得我用「江明」的筆名寫文章。其他，當時也有組織「旅日中國留學生會」的活動，但是那時候我已不是留學生身份，因此沒有參與。〔編者按：劉進慶此處回憶有誤，他所使用的筆名應為「江林」。〕

[5] 把沒收護照的裁決文拿給我看的，是當時在亞東關係協會工作的朋友 Q 先生，可說是冒著生命危險的友情。另一方面，長期擔任該關係協會監視留學生工作的主持者是楊秋雄那個人。把留學生內部情況而向台灣當局密告者大

還好沒有台灣護照也不影響在日本的居留，只是成了一個無法回故鄉的「棄民」。我不得不繼續留在日本，這是我人生的第三次大轉變，那是 1973 年的夏天。即使如此，台灣當局對我一點也沒鬆手。

在我頭上戴的「親共分子」的標籤，三年後居然被升級成「中共幹部」。那時，台灣當局宣稱破獲了一個以 50 年代政治受難者為主的「叛亂事件」。事件當事者被台灣警備司令部起訴到軍事法庭，起訴理由是：接受駐在日本的中共幹部領導策畫叛亂，在台灣呼應大陸的進攻策略等。結果「主犯」陳明忠被判僅次於死刑的重刑十五年（1976 年 12 月）。不過，起訴書（同年 10 月）上卻記有「接受中共統戰部派遣駐日幹部劉進慶的指示」，居然有我的名字。[6]這是登載在一年後出版的《軍事研究》（1977 年 11 月號）上的一篇文章的部分內容，有一個朋友看到後告訴我才知道的。[7]的確我曾經見過陳先生，但那只是通過拙著的見面，不記得有其他的事。東京經濟大學副教授為什麼成為「中共駐日幹部」？真令人毛骨悚

多是留學生特務。反共特務的密告像「抓魔女」一樣，把留學生分成反體制派和體制派，而反體制派又被分作統一派和獨立派，這種特務活動加深了同胞間疑神疑鬼、矛盾對立的悲劇，在此記下種種，作為歷史的教訓。

[6] 台灣警備司令部起訴書，警檢訴字第 278 號，軍事檢查官臧家正，1976 年 10 月 29 日，第 213 頁。以及台灣警備司令部判決書，諫判字第 78 號，審判長王雲濤，1976 年 12 月 15 日，第 314 頁。就像此處所見的一樣，從起訴到判決居然只有一個半月的時間。然而，判決書中我的名字只記載「劉 XX」。這個事件，取「主犯」陳明忠的名字故被稱「陳明忠案」。陳先生在出獄後的 1990 年曾為表示歉意來找我。當時的談話中，陳先生表示當時在調查過程中受到嚴刑拷問，被逼說出在日本所遇到的所有人的名字。其中有提到我的名字，但完全沒有說到「中共駐日幹部」的話。他表示，在起訴書和判決書中出現筆者的部分，完全是為了加罪於他而由特務捏造的。而且，當時判決書並沒有交給被告，直到服刑後的 1980 年代才交給被告。

[7] 明石一郎，〈在日中国諜報機関の機密〉，《軍事研究》，通卷第 140 号，1977 年 11 月号，第 99 頁。另外，參考謝傳聖，《大陰謀——共匪統戰顛覆實錄》，台灣：聯合報社，1979 年，第 74 頁。

然，台灣的恐怖政治的觸手也伸進在日本的我的身上。直到最近才在偶然的機會與友人談到這件事，友人聽了也驚訝無言以對。為了不使家人因為這無法想像的冤罪而悲傷，二十五年間我一直深藏在內心沒有告訴他們。這是我被壓抑和抵抗的人生的最高峰。

的確，在上述事件的前後，我幾乎每個月都接受神奈川縣警的外事課警察的「訪問」。[8]因為這是相當不尋常的事，為了避免家裡知道，而在附近的喫茶店與警察見面。表面上好像是談有關台灣留學生的事，後來才注意到原來是來檢查我的動向，也就是台灣的特務機關通過日本警察來監視我。這個「例月訪問」，居然一直持續到 1978 年大陸與日本締結了中日友好條約為止。這件事相當傷害了我個人的名譽和人格，使我對日本當局和日本的民主主義極度失望。

然而，我並不害怕氣餒。因為被亞洲鄰國的人們尊稱為「日本的良心」的恩師隅谷先生，以及被仰慕為「留學生之父」的穗積五一先生都站在我的後面幫助我。穗積先生徹底尊重亞洲留學生的人權和人格，是一個堅信和實踐亞洲各民族的真正獨立和繁榮的信念的人。當時，我以出身留學生的身份參加了穗積先生主持的「亞洲經濟協力事業」的活動，我是「穗積精神」的信奉者，在先生過世時，我代表亞洲留學生擔任了「葬儀委員長」。[9]

然而，對我個人來說，冤罪的「後遺症」還是繼續著。家鄉老

---

[8] 依據筆者手上的名片，訪問者的職稱和姓名，是神奈川縣警察本部，警備部外事課，神奈川縣巡查部長 K 氏。還有，為什麼不是由東京都而是由神奈川縣負責呢？這也不清楚。

[9] 請參考〈記念対談：アジア学生文化協会創立 45 周年，創設者穂積五一先生生誕 100 年，穂積精神の当時と今〉,《アジア之友》(アジア学生文化協会)，2002 年 10 月号，第 2-10 頁。以及同《アジア之友》，1981 年 10 月、11 月号，故穂積五一先生追悼（その三）特集，第 10-14 頁。

父已超過九十高齡，人子無法與老父相見的苦楚日愈加劇。於是我以罪證沒有具體根據為由向台灣當局申請發還護照和回鄉許可，經過二年的交涉到了看起來似乎有望的時候 父親已來不及見到我就去世了，無法在父親瞑目時陪侍在側的悔痛至今仍嚙噬吾心。抵抗的「大義」和孝行畢竟無法兩全，這是 1981 年的春天。

針對無法奔赴父親喪儀的我，台灣當局（司法行政部調查局）今回卻急著要我回鄉。已失去在某種意義上被調查的「人質」的父親的我，採取了拒絕回台灣並強化與政府的對立關係，台灣當局也似乎已驚覺到了這問題。然而對我自己而言，為了證明自己沒罪也有必要採取歸鄉的行動。同時，如果我可以自由進出台灣，一方面可以證明我自己的清白，另一方面也可以間接推翻軍事法庭對陳氏案的判決，動搖警總的威權。我也感覺到台灣的國安當局為了如何處理我的案例而不斷意見對立，也有點擔心會被捲入其內部的對立。考慮之後我決定回去，為防萬一我先向隅谷先生說明了前後因由並把關係資料託付給他。而決定於 3 月學校放假期間，十四年來第一次回國。從下飛機直到離台期間，一直在特務的監視之下，也出面接受了調查局和警總的共同調查，真是如履薄冰的歸鄉。可以說，此行洗清了我的冤罪，但十分遺憾，「陳明忠事件」的不當判決和刑罰卻沒有任何變動和更改。

1980 年代前半，台灣政治頻頻發生令人毛骨悚然的暗殺事件。[10]中美建交加速了亞洲冷戰的瓦戰，台灣政治民主化的波濤加劇，

---

[10] 台灣省議員林義雄的老母親和二個子女，在大白天家中的慘殺事件（1980 年 2 月 28 日）。住在美國的大學教授陳文成回台期間，在台大校園內慘遭殺害事件（1981 年 7 月 3 日）。住在美國的作家劉宜良，在家中遭人暗殺（1984 年 10 月 15 日）。等等，這些案件背後都和國民黨的特務機關有關，被視為是對對反體制分子的暗殺事件。《台灣歷史年表，戰後篇 Ⅲ（1979-1988）》，台北：業強出版社，1992 年，第 42、92、182 頁。

同時國民黨政權的末期症狀的恐怖政治也更加狂暴。同時，我與中國大陸和外國交流的機會也增加了，在進出台灣之際依然有不安的感覺。何況雙親已不在，為了自身安全，也考慮到孩子的將來，還是決定取得日本國籍。我的抵抗的人生，實質上，在法的層面上總算告了一段落。那是 1984 年 6 月，五十二歲那年。

六、研究成果和與台灣政治受難者的見面

在我三十歲時集中精力完成的學術研究的集大成——博士論文，被審查先生們稱譽的兩項優點，主要是在分析方法的獨特性以及理論構造的緻密性，同時，先生們也指出了二個問題點，第一是：雖然分析理論架構的完成度高，但是否能有效地解釋台灣經濟的現實。第二是：這種分析的理論架構是否能一般化成解釋其他地區國家的案例？對於這兩個問題，關於前者，論文完全著重在解開生產關係和階級關係的問題，對於經濟發展的角度則相對貧弱，不可否認它對 1960 年代台灣經濟發展的解釋並不充分；關於後者，在那個時候自己仍無自信，只把它當做將來再解決的課題。由於我的分析理論架構已經把發展中國家的現代化中在公與私的有關思想上和社會學上的側面，以及中國現代史中思想上和社會經濟發展階段的歷史觀點加了進去，我的論文觀點如果要運用在別國的案例上，我想還需要把理論架構進一步簡潔化。在那個時點，我想這個問題只有交給後代的人去處理。

其後，關於台灣經濟的發展，我基於抵抗專制政治的立場和信念，並不想去論述好像有肯定獨裁政權味道的台灣經濟發展論，且有意在避開它，某種意義上是不想去迎合時潮。終於在 1980 年代末，由於隅谷先生的召集，我與涂照彥先生三人共同執筆出版了《台灣之經濟——典型 NIES 的成就與問題》（東京大學出版會，1992

年），填補了這個空白。

還有，有關博士論文中的分析理論架構是否可以一般化的問題，沒想到現在終於可以確定，它可適用於分析中國經濟問題。我從公有經濟、私有經濟和小農經濟的三方面去分析台灣經濟的方法，也可以用在分析中國的社會主義市場經濟。如果時間許可，我想去挑戰這個問題。

對於把焦點放在考察構成專制政治的物資基礎的台灣經濟的生產關係和階級關係的拙著《戰後台灣經濟分析》，給予最高評價的，是台灣的讀者。拙著與台灣讀者最初相遇，我的最早讀者是台灣的政治受難者。前述的「叛亂事件」的中心人物——陳氏是最早拿到這本書的人，拙著先在台灣政治受難者之間廣為流傳閱讀。但是，很快地，也許與前述「事件」有關係，這本書成了台灣當局的禁書。事後聽到的說法是：政治受難者喜歡這本書的理由是，拙著把他們曾認真思考過的這個時期的台灣問題，以及其後在獄中也曾研究過的時期中的諸多問題，以合乎邏輯的、實證且明快的方式整理出來且給予概括。這個讚譽，回答了論文審查時被指出的第一個問題，也就是，是否可以有效地說明台灣經濟現實的這個質疑。因此，對於拙著可以為處於被壓迫的最底層的台灣政治受難者的立場和見解代辯，我內心感到十分高興。

為政治受難者所喜愛的拙著，對台灣當局而言是「討厭的存在」。舉個例子，1979 年 10 月因《富堡之聲》思想問題事件而被逮捕的名作家陳映真先生，被特務列舉的所謂嫌疑證據中拙著就名列其中。[11]陳氏出獄後經營出版社，1987 年戒嚴令解除後，開始推動拙著中譯版的出版計畫，1992 年終於完成了中譯版《台灣戰後經濟分析》的出版事宜。

---

[11] 同上《台灣歷史年表》，第 24 頁。

譯者是台大研究所的三名氣銳研究生，監譯者是林書揚先生。林書揚先生經歷三十五年最久的牢獄，是台灣戰後政治受難者的代表人物。拙著在台灣的中文版，是曾經與戰後台灣恐怖政治戰鬥、受苦的政治受難者們熱烈的推舉和努力的結果。

沒想到這中譯本得到了《中國時報》當年度十大優秀圖書獎，得獎的佳評是：「政治經濟學的經典著作，經得住時間的試煉」。[12] 時代在轉變，拙著由「禁書」成為「好書」，事物的黑白真的逆轉了。中譯版也不斷再版，1999 年被指定為台北市政府的優良推薦圖書。[13]很幸運地，這本書廣為台灣的研究生所閱讀，特別是成為專攻這領域的研究生的必讀書。這樣拙著總算無辱於東京大學的學術聲譽，也算可報答恩師的學恩。還有，拙著作為我在學問上的抵抗的實踐的果實，對母國社會也有一定的貢獻，這樣我的抵抗和學問的人生可說了無遺憾了。

七、結尾——對東京經濟大學的感謝

我在 1975 年人生最困難的時期，為東京經濟大學所採用，開始了大學教師的人生。本校對失去了護照的台灣「棄民」的我，與對日本人毫無二樣以專任教師採用。對我來說，這個恩義是無可比喻的巨大和深切。我把本校當做「母校」，以無上感謝的心情全心全意從事本校的教育研究和行政工作，我愛護本校的感情也很深。甚且，本校比這更愛護我，讓我擔任各種要職，這期間，雖然多少嘗了辛酸，但是與其說是辛苦倒不如說是在咀嚼報恩的喜悅。這是

[12] 依據筆者手中所藏 1993 年 1 月 8 日受獎通知書。

[13] 依據筆者手中所藏 1999 年 3 月 27 日，「台北市政府新聞處優良讀物推介證書」。

我打從內心的話。

在此，我想說出當時採用我的，已過世的前校長井汲卓一教授和前經濟學部長木原行雄教授的兩位大名，表示我衷心的感謝。如果我對本校有一點點貢獻之處的話，當歸功於兩教授的遠見。還有，把我介紹給井汲教授的是前野良教授，他的厚愛令人難忘。

回顧七十年的星霜歲月，年少時常常浮現腦際的問題——「我是誰」，在人生不斷的經驗和思索之中，終於有了解答。答案是超出科學領域的問題，這待來日有機會再說罷。人生最重要的是要有方向和原則。我個性生來樂群，是一個跟誰都可以相處的人。「溫厚的人」，這是我給一般人的印象。我想這應該是受到雙親和家庭環境的影響。另一方面，我有遇弱則弱，遇強則強的性格和行動特徵。最近畏友中村貞二教授曾經用「激情的人」這句話來總括我這個人，雖然自己並沒有意識到這一點，但的確也有這一面。這個「激情」的一面，也許是來自在戰亂的時代而且活在壓抑的社會的我的抵抗意識形態。我的抵抗的生存方式，是在溫厚和激情之間擺動的。

上面的談話，是以到現在為止一直沒有人知道的我的「秘話」為中心。還有，我個人學問的創造性在三十歲是顛峰，之後只可以算是「附錄」。這期間，在我研究世界經濟南北問題的過程中，深深體會到在國際上我的「抵抗」的立場和觀點，的確也有其普遍的適用性。雖然如此，這個領域的學問研究，全體來看，仍然未成熟成果貧弱，而且，世界經濟仍處於快速再編組的過程，適用於這個領域的一般通論的研究，包括我自己在內還未完成。還有，關於經濟學的研究，要經過長期的觀察和思索，才會到達有自己觀點的「經濟學」。因為篇幅的關係，這些問題待他日再討論。

總而言之，我一生的抵抗的生存方式，是從被壓抑的命運中解放出來，做為一個人得自主、自由地生存，並且朝向超越一般世俗名利的更高的價值邁進。追求學問的道路使這樣的生存方式成為可能，並且能夠把自己的研究成果留給後世。東京大學，還有東京經濟大學給予了我這樣的場所，真感謝不盡。

辭世感言

我從 1931 年在台灣得到生命來到世間以來，已經歷了七十四年的星霜。

此間，在台灣接受教育，後步入社會開始工作，又於 1962 年渡日進入了追求學問的人生之路。

東京大學求學期間，在良師的教誨以及益友的幫助支援之下，投入了戰後台灣經濟的研究。同時，為反抗壓迫也竭力參與反蔣民主運動，就這樣度過了我三十歲階段的青春時光。

之後，又在東京經濟大學的好同事及好學生們相伴的環境中，潛心在國際經濟、亞洲經濟、中國經濟的教育、研究方面，認真走上了學者的路。在這期間，為了台灣和中國大陸的和平統一也積極參與各種活動。這可以說是作為我這一代台灣人的歷史性課題。

隨著年齡的增加我的造血細胞發生了變化，生命所需的血球開始變得不足，已感生命到了盡頭。回顧一生，雖然飽嚐了活在動盪年代的辛酸，但是自己可以始終不失主體地頑強走過，可說是幸福的。在此，謹向世間給予我的恩情厚愛表達感謝之意，以此作為我的辭世感言。謝謝。

2005 年 10 月 23 日

東京經濟大學名譽教授　劉進慶

劉進慶教授學經歷

我們的抵抗與學問——編後記

劉進慶教授學經歷

以下譯自 2003 年《東京経大学会誌（経済学）》第 233 号「劉進慶教授退任紀念号」所載之劉進慶教授略歷。

1931 年 作為劉仁德・六味的第六子，出生於台灣舊台南州斗六街

學歷

1944 年 斗六國民（公）學校畢業
1948 年 嘉義中學畢業
1951 年 嘉義高等學校畢業
1956 年 台灣大學法學院經濟學系畢業、經濟學學士
1962 年 神戶大學大學院經濟學研究科研究生
1965 年 東京大學大學院經濟學研究科碩士課程修了、經濟學碩士
1972 年 東京大學大學院經濟學研究科博士課程修了、經濟學博士

經歷

1956 年 服義務兵役、第 5 期預備軍官（1 年半）
1957 年 彰化商業銀行任職（4 年）
1975 年 就任東京經濟大學副教授
1978 年 升任東京經濟大學教授
1979 年 任東京經濟大學考試委員會委員長（4 年）

1985 年 中國對外經濟貿易大學（北京）客座教授
1988 年 東京經濟大學經濟系主任、大學法人理事、大學院經濟研究科委員長、國際交流委員長、電算室長（以上各 2 年）
1991 年 美國史丹福大學研究所客座研究員（1 年）
1992 年 美國哈佛大學銀行中心客座研究員（1 年）
1993 年 亞洲經濟研究所開發學校客座教授（6 年）
1994 年 東京經濟大學校內各制度整合委員長（7 年）
1995 年 東京經濟大學法人評議委員（7 年）
1996 年 東京經濟大學學費問題檢討委員會委員長（3 年）
1998 年 東京經濟大學圖書館館長（2 年）
1999 年 東京經濟大學創立 100 週年紀念展覽活動執行委員長（2 年）
2000 年 東京經濟大學設置本科國際經濟學系籌委會委員長（2 年）
2001 年 東京經濟大學退休，被授予東京經濟大學名譽教授

主要社會活動

兩岸關係研究中心（日本）代表
台灣學術研究會（東京）理事長
亞洲留學生文化協會評議委員
日本華人教授會議監委

我們的抵抗與學問

編後記

本文將介紹本文選的編輯緣起、所選論著的歷史背景，並附錄目前為止比較完整的劉進慶著作年譜。

《劉進慶文選》的發想始於劉進慶教授旅日期間的老戰友林啟洋先生。70 年代初期，劉進慶與林啟洋等台灣留學生在日本秘密組織了具有鮮明社會主義色彩的「中國統一促進會」。雖然這個組織的存續時間很短，參與者之間的戰鬥情誼卻從 70 年代延續至今。2013 年，經劉進慶夫人授權，林啟洋及夫人林邵雪瑛女士從日本取回劉進慶參與反蔣民主運動等方面的原始材料，希望在劉進慶逝世十週年的時候將這些材料編輯出版。不料，由於林啟洋本人罹患癌症，全部工作遂長期延宕，甚至無法將帶回台灣的文稿進行最初步的整理。林啟洋的病情在 2014 年春天急遽惡化並不幸於同年夏天病逝，逝世前，林啟洋將其帶回台灣的劉進慶文稿委託邱士杰主編本文選，將編輯與出版的工作提上日程。雖然林啟洋終究未能參與《劉進慶文選》的編輯並親見其出版，但他對社會運動的熱情、他對劉進慶的責任感與同志愛、他為了推動這部文選的出版而付出的努力，卻長存在我們心中。

開始整理林啟洋帶回的劉進慶文稿之後，發現這批材料大多集中於特定時期（一是 1970 年代，二是 2000 年以後）和特定主題（比方反蔣運動、政治犯救援運動，以及中國統一運動），沒有辦法全面反映劉進慶教授的思想歷程，甚至無法呼應林啟洋生前設想的編輯計畫——即本文附錄 B。因此，我們不得不擴大編選材料的範圍，在林啟洋帶回的劉進慶文稿之外找尋適當的文獻編入此書。[1]

為了擴大編選材料的範圍，我們首先著手的步驟，是儘可能全面掌握劉進慶的文稿及其發表狀況。劉進慶逝世前曾先後形成三份著作目錄，然而都不完備。這三份著作目錄分別是劉進慶自編的《中文論文著作目錄（1983-1999）》、《研究業績（著作）系列目錄》（包含 1999 年為止的中日文著作），及其退休之際發表的《著作目錄》（載於《東京経大学会誌（経済学）》第 233 号，包含 2003 年為止的中日文著作）。

這三份著作目錄最重要的不是相對完整的《著作目錄》，而是《中文論文著作目錄（1983-1999）》（參見附錄 A）。因為劉進慶曾規劃在《中文論文著作目錄（1983-1999）》的基礎上單獨出版漢語著作的選集。[2]

雖然按照《中文論文著作目錄（1983-1999）》而編輯成書更為簡單，但這份目錄所收書目過少，勢必只能編成一部關於劉進慶「學問」方面的文選，不能同時體現劉進慶「抵抗」與「學問」兩方面的奮鬥。所以，在儘可能蒐集劉進慶的所有論著的基礎上，我們編纂了著作年譜。一方面據此修訂了前述三份目錄不正確與不完備的地方，另一方面則力求體現劉進慶著作的版本流變和傳播過程。做

---

[1] 比例上，這些另外編選的材料佔了《劉進慶文選》一半以上的篇幅，其中某些材料甚至是通過考證才首次得到確認的劉進慶作品：比方劉進慶以筆名在《洪流》上發表的文章。

[2] 1999 年 11 月 20 日劉進慶致王曉波信：「有關敝文論集出版一事，匆匆整理一下這十六年來的中文拙稿，一共有 22 篇，其中一兩篇內容重疊。隨文附上，敬請參考。我對寫文出書，一向比較慎重。這些文章，即使讓他在沒有系統中成為一個系統，也需要在用詞表達方面整合統一。」劉進慶所說的 22 篇論文就是本文附錄 A 所列的書目。

為本文附錄 C 的〈劉進慶著作年譜（已發表部分）〉，就是在著作年譜的編纂過程中形成的部份內容。之所以只是部分內容，是因為暫先省略了劉進慶未曾公開發表的文稿與筆記。

通過劉進慶著作年譜的編纂，我們發現：雖然劉進慶的漢語作品的數量少於他的日語作品，但由於劉進慶參與社會運動的材料幾乎都以漢語書寫，而其重要的學術論文多數亦已譯為漢語。因此，同時彰顯劉進慶「抵抗」與「學問」兩方面勞動成果的最好方式，就是首先著眼劉進慶教授已發表與未發表的漢語作品，其次再重點翻譯劉進慶以日文撰寫的材料。——當然，我們也盡量兼顧劉進慶的編輯方針（即附錄 A，著重經濟性論文）與林啟洋的編輯方針（即附錄 B，著重政治性論文），並盡力按照劉進慶遺下的修訂指示進行編輯。具體編輯原則，參見編輯凡例。

由於劉進慶最重要的學術作品大多已用專書形式呈現，特別是陳映真先生推動並由人間出版社出版的漢譯本《戰後台灣經濟分析》（個人專著）和《台灣之經濟：典型 NIES 之成就與問題》（多人合著）。因此，本文選關於「學問」方面的選文，著重於反映劉進慶的基本理論觀點；其它篇幅則讓給劉進慶「抵抗」過程中留下的作品——而這部份幾乎是一般讀者難以取得的。可惜，部分文章因為惱人的著作權問題之干擾而無法選入（如陳映真對劉進慶的訪問稿，以及劉進慶過世之後的各方悼詞）。一切只能等待之後的劉進慶著作集、全集，或者特定主題的選集，來彌補這份遺憾。

依照文稿性質先後，本文選歸納出以下篇目；篇目次序與時間先後基本相關：

六十年代旅日台灣留學生的反政治迫害運動；

七十年代留日台灣學生的政治集結與統獨分化；

劉進慶與七十年代在日中國統一運動；

台灣經濟的基本性質；

兩岸經貿交流與台灣前途；
美日帝國主義與兩岸關係；
反獨促統運動；
兩岸關係研究中心與台灣研究；
台灣民意與選情的調查研究；
台灣史與台灣人。

以下概略介紹這些篇目所收錄的文獻及其歷史背景。

〔六十年代旅日台灣留學生的反政治迫害運動〕

1962 年劉進慶赴日留學，隨後擔任起東京大學中國同學會總幹事。任職期間，他直接遭遇多次旅外台灣留學生被國民黨當局政治迫害的事件。根據劉進慶親自保留的各種救援材料，他介入最深的反政治迫害運動有二：一是 1967 年劉家欽和顏尹謨返台被捕事件，二是 1968 年陳中統事件；就保留的救援材料數量而言，劉進慶為這兩次事件所保留的材料也是最多的。不過，他也保存了許多關於陳玉璽事件、柳文卿事件、劉彩品事件在內的救援材料。遺憾的是，由於篇幅與主題的限制，我們優先選登劉進慶親自撰寫的救援文獻。至於他所蒐集的其他救援材料，雖已有部分完成編輯，也只能暫先割愛。

雖然劉顏事件與陳中統事件都抹有分離主義色彩，與劉進慶的政治立場並不同調，但他還是毅然決然為救援同學而奔走。而他最精彩的實踐，大概就是在蔣經國訪問日本期間，無預警地衝到蔣氏面前上訪，為被捕同學陳情。

總的來說，雖然國民黨當局的政治迫害與留學生們的反政治迫害首先是島內社會矛盾激化的反映，但從更廣闊的角度來看，60 年代旅日台灣留學生的反政治迫害運動，也是同時代日本「安保鬥爭」以及全球激進運動的一部份。留學生們在激進化的各大學院校裡接觸了社會運動，並適應台灣的現實而逐漸形成了自己的抵抗。

〔七十年代留日台灣學生的政治集結與統獨分化〕

雖然劉進慶不分統獨一概救援被國民黨當局迫害的同學，但 60 年代末期以來的兩岸聯合國席次問題、保釣運動、島內興起的革新保台運動，以及保釣運動在北美發展而成的左翼愛國統一運動，卻讓旅日台灣留學生內部出現既團結又分裂的新局面。1971 至 72 年之交，劉進慶與其他旅日學生共同成立了「台灣問題研究會」並創辦機關刊物《改造》。「台研會」與《改造》有幾個特點。首先，重視調查研究。尤其是旅日台灣留學生內部的「左／右／統／獨」各種傾向。其次，關注時事。比方保釣運動、東亞內部的分斷國家問題（特別是兩韓與兩岸）。其三，積極介入社會運動——這點可能更為重要。就在島內出現革新保台運動之後，旅日學生也在 1972 年初以「國是建議書」運動提出呼應。這可以說是日本版的「革新保台」運動，留學生團結態勢一度高漲。

但是，由於「國是建議書」運動本身還是寄望於國民黨當局的改革、設定當局為改革的主體，因此，當同年召開的國民大會終究暴露國民黨當局毫無自我變革之心，「台研會」與《改造》也便立即做出了如下宣示：「這次國民大會不但沒有做到全民所期望的徹底改革，反而假借維護民主憲政法統之美名，充實封建性專制體制之內容，是民國以來最反動的一次政治戲，簡直是自欺欺人。不過我們已事先預料到今天的結果，因此並不灰心，也不失望，相反地，倒表示我們一向的看法沒有錯，而增加我們對情勢認識的信心。同時，也給我們省悟到今後救國行動的方向。」——無論曾經積極投入「國是建議書」運動的「台研會」與《改造》是否真有「一向的看法」，至為明白的是，這段話不但宣布了革新保台運動的死刑，劉進慶即將堅決走上的政治道路，也由此獲得預示。

〔劉進慶與七十年代在日中國統一運動〕

北美的台灣留學生一般都被視為 70 年代海外左翼運動的主體，尤其被視為釣運向統運＝左翼運動轉變的代表；但全球各地的華僑界其實都出現了類似的運動與類似的轉變。劉進慶及其同志們在日本的實踐，正是典型之一。這個典型還有另一層意義。70 年代北美台灣左翼的統一運動參與者多屬外省籍，但在台灣分離主義運動居於主體的日本，包含劉進慶在內的自發的社會主義統一派卻幾乎都是經歷過日本殖民統治、二二八，以及 50 年代白色恐怖的本省籍青年。這個特點不容忽略。

劉進慶留下的文稿顯示，1972 年是劉進慶的國家認同出現劇烈波動與轉折的一年——他開始試著區別白色祖國與紅色祖國並將後者視為他認同的對象。代表性的文獻就是他在同年 1 月發表的〈一九七二年有關台灣問題之內外情勢的展望〉。他的這次演講首次明白列舉了台灣的三種可能前途：「維持現狀」、「台灣獨立」、「解放台灣」。劉進慶把「人民政府」對台灣的「解放」當成台灣未來的可能前途之一，可見其國家認同所發生的變化。在日後的歲月裡，這三種前途仍然是劉進慶分析兩岸關係的思考框架。這大概也體現了兩岸關係的基本格局的長期僵持。

也就在 1972 年，旅日台灣學生內部的「左／右／統／獨」分化越來越強烈，劉進慶與獨立派學生之間的矛盾日趨加深。代表性的文獻則是同年 12 月發表在《台生報》的〈從個人的經驗談到台連會當前的問題〉。

獨立派對劉進慶的攻擊可從「在日台灣留學生連誼會」（簡稱

台連會）及其機關刊物《台生報》談起。《台生報》是旅日台灣學生內部影響力很大的定期刊物，包含台研會的《改造》在內的各種台灣學生組織，也各自在《台生報》上擁有自己的專版或專欄。因此，《台生報》理論上應當是屬於全體台灣留學生的新聞紙。但「左／右／統／獨」分化日深，思想對立的形勢愈形尖銳。〈從個人的經驗談到台連會當前的問題〉就是劉進慶為了批判台連會偏向台獨並拒登其稿件而撰寫的文章。

然而，劉進慶此文之所以可以發表在《台生報》，又與政治態度開明的林啟洋接掌台連會以及《台生報》編輯有關。此外，收錄於本文選的留學生汪義正訪問大陸記，也是林啟洋主事期間才得以在《台生報》發表的文章。

由於旅日華僑界自 1949 年之後就出現長期左右分裂乃至統獨分裂，因此 70 年代激化的「左／右／統／獨」分化並非突然之舉。在旅日社會主義統一派長年積累起來的基礎上，包含劉進慶在內的新一代社會主義統一派力量實現了集結。1972 年，《洪流》創刊。該刊鮮明地舉起社會主義統一派的旗幟。不但封面設計以《紅旗》為模範（據林啟洋回憶），排版甚至全部採用大陸通行的簡化字。激進面貌，可見一斑。

在《洪流》的基礎上，劉進慶等人在 1972 與 1973 年之交秘密組成了「中國統一促進會」（據原始手稿，本擬定名「台灣解放革命黨」）。《洪流》則變成了「中國統一促進會」所認定的公開刊物。

在全部使用化名的《洪流》作者群中，目前唯一可以確定的劉進慶作品發表在《洪流》最後一期，編號為第六期。標題是〈從台灣雜誌看邱永漢〉，署名江林。這篇文章最值得注意的地方，是其呼應了島內的反帝民族主義刊物《中華雜誌》對投蔣台獨邱永漢的強烈批判。當時，國民黨當局在革新保台的大旗之下對海外台獨展開新一輪招降。日本財閥所支持的邱永漢趁此機會返台投資、大撈一筆，充當了日本對台經濟侵略的先鋒。「國（民黨）台（獨）合作」的趨勢不但引起島內反帝民族主義集團的注意，更引起了海外台灣社會主義者的普遍批判。除了劉進慶來自日本的批判之外，北美台灣社會主義者所創辦的《台灣人民》也積極批判了「國台合作」。雖然《台灣人民》正是第一個將劉進慶日語論文譯為漢語的刊物，但目前無法確定大洋兩邊的台灣社會主義者之間是否存在任何具體聯繫，也無從確認海外社會主義者與島內的反帝民族主義集團之間是存在某種協作。總之，歷史將他們聯繫到了一起。社會主義者與反帝民族主義者之間的可能的共識，正在反對「國台合作」這點上尋得契機。而這份契機正是 70 年代《夏潮》以及鄉土文學論戰的歷史背景之一。

劉進慶參與台研會與中國統一促進會之際，也完成了博士論文並正式出版成書。他一邊鑽研學問，一邊從事運動，如果沒有甚麼外力介入，也許劉進慶還會這樣幹下去。但來自台灣的白色恐怖很快波及到日本。秘密成立的中國統一促進會讓劉進慶戴上了紅帽子，他不但被台灣吊銷護照，也開始被日本警察當局長期監控，極大影響了他的日常生活。在這種惡劣的環境下，雖然他仍秘密堅持同志之間的聯繫工作、營救被迫害的同志、甚至涉入了島內爆發的「陳明忠事件」，他生活的重心仍不得不從「抵抗」轉入「學問」。

〔台灣經濟的基本性質〕

80 年代，兩岸政治環境均日趨開放，劉進慶開始向兩岸學界發展。第一站是大陸。改革開放之後，廈門大學新成立的台灣研究所帶頭翻譯了劉進慶的多篇論文，直至 90 年代；劉進慶自己也開始在大陸各地訪學與旅行。

1983 年首辦的「台灣之將來」學術研討會是海外台灣學者首

次大規模組團前往大陸並和大陸學者共同研討台灣問題的會議。歷史意義重大。劉進慶先後在第一、二屆的「台灣之將來」學術研討會發表兩篇文章，分別是〈從中樞衛星關係的觀點看台灣政治經濟的演變和展望〉(1983 年 8 月）以及〈台灣經濟成長的商榷〉(1985 年 8 月)。

第一篇論文是劉進慶採用「中心—衛星」學說來解釋台灣經濟的論文。與他在 70 年代形成的、以《戰後台灣經濟分析》為代表的理論觀點相較，可說是劉進慶的新嘗試。

第二篇論文則是劉進慶集中關注清代台灣經濟史的起點，這也牽涉到究竟應當如何評價 19 世紀以來台灣的「近代化」問題。以 1985 年劉進慶推動成立的東京「台灣學術研究會」為契機，劉進慶進一步發展了第二篇論文。第二篇論文關於清末台灣經濟的部分在他大幅度增補之下另以〈清末台灣對外貿易的發展與其特點〉為題，發表在《台灣學術研究會誌》創刊號（1986 年 8 月)。至於第二篇論文的其他部分（同時也是原論文的主體部分)，則以〈從歷史的觀點探討台灣經濟成長問題〉為題發表於《台灣學術研究會誌》第二期（1987 年 11 月)。

為介紹 80 年代劉進慶關於台灣經濟發展史的思考，並同時介紹劉進慶所參與的「台灣之將來」學術研討會以及「台灣學術研究會」，本文選收錄了〈從中樞衛星關係的觀點看台灣政治經濟的演變和展望〉、〈從歷史的觀點探討台灣經濟成長問題〉二文，以及「台灣之將來」學術研討會與「台灣學術研究會」相關的材料。

在 80 年代台灣黨外運動蓬勃發展的氛圍中，劉進慶的研究也成為了台灣黨外運動批判國民黨當局的理論資源之一。在陳映真、林書揚等台灣社會主義者的推動下，劉進慶最重要的著作《戰後台灣經濟分析》終於推出了漢譯繁體字版。

在陳映真進入了長期擱置小說寫作並致力於「台灣社會性質」

研究的 90 年代，劉進慶的著作成為陳映真投身此一研究的準備工作。陳映真將《戰後台灣經濟分析》作為「人間台灣戰後政治經濟叢刊」的一冊而發行漢譯繁體字版並改稱《台灣戰後經濟分析》。與此同時，他也和曾健民等關心科學社會主義的友人共同成立了「台灣社會科學研究會」。1994 年，台灣社會科學研究會邀請劉進慶在返台餘暇以〈台灣資本主義性格的探討與國家權力〉為題發表演講。這次演講簡明扼要地概述了他對從商人資本來把握台灣資本主義性格的基本觀點。此後不久，劉進慶更在〈台灣資本主義特性與未來走向——國際比較研究〉這篇論文採用了馬克思《資本論》關於資本循環的表述方式，總結了台灣資本主義所深深浸潤的商人資本性格（非生產性、流通性、投機性）。劉進慶隨後發表的〈台灣經濟體質總體檢〉（參見本文附錄 A 與 C；本文選未收錄此文）就是在理論推演比較詳盡的〈台灣資本主義特性與未來走向——國際比較研究〉的基礎上改寫而成的通俗論著。

1997 年，林書揚、陳映真、陳明忠等政治受難人代表人物在台北舉辦了首屆「東亞冷戰與國家恐怖主義研討會」。這次會議邀請日本與韓國等地的政治良心囚、人權運動家，以及進步學者參與，是東亞第一次試圖共同清算冷戰期間台韓日白色恐怖、共同直面兩岸與兩韓的國家分斷、共同反對美日帝國主義的跨地域研討會。劉進慶也應邀出席。他在這次會議發表的〈恐怖政治下的搜刮經濟與其反動性格〉基本上是其《戰後台灣經濟分析》一書的摘要版。他從「半封建」（這意味著「前近代」）把握國民黨政權性格，否定了 50 至 60 年代國民黨政權可能潛在的發展主義，並因此對國民黨政權提出了完全負面的評價。用他的話來說，「美化白色恐怖時期的台灣經濟無論如何是極不道德的。」雖然這篇論文未能反映他從 80 年代以來為了解釋台灣經濟的新發展而提出的理論修正，卻典型呈現他在 70 年代形成的基本理論觀點。[3]因此，本文選也收錄了這篇論文。

〔兩岸經貿交流與台灣前途〕

改革開放之後，大陸的對台政策轉入「和平統一，一國兩制」階段，兩岸迅速迎來以開放探親為先導的人員往來和台資登陸。面對劇變的兩岸形勢，劉進慶也積極提出他的建言。（他的看法散見於他在多屆「海峽兩岸關係學術研討會」所發表的論文，多已收於本文選。）劉進慶對於兩岸關係的基本思考，大致可分為以下幾個方面：

（一）一國兩制之所以適於台灣，在其尊重歷史與現實的考量；而既然兩岸的經濟制度沒有太大差異（這是劉進慶的特殊觀察之一），台灣當局難以接受一國兩制政策的原因便不在於經濟層面上的兩制如何長期維持，而在於政治上的一國以及政治上的兩制如何實現，及如何從「高度自治」的角度來說服台灣人民接受一國兩制

[3] 請參考陳映真的扼要介紹：「劉進慶教授的《台灣戰後經濟分析》，是第一部台灣戰後資本主義發展史，也是第一部戰後台灣社會生產方式性質理論著作。他首先分析台灣光復後，國府接收當局接收了龐大的日本獨占資本主義產業，化為國民黨的『國家資本獨占體系』，又以『農地改革』過程，將土地資本轉化為民間私人資本，從而形成『公業』（公營企業資本）與『私業』（民間私人資本）對立矛盾的二元，而國民黨歷史的封建性，與 50 年代迄 60 年代封建性實物租稅，對農村的剝奪，並支援軍事財政，規定了國民黨在台統治的（半）封建性。『公業』與『私業』辯證統一形成『官商資本』。此外，戰後台灣對美日經濟的高度依附，又規定國府統治的『新殖民地性』。因此，劉進慶教授是第一個以『新殖民地半封建社會』規定 1945 年到 65 年的台灣社會性質的學者。這個社會受到『官商資本』的統治，而以廣泛工資勞動者和農民為社會的底邊，又對外扈從於美國和日本的國外獨占資本！」見：陳映真，〈東望雲天：紀念劉進慶教授〉，《聯合報》，2005 年 11 月 20 日。

並使之具體落實。

（二）以台資登陸為起點，兩岸之間的經貿交流重新展開。雖然大陸方面也能通過香港等地而間接輸出產品到台灣，但台商前往大陸的資本輸出或商品輸出還是兩岸貿易中最主要的。因此，劉進慶認為兩岸之間遠遠尚未實現「互補」「互惠」，而只做到了大陸對台單方面的「光補」「光惠」。台灣對日本的逆差正從台灣對大陸的順差得到彌補。這是兩岸之間特殊的「國內貿易」，但不是真正的兩岸經貿整合。在劉進慶過世之前，他將兩岸經貿整合寄望於當時還沒實現的三通。但即便兩岸真正的經貿整合還沒實現，劉進慶也已經在 90 年代初期注意到經濟促統的侷限。也就是說：經貿往來不但不會帶來認同整合，還可能產生反效果。

（三）在前述意義上，從政治上直接解決兩岸分歧——而非曲線通過經濟交往——在兩岸之間形成有序的、合理的產業分工、形成真正的兩岸經貿整合（開放大陸資本來台是一項關鍵），才能徹底改變戰後台灣經濟結構在 80 年代以來只能小範圍解決的產業升級困境（而這種困境當然與台灣資本主義的非生產性的「商人資本主義」性格密切相關），並維護廣大的工農階級和中小企業主的利益。雖在台灣經濟依然對美日依附的條件下，李登輝的「戒急用忍」政策還能有存在的空間，但當「亞太營運中心」所揭示的台灣經濟轉型計畫因此夭折，台灣採取相對自主的姿態與大陸來往的可能性反而越來越低。而在 WTO 以及區域整合的趨勢下，必須勇於消除兩岸間長期的不對等經貿往來，才能使台灣人民獲得更大利益。

〔美日帝國主義與兩岸關係／反獨促統運動／
兩岸關係研究中心與台灣研究／台灣民意與選情的調查研究〕

世紀之交，世界局勢與兩岸形勢發生進一步的轉變。港澳陸續回歸中國、亞洲金融危機波及兩岸、美國屢屢對華軍事挑釁、日美積極強化安保體制並推動海外出兵、島內「歷史修正主義」危機、李登輝當局抛出兩國論以及陳水扁當選總統——新的形勢促使劉進慶也必須做出回應。

身為經濟學家的劉進慶對於當時美國推動的所謂TMD彈道防禦系統以及日美安保新指針進行了嚴厲批判。字裡行間，反帝與反戰的精神濃郁地滲透在他一篇篇寫下的論文。必須一提的是，劉進慶所撰寫的這些論文，多數是在台灣政治受難人代表性人物林書揚（1927~2012, 1950年起坐牢34年7個月，同時也是島內社會主義統一派運動領導人）所主導的「跨世紀亞洲人民反對美日帝國主義運動國際研討會」發表的。

面對2000年民進黨陳水扁上台所帶來的新局面，島內《左翼》雜誌同人與海外《中國與世界》主編「蕭喜東」（筆名）之間掀起了一場小論戰。論戰起因於如何評價蕭氏〈二十年來的對台政策需要檢討〉這篇論文的觀點。雖然劉進慶並未直接參與論爭，他在2000年撰寫的〈台灣新政權上台與兩岸關係的反思〉（已收入本文選）的「注釋1」卻高度評價了蕭氏觀點，稱其「恰好描出了我的這一個反思久悶的感受」，並希望「容我整段摘錄」，以饗讀者。但正式發表這篇論文之時，劉進慶放棄了「整段摘錄」的打算。「注釋1」刪除了原稿在「而是在往相反的方向用力」這句話之後的全部徵引文字以及劉進慶的點評。[4]在這些文字的引述、點評，以及刪改之間，劉進慶的複雜心情體現無遺。

[4] 刪除的點評如下：「苦言良藥。〔蕭氏〕上開一段話，本人雖不全部都贊同，但基本看法則切身同感。想到台灣愛國統一運動人士的辛苦處境，眼看今天大陸對台灣左右為難的情況，誠有悔不當初之感。亡羊補牢，尚未晚矣。」劉進慶的「悔不當初之感」，生動刻劃了劉進慶在民進黨上台之際一度遭受的心理衝擊。

其實，自劉進慶積極投身社會運動的70年代以來，如何理解、對待台灣分離主義運動及其參與者，始終縈繞劉進慶內心。因此，即便2000年民進黨陳水扁的上台衝擊了劉進慶，他還是擁有相當的心理準備來把握眼前形勢及其歷史根源。如其所言：「我是1930年代初出生，台灣土生土長的老一輩台灣人，所以我在感性上，油然肯定陳水扁的當選。」但「關於台灣與大陸的兩岸關係一件事，我對陳水扁的政見，則不能不有所保留，對民進黨的『台灣共和國綱領』不能贊同。」（參見收錄於本文選的〈一個中國的方向才是台灣長榮久安的大道：給總統當選人陳水扁先生的建言〉）1989年1月劉進慶接受《民眾日報》記者訪問之時，更曾經試圖用一種促進統獨雙方理解彼此的視角，闡述他對統獨問題的看法：

> 希望中國統一是我從小主觀的願望。小時候在日本殖民地統治下的台灣長大，民族感情延續到成年，來日後接觸各種思潮，我發覺社會主義的理念對中國是好的，大陸革命是必然的，受蔣政權壓迫的不只是台胞，大陸同胞也一樣，所以統一是大方向；由這種情緒與認識累積形成的願望基本上不易改變。〔……〕至於對主張台獨立場的人，我能了解也寄與同情，因為我的內心深處也有統獨情結的矛盾存在。〔……〕我贊同統一，但這並不意味認同中共政權或者國民黨政權；目前我不願意高唱統一，因為尊重同胞的意見最重要，台灣在民主環境的條件下透過民主渠道取決的方向應該受到最大尊重。[5]

[5] 雖然劉進慶表達了「贊同統一」但「目前我不願意高唱統一」的態度，但同年3月發表的〈台灣何時接受一國兩制〉一文卻指出：「民眾是現實的」，在「(1) 維持現狀，(2) 獨立，(3) 統一下的一國兩制」這三種選項之間，「人們傾向於最低危機，能維持當前生活水準的方向。」因此，他相信「有關一國兩制的討論在不久的將來還是會被公開提出討論的。民眾將開始認真探討

有歷史情結必然有台獨情感，我自己也有過這種體驗。戰後國民黨以同胞的美名來壓榨台灣人，對我們這一代台胞而言，比受日本人統治更令人憤慨。台獨人士的情緒是有根據的，客觀上應該給予尊重。（劉進慶主講、李若汶專訪，〈民主問題尤勝統腔獨調——東京大學經濟學博士劉進慶強調應尊重台胞意見〉，《民眾日報》，1989 年 1 月 14-15 日。）

記者質疑劉進慶此言頗有「自決論」色彩，但劉進慶認為問題不在於「自決論」而在分離主義（維持現狀與獨立）壟斷「自決論」的詮釋權。只有為中國統一保留空間、只有台灣人民也充分認識了中國大陸，才可能形成真正基於人民自覺的「自決論」。[6]

當然，2000 年的形勢與 1989 年完全不同。在民進黨上台的新形勢下，劉進慶迅即採取更加戰鬥的姿態，面對眼前的各種新老問題。劉進慶不但在論述上積極解釋「九二共識」，也全力投入反獨促統運動。主要活動有二：一是主導了在東京舉辦的全球華僑華人推動中國和平統一大會。在當時全球各地舉辦的類似大會中，劉進慶主辦的這次大會留下相當多的論文，也匯集非常高的人氣。另一

一國兩制的可行性。筆者今天提出這個觀點，是因為相信，海峽兩岸之間的政治離心力一定弱於經濟的吸引力之故。」「一旦呈現出兩地共存的構想後，有關統一下的兩種制度（一國兩制）的現實可行性的問題，將在民眾間被熱烈檢討。這中間的焦點在於，這種構想一方面能維持台灣的資本主義，維持相當高度的自治，且在那基礎上能享受當前的豐裕生活。」（以上採用以下譯文：劉進慶，〈台灣何時接受一國兩制〉（勞歸[林書揚]譯），《遠望》，1989 年 9 月號，第 5-9 頁。）顯然當時的劉進慶對於「一國兩制」的號召力抱持樂觀態度，這與他當時同樣樂觀看待經濟促統的效果有關。

[6] 劉進慶：「(1) 自決論者不可加入個人主觀意願，在『統一』、『獨立』與『維持現狀』三者之間，要讓人民有充分認識與公平選擇的機會，(2) 提供民眾獨立思考、充分討論的空間，保障完全的言論、思想、集會、結社自由，(3) 布置一個選擇環境，讓台灣人有機會去看大陸，去認識大時代的環境。有人出國，有人困居鄉間，造成選擇能力與水平差距懸殊，自決的過程中首先會遭遇的就是內部問題。」

個劉進慶所主導的則是旅日華僑學者共同組織的兩岸關係研究中心。這是一個著重調查研究與政策建言的智庫機構。

從劉進慶的人生軌跡來看，早年他參與「台灣問題研究會」的時候，就非常重視調查研究工作，該會經常在機關刊物《改造》或者《台生報》發表多種以留學生為主要對象的認同調查。晚年的劉進慶再次回到了調查研究的道路上。收錄於本文選的許多民意調查，正是劉進慶及其研究中心的同人在台灣具體進行調查研究的成果。除了具體的調研報告之外，本文選所收錄的〈一年來的台灣民情調查之研究報告（序論）——從兩岸關係的觀點〉以及〈兩岸關係與台灣民意之研究（1）〉，可視為劉進慶運用韋伯學說進行調研並總結調研的理論成果。這也是為了說明「唯物史觀的理論假說實際上套用不上」政治認同和兩岸經貿整合之間的悖離，而做出的理論嘗試。

〔台灣史與台灣人〕

本文選將李登輝執政末期延續至今的「歷史修正主義」危機以及劉進慶對此做出的抵抗，作為本文選的最後一篇。對於經歷過二二八、白色恐怖，以及兩岸長期對峙的劉進慶而言，台灣實際上還沒回歸祖國，還沒真正光復。雖然他從未因此喪失對於祖國統一的信心，而且還積極為台灣的真光復而努力，但島內多數同胞的意識形態卻朝著與他相反的方向走去。諸如呂秀蓮前往春帆樓紀念馬關條約，或是小林善紀《台灣論》在台灣引起的熱潮，乃至日本殖民統治時期的歷史評價的提高，這些亂象都讓劉進慶不得不再次挺身撰文、嚴詞批判。

劉進慶過世前寫了三個同樣經歷日本殖民統治的台灣人物評傳。一是作為分離主義與反共反華意識形態之代表的李登輝，二是作為島內社會主義統一派代表人物的陳明忠，三是以學問和抵抗在海外奮戰一生的劉進慶自己。劉進慶的陳明忠傳記題為〈台湾人愛国主義者の闘士陳明忠の口述史：国家テロ下の生死の巷〉（2003年11月5日訪問於台北），全文以日語撰寫。雖然這篇傳記以陳明忠的第一人稱展開，但當談到和劉進慶直接相關的陳明忠事件之時，該部分內容其實正是劉進慶的親身見證，史料價值極高。[7]（此

---

[7] 劉進慶此文涉及自己與陳明忠的段落如下。

——段落一：「我〔陳明忠〕通過川田女士而認識了旅日華僑林伯耀先生。林氏乃是原籍福建省的二代華僑，畢業於京都大學的旅日愛國華僑青年領袖，更是強烈關心救援台灣政治犯的熱心活動家。通過林氏，我也進而得以認識台灣出身的學者劉進慶。劉氏也是旅日的台灣留學生領袖、站在台灣民主化運動的最前列。這實在是收穫豐富的日本之行。隔年，也就是1975年，我再次前往日本。當時，我從林伯耀那兒取得了才出版沒多久的劉進慶《戰後台灣經濟分析》一書。對於住在台灣的我來說，這部研究著作的分析視角與我擁有共通的問題意識。此回，我再度會晤了劉進慶。針對台灣的動向、大陸的形勢，乃至對於國際環境的認識等各種各樣的話題，我們進行了親切的意見交換。進而，我也聽說了台灣政界的大前輩陳逸松先生在1972年經日本前往大陸的事情。返台之際，我買進了一台複印機，熱心地把許多圖書或資料複印之後，廣泛地散播到以50至60年代的政治受難人為中心的相關朋友手中。」

——段落二：「就起訴書的起訴事實來說，雖然我〔陳明忠〕確實保存了大量與中國大陸相關的文獻材料，但最重要的罪名卻完全是台灣當局單方面所捏造出來的劇本。其中主要部份的第一點，乃是我與中國共產黨之間的關係。也就是說，我以日本為基地，在日本接受中共統戰部派遣在日本的幹部劉進慶的指導，進而意圖在台灣著手實行叛亂計畫。而且，根據保安處的調查，劉進慶乃是在日台灣學生連誼會的幹事。但事實是什麼呢？實際上，劉進慶出身於台灣雲林縣，畢業於台大經濟系之後前往日本留學，在東京大學取得博士學位，而當時的他，乃是一位正在東京經濟大學擔任助教授的經濟學者。此外，在日台灣學生連誼會雖然乃是迄今猶存的旅日台獨派留學生的組織，但劉教授與這個組織完全沒有關係，政治立場也全然迥異。況且起訴書在同一份文件裡，一下子說劉進慶是中共幹部，一下子又說他是台獨組織幹部，這又該從何說起呢？只能說是前後不一、邏輯不通。竟然把出身台灣的劉進慶教授捏造成中國大陸派往日本的中共幹部，並當成我的罪狀的核心部分。如前所述，我與劉教授只是在我訪問日本的時候，曾在東京會面，而在我被

回因來不及翻譯遂無法編入此書，但該份文稿已交由陳明忠先生校閱與修訂。）

總的來說，李登輝的一生在背叛與轉向中度過，並通過不斷的轉向而青雲直上、步步高昇；堅持理想的陳明忠則在白色恐怖下堅持鬥爭、兩次坐牢，關了二十多年。至於劉進慶自己，也因為參與了倒蔣反國民黨運動而遭到國民黨當局和日本當局的監視與迫害。從人生道路上來看，這三個台灣人都曾經歷社會主義的思想啟蒙，卻只有陳明忠與劉進慶將社會主義的理想堅持終生、相互支持。對於現在的與未來的台灣人而言，他們走過的歷史道路意味著什麼？對於「我們」是否還有意義？

劉進慶以其「抵抗」與「學問」的一生，追尋「我們」的重建——那是包含著台灣人民在內的全體中國人民的「我們」、是在台灣人民的獨特歷史經驗充實著中國歷史的過程中形成的「我們」。如果劉進慶的人生軌跡對於當下或未來的「我們」仍有意義，「我們」必將發現：對於劉進慶而言的「我的抵抗與學問」，正是「我們的抵抗與學問」。

本文作者：邱士杰，台灣大學歷史學研究所博士候選人，同系所學、碩士，本書主編。研究方向是台灣社會主義運動史以及中國政治經濟學史。著有《一九二四年以前台灣社會主義運動的萌芽》一書。

拷問的時候，我說出了這個事實，就只是這個樣子而已。」參見陳明忠口述、劉進慶記錄，〈台湾人愛国主義者の闘士陳明忠の口述史：国家テロ下の生死の巷〉，打印稿第 4、7 頁。

〔附錄A〕中文論文著作目錄（1983-1999）／劉進慶編

編者按：以下書目共二十二則，各條具體出處請參見附錄C。
已經收錄於本文選的書目，標註星號「*」。

歷史觀點部分：

〈清末台灣對外貿易的發展與其特點〉
〈從歷史觀點探討台灣經濟成長問題〉*
〈從中樞衛星關係的觀點看台灣政治經濟的演變和展望〉*
〈台灣經濟成長的商榷〉

產業經濟部分：

〈台灣經濟屬性的探討〉
〈台灣經濟屬性的探討〉〔重複發表〕
〈台灣產業升級的基本問題〉
〈台灣經濟體質總體檢〉
〈台灣經濟特性與未來在亞太經濟中扮演的角色〉
〈台灣加工出口區對國家經濟發展的貢獻〉
〈世界體系下的亞太地區國際分工形勢〉

兩岸經濟部分：

〈兩岸交流對台灣政治經濟的衝擊〉
〈兩岸經濟關係的動態與問題〉
〈兩岸政經關係與和平統一〉*
〈世紀末兩岸經濟互助合作的道路——從台灣經濟觀點說起〉*
〈兩岸經貿前進的十年，兩岸合作光明的前景〉*
〈邁向21世紀兩岸經貿一體化的展望〉*
〈亞洲經濟危機對兩岸經濟之影響和兩岸經貿協作的新形勢〉*

其他部分：

〈歷史悲情與歷史認識的自我檢討——
剖析台灣媚日反華分離主義者的奴性史觀〉＊

〈中國第三次思想解放對經濟的影響〉＊

〈日美安保新指針的霸權本性〉＊

〈日美霸權主義的防盾 TMD 之虛實〉＊

〔附錄 B〕關於劉進慶文選的原始設想／林啟洋編

序　文　許序

陳序

曾序

前　言

第一章　劉進慶教授生平簡介

第二章　中日復交前之各項事件

第三章　保釣運動於日本

第四章　七十年代統獨爭論於日本

第五章　兩岸關係論述文集

第六章　一國兩制與台民心聲

第七章　改革開放與台灣

第八章　在日促統活動實踐

第九章　兩岸交流啟動後之進展

第十章　卅多年來之總結、期望

後　語

2014 年 10 月 23 日:「劉教授逝世九週年新書追思發表會」。

〔附錄C〕劉進慶著作年譜（已發表部分）／邱士杰編

1966年03月[翻譯]　《台湾大学経済研究所〈台湾工砿業の生産力に関する研究〉翻訳》,《アジア経済研究所研究部資料》, 第40-18号（翻訳第9号）。

1966年11月〈台湾工業化の展開〉,《アジア経済》, 第7巻第11号，第97-117頁。

1967年08月〈台湾経済の循環構造〉,《経済学研究》(東京大学経済学研究会), 第9号，第1-13頁。

1968年03月〈台湾の財政〉、〈台湾の外資導入と合弁企業〉, 笹本武治、川野重任（編),《台湾経済総合研究》(上)（第7章: 第247-288頁; 第9章: 第331-364頁)。東京: アジア経済研究所。

1968年06月〈工業の展開過程〉、〈台湾の企業経営〉, 笹本武治、川野重任（編),《台湾経済総合研究》(下)（第14章: 第647-746頁; 第15章: 第747-808頁)。東京: アジア経済研究所。

1968年09月《台湾の鉄鋼業》,《アジア経済研究所研究部資料》, 第43-31号。アジア経済研究所内部資料。

1968年11月〈志士の遺墨に見た極限の世界〉, 日本近代化の先覚者研究セミナー（編),《アジアに問う明治百年:「日本近代化の先覚者」研究セミナー報告書》(第86頁)。東京: 日本ユネスコ協会連盟等。

1969年03月〈張果為編《台湾経済発展》書評〉,《アジア経済》, 第10巻第3号，第128-132頁。

1969年03月〈台湾の労働力と就業構造〉、〈台湾の労資関係と労働法〉, 隅谷三喜男（編),《台湾の労働事情》,《アジア経済研究所研究部資料》, 第 5 号, 第 167-211 頁、第 167-211 頁。アジア経済研究所内部資料。

1969 年 04 月 The process of industrialization in Taiwan, *The Developing Economies* (Japan), Vol.7, No.1, pp.64-81.

1969 年 07 月 《台湾工業センサスと工業構造の分析》,《アジア経済研究所研究部資料》, 第 44-3 号。アジア経済研究所内部資料。

1970 年 〈「帝国主義下の台湾」における「資本主義化」の問題点について〉,《東大中国同学会会報 · 暖流》, 第 12 期, 第 36-39 頁。

1971 年 01 月 〈アジア農村の過剰人口と労働市場〉, 隅谷三喜男(編),《アジア諸国の労働問題》(第 1 章第 1 節: 第 27-88 頁)。東京: 東洋経済新報社。

1971 年 02 月 〈台湾農民の呻吟〉,《東大中国同学会会報 · 暖流》, 第 13 期, 第 62-74 頁。

1971 年 03 月 〈アジア労働市場の特質——出稼ぎについて〉,《アジアの労働問題——その理論的実証的分析 I》,《アジア経済研究所経済成長調査部資料》, 第 29 号, 第 77-123 頁。アジア経済研究所内部資料。

1972 年 06 月 〈戦後台湾経済の構造——公業と私業〉,《思想》, 第 576 号, 第 26-48 頁。

1972 年 08 月 〈台湾の経済と政治の問題:公業と私業を中心に〉,《東大中国同学会会報 · 暖流》, 第 14 期, 第 2-12 頁。

1972 年 08 月 〈劉顔事件覚書〉,《東大中国同学会会報 · 暖流》, 第 14 期, 第 117-121 頁。

1972 年 08 月 〈陳中統事件について〉,《東大中国同学会会報 · 暖流》, 第 14 期, 第 122-125 頁。

1973年09月 〈台湾における国民党官僚資本の展開——国家資本主義研究に寄せて〉，《思想》，第591号，第27-52頁。

——漢譯繁體字版：〈台灣國民黨官僚資本的開展：寄與國家資本主義的研究（上）〉（水車譯），《台灣人民》，第9期，1974年，第26-37頁；〈台灣國民黨官僚資本的開展：寄與國家資本主義的研究（下）〉（水車譯），《台灣人民》，第10期，1975年，第25-38頁。

1975年02月 《戦後台湾経済分析》。東京：東京大学出版会。

——漢譯簡化字版：《戰後台灣經濟分析》（雷慧英譯）。廈門：廈門大學出版社，1990年05月。

——漢譯繁體字版：《台灣戰後經濟分析》（林書揚監譯，王宏仁、林繼文、李明俊譯）。台北：人間出版社，1992年06月。本書獲《中國時報》1992年度十大優秀圖書獎。

1975年04月 〈台湾における多国籍企業と労働市場〉，《日本労働協会雑誌》4月号，第12-21頁。

1977年11月 〈日本資本主義と東南アジア〉，《経済学批判》，第3号，第131-153頁。

1978年03月 〈台湾輸出加工区の分析〉，藤森英男（編），《アジア諸国の輸出加工区》，第4章，アジア経済研究所，第91-150頁。

——漢譯簡化字版：《亞洲各地加工出口區》（廣東省社會科學院經濟研究所世界經濟研究室譯）。廣東：廣東省經濟特區管理委員會、廣東省社會科學院經濟研究所，1980年01月。

1980 年 10 月 〈途上国の工業化と国民経済〉（隅谷三喜男、劉進慶合著），《経済評論》，第 29 巻第 10 号，第 2-21 頁。

1981 年 02 月 〈強まる官主導の官民二重経済構造——経済発展・安定に効果的機能〉，《国際経済》，第 18 巻第 3 号，第 2-10 頁。

1982 年 04 月 〈経済学を学ぶ意味〉，《東京経済大学新聞》，第 329 号，1982 年 04 月 20 日，第 3 版。

1982 年 07 月 〈現代の台湾経済について〉，《アジア時報》，第 147 号，第 20-32 頁。

1983 年 07 月 〈戦後台湾経済の発展過程〉，本多健吉（編），《南北問題の現代的構造》（第 5 章：第 139-169 頁）。東京：日本評論社。

——漢譯簡化字版：〈台灣的經濟結構及其存在的問題（上）〉（汪慕恒譯），《台灣研究集刊》，1985 年第 1 期，第 96-106 頁；〈台灣的經濟結構及其存在的問題（下）〉（汪慕恒譯），《台灣研究集刊》，1985 年第 2 期，第 100-107、118 頁。

——漢譯繁體字版之一：〈戰後台灣經濟的發展過程〉（張正修譯），《台灣風物》，第 34 卷第 4 期，1984 年 12 月，第 27-62 頁。

——漢譯繁體字版之二：〈戰後台灣經濟發展過程（一）〉（譯者不明），《前方》第 7 期，1987 年 08 月，第 68-79 頁。

1983 年 08 月 〈從中樞衛星關係的觀點看台灣政治經濟的演變和展望〉，郭煥圭、趙復三（編），《「台灣之將來」學務討論會論文集》（第 309-343 頁）。北京：中國友誼出版公司。

——繁體字節錄版：〈台灣的統治資本——從中樞、衛星關係的觀點看台灣政治經濟的演變與展望〉，《亞洲人週刊》，第 20 期，1985 年 6 月，第 54-63 頁。

1983 年 12 月　〈韓国における重化学工業化と政府主導経済の問題〉，《アジア経済》，第 24 巻第 12 号，第 2-24 頁。

1984 年 06 月　〈台湾の経済・産業〉，《中国総覧（1984 年版）》（第 6 編第 4 章：第 549-562 頁）。東京：霞山会。

1984 年 06 月　〈台湾産業高度化の課題〉，《国際経済》，第 21 巻第 7 号，第 88-95 頁。

1984 年 08 月　〈台湾——「第二の飛躍」をむかえた経済〉，《経済セミナー》，第 355 号，第 78-83 頁。

——漢譯簡化字版：〈台灣經濟面臨著「第二次飛躍」〉（雷慧英譯），《台灣研究集刊》，1986 年第 4 期，第 120-126、90 頁。

1984 年 09 月　〈台湾伝統社会における土地所有の特質に関する一考察〉，《東京経大学会誌》，第 137 号，第 207-221 頁。

1984 年 09 月　〈東アジアにおける国民経済の構造と転換——近代化の視点から（上）〉，《世界経済評論》，第 28 巻第 9 号，第 48-55 頁。

1984 年 10 月　〈東アジアにおける国民経済の構造と転換——近代化の視点から（下）〉，《世界経済評論》，第 28 巻第 10 号，第 30-33 頁。

——漢譯簡化字節譯版：〈東亞經濟結構轉變中值得注意的新動向〉（任之譯），《亞太經濟》，1985 年第 2 期，第 59-60 頁。

1984 年 10 月　〈台湾における産業構造の転換と労働問題〉，《中国

研究月報》，第 439 号，第 1-22 頁。

——漢譯簡化字版：〈台灣產業結構的轉換和勞動問題〉（雷慧英譯），《台灣研究集刊》，1986 年第 1 期，第 72-82 頁。

1984 年 11 月 〈清末台湾における対外貿易の発展と資本蓄積の特質（1858-1895 年）〉，《東京経大学会誌》，第 138 号，第 53-75 頁。

1984 年 11 月 〈戦後台湾における政治経済体制の再編過程（1945-1950）〉，《現代史サマーセミナー通信》，第 2 号，第 7-13 頁。

1984 年 11 月 〈経済学的な物の見方、考え方を身につける〉，《学問への道》，第 41 頁。

1985 年 08 月 〈台灣經濟成長的商榷〉，郭煥圭、趙復三（編），《「台灣之將來」學術討論會論文集之二》（第 19-49 頁）。北京：中國友誼出版公司。

1986 年 05 月 〈台湾の経済〉，戴国煇（編），《もっと知りたい台湾》（第 244-268 頁）。東京：弘文堂。

——漢譯簡化字版：〈台灣經濟的三次高速發展〉（吳能遠譯），《福建社科情報》，1988 年第 9 期「台灣專號」，第 38-43 頁。

1986 年 07 月 〈台灣經濟：過去、現在和未來〉（陳建安記錄），《世界經濟情況》，1986 年第 14 期，第 27-29 頁。

——本文原為 1986 年 6 月 27 日劉進慶在上海復旦大學的演講記錄稿。

——同文並登載於：《教研參考資料》，1987 年第 1 期，第 22-24 頁。

1986 年 08 月 〈清末台灣對外貿易的發展與其特點〉，《台灣學術研究會誌》，創刊號，第 5-23 頁。

1987 年 03 月 〈台湾の電子産業と日本企業の進出〉，佐々木隆、絵所秀紀（編），《日本電子産業の海外進出》（第 8 章：第 261-292 頁）。東京：法政大学比較経済研究所。

1987 年 04 月 〈中国——社会主義・低開発・第三世界のリーダー〉，川田侃、石井摩耶子（編），《発展途上国の政治経済学》（第 3 章第 4 節：第 242-263 頁）。東京：東京書籍。

1987 年 09 月 〈台湾のニックス的発展と新たな経済階層——民主化の政治経済的底流〉，若林正丈（編），《台湾——転換期の政治と経済》（第 4 章：第 143-266 頁）。東京：田畑書店。

——劉進慶所撰章節之漢譯繁體版之一：〈新興工業國的發展和新經濟階層——民主化之經濟政治的底流（上）〉（平民譯），《五月評論》，1988 年 5 月號，第 3-28 頁；〈新興工業國的發展和新經濟階層——民主化之經濟政治的底流（中）〉（平民譯），《五月評論》，1988 年 7 月號，第 3-41 頁；〈新興工業國的發展和新經濟階層——民主化之經濟政治的底流（下）〉（平民譯），《五月評論》，1988 年 9 月號，第 36-60 頁。

——劉進慶所撰章節之漢譯繁體版之二：《中日會診台灣——轉換期的經濟》，陳豔紅譯，台北：故鄉出版社，1988 年 06 月。

1987 年 09 月 〈台灣經濟發展的虛相與實相——訪劉進慶教授〉（陳映真訪問、海峽雜誌社整理），《海峽》，第 16-24 頁。

——本文並收錄於《陳映真作品集七：石破天驚》（頁177-192）。台北：人間出版社，1988 年。

1987 年 09 月 〈東アジア新興工業国としての台湾経済〉，大阪市立大学経済研究所、奥村茂次（編），《アジア新工業化の展望》（第 95-133 頁）。東京：東京大学出版会，1987。

——漢譯簡化字版：〈作為東亞新興工業化地區的台灣經濟〉（雷慧英譯），《台灣研究集刊》，1988 年第 2 期，第 101-115 頁；〈作為東亞新興工業化地區的台灣經濟（續）〉（雷慧英譯），《台灣研究集刊》，1988 年第 3 期，第 52-64 頁。

1987 年 10 月 〈在日本看台灣經濟〉（簡玉秀記錄），《台灣文藝》，第 107 期，第 18-25 頁。

1987 年 11 月 〈從歷史觀點探討台灣經濟成長問題〉，《台灣學術研究會誌》，第 2 号，第 83-104 頁。

1988 年 03 月 〈台湾民間企業の発展〉、〈台湾の電子産業——産業高度化のフロンテイア〉，谷浦孝雄（編），《台湾の工業化——国際加工基地の形成》（第 4 章第 3 節：第 152-184 頁；第 6 章第 2 節：247-265 頁）。東京：アジア経済研究所。

——第 4 章第 3 節漢譯簡化字版：〈國營企業、外資企業與民營企業在台灣工業化過程中的作用（續）〉（翁成受譯），《台灣研究集刊》，1989 年第 3 期，第 33-44 頁。

——第 6 章第 2 節漢譯簡化字版：〈電子產業——台灣產業升級的新領域〉（雷慧英譯），《台灣研究集刊》，1989 年第 4 期，第 28-36 頁。

1988年06月 〈東南アジアの経済・NICs〉，滝川勉（編），《新東南アジアハンドブック》（第4章：第260-284頁）。東京：講談社。

1988年06月[受訪] 〈岐路に立つNICs優等生〉（遠野はるひ訪問），《世界から》，特集32，第48-59頁。

1988年06月 〈台湾のNICs的発展の現状と問題点〉、〈台湾の労働問題〉，中国研究所（編）《中国年鑑1988年版別冊：台湾小事典》（第38-43頁、第58-59頁）。東京：大修館書店。

1988年11月 〈アジアNIEsと開発経済学〉（本多健吉、本山美彦、劉進慶），《経済評論》，第37卷第11号，第2-30頁。

——漢譯簡化字版：〈亞洲新興工業化地區與發展經濟學〉（周世錚摘譯），《國際經濟評論》，1989年第6期，第16-21頁。

1988年12月 〈台灣經濟屬性的探討〉，《台灣學術研究會誌》，第3号，第51-83頁。

——日譯版：〈台湾経済の性格と本質：おもに戦後以降の実態に集中して〉（郭安三訳），《富士論叢》，第34卷第1号，1989年05月，第243-285頁。

1988年 〈中国の近代化と新しい国際経済関係〉，《国民の経済白書（1988年度）》（第117-138頁）。東京：日本評論社。

1989年01月[受訪] 〈民主問題尤勝統腔獨調——東京大學經濟學博士劉進慶強調應尊重台胞意見〉（李若汶訪問），《民眾日報》，1989年1月14-15日。

1989年03月 〈台湾が一国両制を受け入れる日〉，《知識》，第87号，第148-54頁。

——漢譯繁體字版:〈台灣何時接受一國兩制〉(勞歸[林書揚]譯),《遠望》, 1989 年 9 月號, 第 5-9 頁。

1989 年 08 月 [受訪]〈中国留学生は台湾の援助を受けるな(リポート・天安門事件余波)〉(宇留間和基訪問),《アエラ:朝日新聞 Weekly》, 1989 年 08 月 22 日, 第 29 頁。

1988 年 09 月 [受訪]〈日本型か香港型か、岐路に立つ台湾経済:「NIEs 病」を克服し、先進国の仲間入りを果たすことができるか〉(本刊編輯長訪問),《月刊アジア》, 1989 年 9 月号, 第 17-20 頁。

1989 年 12 月〈台湾の中小企業問題と国際分業——その華商資本的性格に関する一考察〉,《アジア経済》, 第 30 巻第 12 号, 第 38-65 頁。

——漢譯簡化字版:台灣的中小企業問題與國際分工——有關華商資本性質的考察〉(雷慧英譯),《台灣研究集刊》, 1990 年第 2、3 期, 第 45-54、71 頁;〈台灣的中小企業問題與國際分工(續)——有關華商資本性質的考察〉(雷慧英譯),《台灣研究集刊》, 1990 年第 4 期, 第 83-91、110 頁;〈台灣的中小企業問題與國際分工(續)——有關華商資本性質的考察〉(雷慧英譯),《台灣研究集刊》, 1991 年第 1 期, 第 25-33、40 頁。

1989 年 12 月〈台湾経済発展に関するアンケ-ト調査(1988 年 10-11 月)〉(劉進慶、凃照彥、隅谷三喜男合著),《アジア経済》, 第 30 巻第 12 号, 第 103-117 頁。

1989 年 12 月〈世界體系下的亞太地區國際分工形勢〉,《台灣學術研究會誌》, 第 4 号, 第 97-113 頁。

1989 年〈台灣經濟屬性的探討〉, *Journal of Oriental Studies,*

Vol.27, Center of Asian Studies, University of Hong Kong pp.13-39.

1990 年 03 月 〈台湾の経済計画と産業政策〉，藤森英男（編），《アジア諸国の産業政策》（第 3 章：第 47-77 頁）東京：アジア経済研究所。

——漢譯簡化字版：〈台灣的產業政策分析〉（雷慧英譯），《台灣研究集刊》，1991 年第 4 期，第 70-79 頁。

1990 年 07 月[合編]　《台湾百科》（劉進慶、若林正丈、松永正義編著）。東京：大修館書店。劉進慶所著部分：〈ニーズ的発展の現状と要因〉、〈労働問題〉、〈環境問題〉、〈現代台湾の人物（3）：王永慶／林挺生／辜振甫／徐有庠〉。

——全書漢譯繁體字版：《台灣百科》（α 編譯工作室譯）。台北：克寧出版社，1995 年。

1990 年 11 月 〈中国の開放政策と開発戦略〉，山内一男、菊池道樹（編），《中国経済の新局面：改革の軌跡と展望》（第 7 章：第 182-215 頁）。東京：法政大学出版局。

1992 年 02 月[合編]　《台湾の経済——典型 NIEs の光と影》（劉進慶、隅谷三喜男、凃照彥合著）。東京：東京大学出版会。劉進慶所著部分：〈序章：経済発展——過程と果実〉第 1-3 節、〈第 1 章：農業——発展基底の役割〉、〈第 2 章：産業——官民共棲の構図〉。

——第 2 章第 4 節漢譯簡化字版：〈台灣民間資本的增長過程〉（雷慧英譯），《台灣研究集刊》，1993 年第 1 期，第 18-25 頁。

——全書漢譯繁體字版：《台灣之經濟——典型 NISE 之成就與問題》（朱天順監譯，雷慧英、吳偉健、耿景華譯）台北：人間出版社，1993 年 07 月。
——全書漢譯簡化字版：《台灣經濟發展的成就與問題：新興工業化經濟群體的典例分析》（汪慕恆、陳大冰譯、汪慕恆校）。廈門：廈門大學出版社，1996 年 07 月。

1992 年 09 月 [合編] 《激動のなかの台湾——その変容と転成》（劉進慶、若林正丈・大橋英夫合編）。東京：田畑書店。劉進慶所著部分：〈蔡夢橋への論評〉、〈変動する台湾社会——経済〉、〈おわりに〉。

1992 年 10 月 〈台灣經濟發展的現狀與展望〉（阿泉整理），《台灣學生》，第 12 期。

1992 年 11 月 〈兩岸交流對台灣政治經濟的衝擊〉，《通訊》，第 12 卷第 4 号，北美洲台灣人教授協會，第 26-31 頁。

1993 年 05 月 〈台灣產業升級的基本問題〉，《台灣學術研究會誌》，第 6 号，第 85-107 頁。

1993 年 09 月 〈東アジア資本主義発展の究明〉，《平和経済》，第 380 号，第 53-55 頁。

1993 年 12 月 〈このまま進むか中国経済——台湾の視点から〉，《中国を情報する——経済の「眼睛」》，第 3 卷第 1 号，第 13-16 頁。

1994 年 04 月 〈台灣資本主義特性與未來走向——國際比較研究（上）〉，《台灣研究》，第 28 期，第 40-50、69 頁。

1994 年 07 月 〈台灣資本主義性格的探討與國家權力〉，《海峽評論》，第 43 期，第 53-56 頁。
——本文原為 1994 年 3 月 26 日劉進慶在台灣社會科學研究會上的演講記錄稿。

1994 年 08 月 〈兩岸政經關係與和平統一〉，第四屆海峽兩岸關係研討會（北京）。

1994年12月〈兩岸經濟關係的動態與問題〉，《台灣學術研究會誌》，第7号，第55-84頁。

1994年12月〈台灣經濟特性與未來在亞太經濟中扮演的角色〉，《台灣學術研究會誌》，第7号，第85-117頁。

1995年01月〈台灣資本主義特性與未來走向——國際比較研究（下）〉，《台灣研究》，第29期，第61-64頁。

1995年04月〈海峡両岸の動向と政治経済関係に関する一考察〉，《ジェトロ中国経済》，第352号，第14-35頁。

1995年05月〈敬祈平反之日來到〉，《海峽評論》，第53期，第48-49頁。

1995年06月〈台灣經濟體質總體檢〉，高希均、李誠（編），《台灣經濟再定位》（第2章：第61-90頁）。台北：天下文化出版公司。

1995年06月 Trends in Cross-Straits relations, *China Newsletter*, No, 116 (JETRO), pp.10-24.

1995年07月〈下関条約100周年を迎えた台湾〉，《アジ研ワールド・トレンド》 第1巻第4号，第26-27頁。

1995年10月〈中国社会主義市場経済を考える〉，《平和経済》，第403号，第26-29頁。

1996年06月〈台湾経済の課題と両岸経済関係の行方〉，《日中経済ジャーナル》，第33号，第27-35頁。

1996年07月 The industrial development and changing of industrial structure in Taiwan: industrial hollow up with upgrading, 《東京経大学会誌》，第197号，第3-16頁。

1996年07月〈世紀末兩岸經濟互助合作的道路——從台灣經濟

觀點說起〉，第五屆海峽兩岸關係研討會（北京）。

1996年12月 〈台灣加工出口區對國家經濟發展的貢獻〉，加工出口區之回顧與展望國際研討會（高雄）。

1997年02月 〈近藤正己著《総力戦と台湾——日本植民地崩壊の研究》書評〉《アジア経済》，第38巻第2号，第81-86頁。

1997年02月 〈恐怖政治下的搜刮經濟與其反動性格〉，第一屆東亞冷戰與國家恐怖主義學術研討會（台北）。

——本論文略刪圖表後以同名登載於：《海峽評論》，第77期，1997年5月，第58-61頁；第78期，1997年6月，第62-65頁；第79期，1997年7月，第61-64頁。

1997年03月 〈台湾電子産業の開発政策〉，藤森英男（編），《アジア産業政策の事例研究》（第2章：第25-46頁）。東京：アジア経済研究所。

1997年05月 〈国際金融センター香港の行方：人民元の国際化〉，《朝日新聞》夕刊，1997年05月10日，第8版

1997年06月[受訪] 〈台灣對香港回歸反應不足〉（劉黎兒訪問），《中國時報》，1997年6月19日，第4版。

1997年07月 〈兩岸經貿前進的十年，兩岸合作光明的前景〉，第六屆海峽兩岸關係研討會（海南）。

——期刊節錄版：〈從台灣經濟觀點看兩岸經貿交流十年進展與未來前景〉，《兩岸關係》，1998年第3期，第48-50頁。

1997年07月 〈〔座談会〕香港返還と中国・日本・アジア〉（南亮進、朽木昭文、劉進慶），《経済セミナー》，第510号，第32-38頁。

1997 年 10 月 〈〔座談會〕開創與前瞻——後九七兩岸關係論壇〉（楊開煌、王曉波、張五岳、許世銓、劉進慶），《海峽評論》，第 82 期，第 54-64 頁。

——本文原為 1997 年 8 月 25 日夏潮基金會所主辦論壇之記錄稿。

1997 年 11 月[受訪] 〈インタビュー：アジアは警告する（パ-ト1）——劉進慶氏に聞く〉（沢藤統一郎訪問），《法と民主主義》，第 323 号 ，第 36-42 頁。

1997 年 12 月 〈歷史悲情與歷史認識的自我檢討——剖析台灣媚日反華分離主義者的奴性史觀〉，《海峽評論》，第 84 期，第 50-58 頁。

1997 年 12 月 〈[東京経済大学国際シンポジウム：香港返還——激動するアジア太平洋]概況と解説〉，《東京経大学会誌》，第 205 号，第 167-70 頁。

1998 年 01 月 〈中國第三次思想解放對經濟的影響〉，《中國評論》，第 1 期，第 17-20 頁。

1998 年 07 月 〈台湾における恐怖政治下の収奪独裁経済とその反動的性格：1950-65 年——開発独裁経済と峻別する視点から〉，《東京経大学会誌》，第 207 号，第 231-253 頁。

1998 年 07 月 〈中国における公有制経済改革と国有企業の株式会社制導入に関する初步的考察〉，《東京経大学会誌》，第 209 号，第 43-53 頁。

——並請參見劉進慶另外發表的：〈ホットライン「中国における公有制経済改革と国有企業の株式会社化について」——中央党校訪問の心覚えと関わらせて〉，《経済と社会》，第 13 号，第 89-97 頁。

1998 年 07 月[受訪]　〈劉進慶教授談亞洲經濟危機〉（周彬訪問），《留學生新聞》，1998 年 7 月 15 日，第 11 版。

1998 年 08 月　〈邁向 21 世紀兩岸經貿一體化的展望〉，第七屆海峽兩岸關係研討會（北京）。

1998 年 11 月　〈アジア通貨危機と台湾・香港・中国経済の動向〉，《中国研究月報》，第 609 号，第 23-35 頁。

1999 年 03 月　〈〔論壇〕台湾民衆には迷惑な「周辺」規定〉，《朝日新聞》，1999 年 3 月 2 日，第 4 版。

——漢譯期刊版：〈台灣民眾對「周邊」規定的迷惑〉（林書揚譯），《海峽評論》台北，第 100 期，1999 年，第 16 頁。

1999 年 04 月　〈淺談台灣資本主義發展史之研究〉（林虹妤、游振明記錄），《史匯》，第 3 期，第 88-91 頁。

——本文原為 1998 年 11 月 17 日劉進慶在中壢中央大學歷史所的演講記錄稿。

1999 年 05 月　〈亞洲經濟危機對兩岸經濟之不同影響和兩岸經貿協作的新形勢〉，《中國評論》，第 17 期，第 59-62 頁。

1999 年 07 月　〈亞洲經濟危機對兩岸經濟之影響和兩岸經貿協作的新形勢〉，第八屆海峽兩岸關係研討會（泉州）。

——本論文隨後宣讀於同月底舉辦於的「跨世紀亞洲人民反對美日帝國主義運動國際研討會」（台北）。

——本論文略加修改之後，分別登載於：《台灣研究集刊》與《台聲》，即：〈亞洲經濟危機對兩岸經濟之影響和兩岸經貿協作的新形勢〉，《台灣研究集刊》，1993 年第 3 期，第 9-14 頁；〈亞洲經濟危機對兩岸經濟之影響和兩岸經貿協作之啟示〉，《台聲》，1999 年第 9 期，第 15-18 頁。

1999 年 07 月〈日美安保新指針的霸權本性〉，跨世紀亞洲人民反對美日帝國主義運動國際研討會（台北）。
——期刊版：〈日美安保新指針的霸權本性〉，《海峽評論》，第 105 期，1999 年 9 月，第 6-10 頁。

1999 年 07 月〈日美霸權主義的防盾 TMD 之虛實〉，跨世紀亞洲人民反對美日帝國主義運動國際研討會（台北）。

1999 年 07 月〈亞洲金融危機對香港經濟的影響〉，跨世紀亞洲人民反對美日帝國主義運動國際研討會（台北）。

1999 年 08 月 Contending issues about continuousness and discontinuousness of historical process during the trans-phase from Japanese colonialism to post-war economy in Taiwan，《東京経大学会誌》，第 213 号，第 13-22 頁。

2000 年 03 月〈中台両岸の政策面からみた経済交流〉，国際貿易投資研究所（編），《近年の両岸情勢——中国・台湾経済関係の現状と課題》（第 3 章：第 85-98 頁）。東京：国際貿易投資研究所。

2000 年 04 月〈一個中國的方向才是台灣長榮久安的大道——給總統當選人陳水扁先生的建言〉，《海峽評論》，第 112 期，第 56-58 頁。

2000 年 06 月〈対談：新段階迎えた中台関係〉（加々美光行、劉進慶），《潮》，第 496 号，第 110-19 頁。

2000 年 07 月〈台灣新政權上台的反思與兩岸關係的探討〉，第九屆海峽兩岸關係研討會（杭州）。
——期刊版：〈台灣新政權上台與兩岸關係的反思〉，《海峽評論》，第 117 期，2000 年 09 月，第 43-48 頁。

2000 年 09 月〈中米関係の展開——台湾問題を中心に〉，《現代中

国》，第 47 号，第 48-59 頁。

2001 年 01 月 〈中台両岸経済交流の政策と動態〉,《東京経大学会誌》，第 221 号，第 143-156 頁。

2001 年 03 月 Taiwan's economy intergrated and articulatied with Japanese capitalism throughout the 20th century, 《東京経大学会誌》，第 223 号，第 159-181 頁。

2001 年 04 月 [受訪] 〈當前台灣的經濟困境與勞動處境及其未來出路〉（臧汝興與王武郎訪問），《勞動前線》，第 34 期「五一特刊」，第 4-16 頁。

2001 年 07 月 〈中國和平統一的物質基礎——兩岸經貿一體化動態〉，劉進慶（編），《全球華僑華人推動中國平和統一大会・新世紀東京大会論文集》（第 330-335 頁）。東京：日本僑報社。

2001 年 08 月 〈日本の台湾領有と民衆虐殺——日本の対中侵略戦争における民衆抗日、三光作戦および民衆虐殺原点〉，王智新等（編），《「つくる会」の歴史教科書を斬る——在日中国人学者の視点から》（第 5 章：第 40-47 頁）。東京：日本僑報社。

2001 年 09 月 〈新世紀海峽兩岸經貿一體化的加速和一國兩制的切實性〉，第十屆海峽兩岸關係研討會（成都）。

2001 年 09 月 〈全球華僑歷史性愛國主義運動的第三次熱潮——新世紀東京大會「總結報告」〉《海峽評論》，第 129 期，第 48-50 頁。

2001 年 10 月 〈「反獨促統」：全球華僑華人大團結〉，《台聲》，2001 年第 10 期，第 15-16 頁。

2001 年 12 月 〈從「香山會議」到太行山老區〉，《台聲》，2001 年第 12 期，第 47-48 頁。

2001年　〈書評：杉岡碩夫著《新台湾の奇跡》〉，《産業学会研究屋出年報》，第17号，第97-99頁。

2002年01月　〈中国の農業現代化試論（上）〉，《東京経大学会誌》，第227号，第145-153頁。

2002年06月[合編]　《日韓台の対ASEAN企業進出と金融：パソコン用ディスプレイを中心とする競争と協調》（劉進慶、斉藤寿彦編著）。東京：日本経済評論社出版。劉進慶所著部分：〈理論的視角〉、〈総括と展望〉。

2003年01月[合編]　《台湾の産業政策》（劉進慶、朝元照雄編著）。東京，勁草書房。劉進慶所著部分：〈第1章：台湾の産業組織と産業政策〉。

2003年02月　〈わがレジスタンスと学問〉，《東京経大学会誌》，第233号，第13-24頁。

——漢譯繁體字版：〈我的抵抗與學問〉（曾健民譯），《批判與再造》，第26期，2005年12月，第30-39頁。

2003年03月　〈序論台灣近代化問題——晚清洋務近代化與日據殖民近代化之評比〉，夏潮「台灣殖民地史學術研討會：日本殖民統治時期（1895-1945）》」（台北）。

——本文後以同名收錄於：夏潮聯合會等（編），《台灣殖民地史學術研討會：日本殖民統治時期（1895-1945）》（第1-13頁）。台北：海峽學術出版社，2004年。

2003年08月　〈世界経済を見る眼〉，東京経済大学国際経済グループ（編），《私たちの国際経済：見つめよう，考えよう，世界のこと》。東京：有斐閣ブックス。

——本書再版之際，日本學者渡辺尚校定了此文。

2003 年　　〈強調立場與寡言靜觀——劉進慶談台灣「大選」與大陸的對策〉,《世界知識》, 2003 年第 21 期, 第 48 頁。

——本文經摘錄後, 另外發表為:〈台灣「大選」與大陸的對策〉,《領導文萃》, 2004 年第 1 期, 第 127-129 頁。

2003 年　　〈一個對半個的外交——日本東京經濟大學劉進慶教授談中日關係〉,《世界知識》, 2003 年第 24 期。

2004 年 07 月 〈李登輝——価値観と政治的功罪〉, 許介鱗、村田忠禧 (編),《現代中国治国論: 蒋介石から胡錦涛まで》。東京: 勉誠出版。

2004 年 12 月[編譯]　《2004 年台湾総統選挙の不正を告発する》(楊富美著、台湾問題研究会與劉進慶編訳), 東京: 日本僑報社。

2006 年 03 月[合編]　《東アジアの発展と中小企業: グローバル化のなかの韓国 · 台湾》(平川均、劉進慶、崔龍浩編著)。東京: 学術出版会。劉進慶所著部分:〈第 6 章: 台湾の経済発展と中小企業問題〉。

2006 年 03 月 〈日本型資本主義の新しいかたち〉, 渡辺尚、今久保幸生、ヘルベルト · ハックス、ヲルフガンク · クレナー (編),《孤立と統合: 日独戦後史の分岐点》。京都: 京都大学学術出版会。

2006 年　　〈追悼特別掲載:「戦後」なき東アジア · 台湾に生きて〉(劉進慶、駒込武),《前夜》, 第 1 期, 第 229-246 頁。

國家圖書館出版品預行編目(CIP)資料

劉進慶文選 ： 我的抵抗與學問 / 劉進慶著. -- 初版.
-- 臺北市 ： 人間, 2015.10
冊； 公分

ISBN 978-986-6777-96-7(上卷 ： 平裝). --
ISBN 978-986-6777-97-4(下卷 ： 平裝). --
ISBN 978-986-6777-98-1(全套 ： 平裝)

1.臺灣經濟 2.政治經濟 3.臺灣問題 4.文集

552.337 104019921

劉進慶文選：我的抵抗與學問（下卷）

著　　者：劉進慶
文選策劃：林啟洋．林邵雪瑛（中華秋海棠文化經貿協會）
文選主編：邱士杰
出 版 者：人間出版社
發 行 人：呂正惠
社　　長：林怡君
地　　址：台北市長泰街五九巷七號
電　　話：02-23370566
劃撥帳號：11746473 人間出版社
初版一刷：2015 年 10 月 25 日
定　　價：上下卷合售 700 元